CYFRES Y CEWRI

1. DAFYDD IWAN
2. *AROGLAU GWAIR*, W.H. ROBERTS
3. ALUN WILLIAMS
4. *BYWYD CYMRO*, GWYNFOR EVANS
5. WIL SAM
6. *NEB*, R.S. THOMAS
7. *AR DRAWS AC AR HYD*, JOHN GWILYM JONES
8. *OS HOFFECH WYBOD*, DIC JONES
9. *CAE MARGED*, LYN EBENEZER
10. *O DDIFRI*, DAFYDD WIGLEY (Cyfrol 1)
    DAL ATI, DAFYDD WIGLEY (Cyfrol 2)
11. *O GROTH Y DDAEAR*, GERAINT BOWEN
12. *ODDEUTU'R TÂN*, O.M. ROBERTS
13. *ANTURIAF YMLAEN*, R. GWYNN DAVIES
14. *GLAW AR ROSYN AWST*, ALAN LLWYD
15. *DIC TŶ CAPEL*, RICHARD JONES
16. *HOGYN O SLING*, JOHN OGWEN
17. *FI DAI SY' 'MA*, DAI JONES
18. *BAGLU 'MLAEN*, PAUL FLYNN
19. *JONSI*, EIFION JONES
20. *C'MON REFF*, GWYN PIERCE OWEN
21. *COFIO'N ÔL*, GRUFFUDD PARRY

CYFRES Y CEWRI 22

Y Stori tu ôl i'r Gân

Arwel Jones

Argraffiad Cyntaf – Tachwedd 2000

ISBN 0 86074 169 9

Cyhoeddwyd ac Argraffwyd
gan Wasg Gwynedd, Caernarfon

Cynnwys

Teulu Bodandrag 9
Teulu Minfforddd 22
Hogyn Dic Moto' 30
Addysg Go Iawn 41
'Oes 'Ma Bobol?' 50
'Rysgol Fowr 65
Plorod, Blaceds a Brylcreem 77
Addysg y Ddinas Fawr Ddrwg 89
Gwaith Cadw 99
Ffwtbol 108
Cwt Syms Tichars! 119
Yr Hogia 128
Y Blynyddoedd Lloerig 139
Camp 'Ta Rhemp? 151
Normalrwydd 161
Yr Headmonster 170
Ail Wynt 180
Dydi'r Hen Fyd 'Ma'n Fychan? 193
Pacio 215
Fi Fy Hun 225

Rhagair

Diolch i Wasg Gwynedd am wneud cawr allan o gorrach go nobl, ac am fynd i'r drafferth i groniclo ei gofiant yn ddestlus a glân rhwng cloriau.

Diolch i Elwyn, Myrddin, Alwyn Pleming, Iolo Huws-Roberts a Gwil Jôs am brocio cof oedd mor anghofus.

Diolch i Hugh Richard Jones a Nan Nan am wybodaeth oedd tu hwnt i'r cof.

Cyflwynaf y llyfr i Carys am wneud yn siŵr nad awn allan o'm cof wrth ei ysgrifennu.

I Dafydd ac Olwen a'u cymheiriaid am roddi perswâd ar yr 'Hen Go' i ysgrifennu fel nad â'i enw'n anghofiedig.

Ac i Tomos Meredydd Morgan am atgoffa ei daid bob hyn a hyn fod pethau pwysicach o lawer na 'hel atgofion' – a bod yna ddyfodol!

ARWEL JONES

Teulu Bodandrag

'Cerwch â fo yn syth i'r twll dan grisia!' oedd y gorchymyn gafodd Mam y noson y cefais fy ngeni yn 'Gwenallt' Stryd Newton, Llanberis ar 29ain o Fedi 1942. Nid am fy mod yn fabi anarferol o hyll, nac ychwaith am fod gennyf afiechyd heintus y cafodd y ddau ohonom ein stwffio'n ddiseremoni i'r fangre gul, dywyll honno allan o olwg pawb a phopeth. Ond am eu bod 'nhw' o gwmpas. Babi rhyfel oeddwn i, a chan nad oedd peilotiaid y Luftwaffe yn poeni rhyw lawer pwy fyddai o fewn cyrraedd eu targedau, callach o'r hanner oedd gwrando ar gyngor y cymdogion. Yn ystod yr wythnos honno fe gynhyrfwyd trigolion Dyffryn Peris gan sŵn dinistr. Ar restr targedau'r Almaenwyr yr oedd ffatri NICACO, wedi ei lleoli mewn clamp o sied fawr yn Chwarel Dinorwig ac wedi ei haddasu i gynhyrchu darnau i awyrennau rhyfel Prydain. Targed delfrydol i'w ddinistrio gyda 'Gwenallt' ond rhyw gwta ddwy filltir i ffwrdd. Mae creithiau'r ymosodiad yn weladwy hyd heddiw ar lethrau Moel Eilio. Yn ffodus iawn arbedwyd y ffatri ac yn bwysicach – y twll dan grisia!

Dymuniad Mam oedd i'r babi newydd fod yn iach ac yn bengoch! 'Myn diawl, Katie fach,' meddai Dr. Douglas, 'ma'ch breuddwyd chi wedi ei wireddu. Cochyn yw e, ac am y gwn i mae'n holliach!' Rhoddodd Mam ochenaid o ryddhad gan iddi golli bachgen ar ei enedigaeth ddeng mlynedd ynghynt. Roedd fy nhad yn awyddus iawn i'm 'cofrestru' gan fod babi newydd yn golygu llyfr 'rations' ychwanegol. Roedd y ddau riant wedi penderfynu mai Griffith fyddai fy enw cyntaf, ar ôl fy nhaid Llanrug – ond beth am yr ail enw? Roedd tri enw yn apelio – Gwyn, Mansel ac Arwel. Roedd y ddau enw olaf wedi eu cynnwys oherwydd cysylltiad Mam â'r byd cerddorol. Contralto oedd Mam ac fe gymerai ran mewn cyngherddau mawreddog ac 'oratorios' ar hyd a lled Cymru. Cawsai ei hadnabod fel Madam Katie Jones. Ei harwyr mawr ar y pryd oedd Mansel Thomas ac Arwel Hughes, y ddau gerddor adnabyddus a phoblogaidd. Ond bore'r cofrestru galwodd fy nhad yn ei gartref yn Llanrug i gyhoeddi fod y babi newydd wedi cyrraedd, a'i fod ar ei ffordd i'r Felinheli i gofrestru Griffith Gwyn Jones. 'Dim byd o'r fath', meddai Ann ei chwaer, 'Griffith Arwel Jones fydd o.' Ac fel Griffith Arwel Jones y cefais fy nghofrestru. Mae'n amlwg fod y ddau riant yn ddigon hapus ar hynny cyn belled â bod y llyfr 'rations' yn saff yn y drôr!

Er mai hogan o Lanberis oedd Mam, hanai ei theulu o 'Bod Anrheg' neu 'Bod Andrag' ar dafod leferydd. Ffermdy rhwng Bethel a'r Felinheli oedd ac ydyw o hyd. Adnabyddid mam fel Katie Bod Andrag yn lleol. Roedd ganddi chwaer Jennie a dwy hanner chwaer hŷn, Gwen a Bet. Collodd Taid, John Morris Roberts, ei wraig gyntaf ac ailbriododd â Catherine neu Catrin, fy nain Llanbêr. Does gen i ddim cof o'm taid gan iddo farw pan oeddwn ond blwydd oed, ond gwn mai dyn bychan, bywiog a byr ei dymer ydoedd. Byddai yn ei elfen yng nghae pêl-droed Llanberis yn herio a bygwth y dyfarnwyr a'r gwrthwynebwyr. Ond eto byddai yn dyner ac annwyl gyda phlant y pentref a ddeuai i'r tŷ i ddysgu canu. Meddai lais hyfryd ac fe'i cydnabyddid yn 'dipyn o gerddor'. Cariwr ydoedd ac fe redai ei fusnes ei hun. Dechreuodd gyda throl a cheffyl cyn y daeth dyddiau'r loriau. Yng nghefn 'Gwenallt' y cadwai ei stablau ond yn anffodus murddunod oeddynt erbyn dyddiau fy mhlentyndod i.

Dynes dew a rhadlon oedd Nain gyda chwerthiniad iach a sirioldeb yn pefrio yn ei llygaid. Roedd Nain yn byw hefo ni yn 'Gwenallt' a chan fod galw mynych am wasanaeth Mam i ganu, hi fyddai yn fy ngwarchod. Yn aml iawn deuai fy nhad a'm mam adref yn oriau mân y bore a chael Nain yn cysgu'n sownd yn ei chadair freichiau a minnau wedi rowlio i fyny'n glyd ar y soffa. Angladd nain yw'r angladd cyntaf i mi ei gofio. Cofiaf i mi ryfeddu gweld yr arch yn cael ei hebrwng drwy ffenestr y parlwr! Acw hefyd y trigai Yncl John ei brawd. Dyn bychan penwyn ac un llygad ganddo gyda mwstash trwchus, brownwyn. Lletyai Yncl John, neu John Go' i'w gydweithwyr, yn y parlwr. Hen lanc ydoedd a dreuliodd ei ddyddiau cynnar fel gof yn Chwarel Dinorwig ond mudodd i Dde Affrica i weithio yn y mwynfeydd aur ger Johannesburg. Treuliodd ei ddyddiau olaf yn y parlwr yn smocio cetyn a chnoi shag gan boeri'r saig i'r bowlen ger y tân. Cwynai'n ddi-baid fod 'yr hen hogyn bach 'ma' yn cuddio'i faco! Trueni fy mod yn rhy ifanc ar y pryd i'w holi am ei anturiaethau yn Ne Affrica yn hytrach na thynnu arno. Cyfle euraidd wedi ei golli.

Dynes sarrug yr olwg oedd Anti Bet, hanner chwaer fy mam, yn fechan o gorff a thenau fel brwynen. Eto i gyd roedd yna garedigrwydd digamsyniol yn perthyn i'w chymeriad. Mwynheais sawl brechdan driog yn Llwyn Idris. Roedd Yncl Bob Cae Glas, ei gŵr yn batrwm o werinwr tawel, diymhongar. Gan fod eu cartref, Llwyn Idris, union dros y ffordd i 'Gwenallt' byddwn yn treulio peth amser gyda'r ddau. Ond nid felly y bu yn ystod fy nyddiau cynnar. Os byddwn yn hogyn drwg ac wedi cael y gorau o Mam ei bygythiad fyddai, 'Mi gei di fynd at Anti Bet, mi setlith hi chdi!' Arswydwn pan glywn i hyn oherwydd yn 'Llwyn Idris' roedd 'y gragan'. Crogai gwialen fedw Mam uwchben y lle tân yn y gegin fach a chan mai ond bygwth ei defnyddio yn unig y byddai fe gollodd ei dylanwad. Roedd 'y gragan' yn llawer mwy o fygythiad. Byddai Anti Bet yn chwythu i'r hen gragen fôr a orweddai ger y drws cefn gan wneud y sŵn mwyaf aflafar ac iasoer. O fewn hon roedd y 'bwgan' yn byw a doeddwn i ddim am ei gyfarfod. Ond fel yr âi amser yn ei flaen deuthum i ymgynefino â hynny hefyd, a dod i sylweddoli fod sŵn y môr yn yr hen gragen, sŵn llawer hyfrytach, sŵn ffeind. Sŵn a nodweddai'r Anti Bet go iawn!

Edrychwn ymlaen yn eiddgar i fynd i dy Anti Gwen ac Yncl Evan John oherwydd roeddan nhw yn byw yn y dre. Golygai hynny drip ar y bws, cinio yn y tŷ a mynd rownd y siopau. Roedd Yncl Evan John yn dynnwr coes heb ei ail a byddwn wrth fy modd yn gwrando arno yn mynd trwy'i betha. 'Paid â gwrando arno fo, Arwel bach!' fyddai cyngor Anti Gwen i mi bob amser. Cefais Anti Gwen yn ddynes hawddgar iawn a chroesawgar. Yno hefyd yr oedd Jac (y diweddar erbyn hyn) ac Anwen. Plant mawr oedd y rhain a'r ddau yn bengoch fel finnau. Roedd Jac yn sowldiwr ac felly yn mynnu fy sylw a'm hedmygedd. Roedd Anwen ar fin dilyn cwrs mewn coleg cerdd a meddai lais hyfryd odiaeth. Dotiai Mam at ei dawn ac yn aml iawn clywn fy nhad a hithau yn ymfalchïo yn ei llwyddiant. Daeth Anwen, fel fy mam, yn gantores bologaidd. Am ryw reswm nas gwn yn iawn hyd heddiw, fe ddarniwyd y berthynas rhwng y ddwy chwaer. Roeddwn yn rhy ifanc ar y pryd i sylweddoli fod yna rwyg ond cofiaf i mi bendroni pam nad oeddwn yn cael mynd i dŷ Anti Gwen mwyach. Bu bron i mi â cholli fy adnabyddiaeth o'm cefnder a'm cyfnither. Er i'r rhwyg fod yn gyfrwng i ni fod ar wahân ni phylodd ein cyfeillgarwch ac mae fy edmygedd o'm cyfnither fawr yr un mor ddifffuant heddiw ag yr oedd pan oeddwn yn blentyn. Diolchaf na chawsom ein denu na'n cyflyru i bigo'r grachen.

Byddai mynd i tŷ Anti Jini, chwaer fawr Mam, yn antur, er nad oedd yn byw ond rhyw bum milltir o Lanberis. Trigai gyda'i gŵr Harry a'i mab John yn y Tŷ Uchaf, Ceunant, Llanrug, hen dyddyn unllawr, clyd ond anghysbell ac anhwylus gynddeiriog. Roedd y lôn o'r Ceunant i'r bwthyn nid yn unig yn garegog ond hefyd yn greigiog. Ar dywydd mawr byddai'r lôn yn troi yn afon ac ni fyddai gobaith cyrraedd Tŷ Uchaf am ddyddiau! Âi Mam a finnau'n aml i Tŷ Uchaf. Os nad oedd fy nhad ar gael i'n hebrwng yno byddem yn dal y bws Crosville i Groeslon Marc yn Llanrug, cerdded wedyn i waelod Gelltydd Ceunant i ddal y Bws Gwyn (Whiteways) i Waunfawr. Tagai'r hen 'fŷs bach y wlad' i fyny'r gelltydd serth gan ein gollwng wrth Gapel Ceunant. Byddai Yncl Harry yno yn ein disgwyl hefo'r tractor os byddai'n law ac os byddai'n hindda, wel doedd dim ond dringo ar droed amdani! Byddai'r croeso'n gynnes. Yno y byddai Anti Jini yn llenwi drws y bwthyn unllawr, yn chwifio'i breichiau'n gynhyrfus gyda'i chwerthiniad yn diasbedain i'n cwfwr dros gaeau a chorsdir Cefn Du. Roedd siâp ei mam ar Anti Jini ac fe etifeddodd ei phersonoliaeth hefyd, yn llond ei chroen ac yn byrlymu o hiwmor cariadus. Bywyd caled oedd bywyd Tŷ Uchaf hyd yn oed ym mhumdegau'r ganrif. Gweithiai fy ewythr yn y chwarel fel creigiwr. Dyn bychan, moel ond gwydn a chaled fel y graig y gweithiai arni. Codai tua phump i odro yr ychydig wartheg oedd ganddo, bwydo'r moch a'r ieir cyn cychwyn cerdded i lawr i ddal y bws chwarel. Cyn i'r bysiau fentro i godi hogia Ceunant byddai Yncl Harry yn cerdded tair milltir a hanner i'r stesion yn Y Stablau ger Penisarwaun i ddal y trên bach i Gilfach Ddu, Chwarel Dinorwig. Cerdded wedyn i Sinc Twll Clawdd i hongian ar ddibyn serth, tyllu, gosod powdwr du a ffiws, a'i danio. Chwilota wedyn am glytiau addas i'w trosglwyddo i'r sied ar gyfer eu trin. Cychwyn ar ddiwedydd yn ôl ar yr un siwrnai i'r Tŷ Uchaf i amaethu drachefn! Gorchwyl fy modryb oedd llnau, bwydo'r anifeiliaid, corddi a pharatoi swper chwarel a chroesawu'r hogia adref.

Awchai Anti Jini i gael y clecs o Lanbêr gan Mam ac mi awn innau allan i'r mynydd hefo John i hela hefo'r daeargwn. Addolwn John gan ei fod tua saith mlynedd yn hŷn na mi. Fo oedd 'brenin Cefn Du' a'i gastell oedd y Garreg Lefain. Yno y byddem yn chwilota pob twll a chornel o'r hen graig anferth i ddarganfod olion cwningod ac ambell lwynog.

'Yn fama y gwelodd Dad ac Yncl Wil y tylwyth teg yli,'

meddai John gan orwedd yng ngwres yr haul ar ben Carreg Lefain.

'Paid â malu, does 'na ddim ffasiwn betha'n bod,' meddwn innau'n llanc i gyd.

'Oes, ac os nad w't ti'n cwilio ynddyn nhw mi ddiflanni di neu rywun o dy deulu di oddi ar wynab y ddaear 'ma!' Ac ar hynny fe roddodd sbonc i fyny gan ddiflannu dros grib y graig. Arhosais innau am eiliad neu ddau yn rhyw grechwenu, ond pan godais ac edrych dros y graig – doedd dim golwg ohono! Llyncais fy mhoer, trois ar fy sawdl a baglais fy ffordd trwy'r llwyni grug i Tŷ Uchaf.

Dechreuais weiddi yn y drws, 'Ma...a...a...m! Ma John wedi mar...' ond buan y caeais fy ngheg. Pwy eisteddai'n dalog wrth y tân yn wên o glust i glust ond John. Cafodd rhyw hanner cerydd am fy mhryfocio. Pryfociwr oedd John wrth natur.

'Dad,' meddai,' deud hanas y tylwyth teg'. Ac fe adroddodd Yncl Harry y stori yn hynod o fyw a minnau yn fy nghwman wrth ei ochr yn gegrwth ac yn syfrdan. Dim rhyfedd i mi gytuno â Syr T.H. Parry-Williams flynyddoedd wedyn pan ofynnwyd iddo ar y rhaglen deledu boblogaidd Lloffa a oedd yn credu yn y tylwyth teg. 'Tydw i erioed wedi gweld y cyfryw rai,' meddai yn llawn difrifoldeb, 'ond ma nhw'n bod!' Pwy ydw i i amau felly? Gwelaf gopa'r hen Garreg Lefain o'm 'stafell y funud hon ac mae'r atgofion yn llifeirio.

Rhyw deimladau digon cymysg oedd gen i pan ddeuai'r gwahoddiad i fynd i aros i Tŷ Uchaf heb Mam a Nhad pan oeddwn yn blentyn bychan iawn. Doeddwn i ddim yn gallu dioddef menyn ffarm, llaeth enwyn, cysgu mewn tywyllwch bol buwch yn y siambar, nac ymweld â'r tŷ bach yng ngwaelod yr ardd. Safai hwnnw union drws nesaf i'r cwt mochyn! Yn y fan honno y dois i ddeall fod diben arall i'r *Herald Cymraeg*! Roedd hyn yn ormod i hogyn o'r pentref oedd wedi ei ddwyn i fyny ar lefrith, marjarîn, trydan a thoilet 'flush'! Ond ar y llaw arall roedd yna fanteision a thynfa i Tŷ Uchaf. Roedd gwrando ar straeon Yncl Harry fin nos wrth danllwyth o dân pricia a golau lamp olew yn heintus, hel gwair i'r drol, eistedd ar y cribyn mawr, chwarae yn y das a marchogaeth yr hen hwch fawr. Dyna fyddai hwyl – fel rhyw gystadleuaeth 'rodeo' ar lethrau Cefn Du! Dysgais odro yno, dreifio tractor a phegio. Dyna'r sŵn mwyaf byddarol a glywais erioed – pegio trwyn yr hwch a'r moch.

Roedd bywyd tyddyn mynydd yn un unig, yn enwedig i laslanc. Awgrymodd Mam i John ddod i lawr i Lanberis i fyw atom ni. A dyna a wnaeth gan gadw cyswllt cyson â Tŷ Uchaf. Roedd hyn wrth fodd fy nghalon. Dyma'r brawd mawr a gollais ac y bûm yn dyheu amdano. Rhanasom bopeth o ddillad i gyfrinachau! Priododd ferch dlws o Lanberis – Margaret Penlôn. Ymhen amser ganwyd mab iddynt – Raymond.

Anghofia i fyth tra byddaf byw y prynhawn uffernol hwnnw pan ddaeth Yncl Huw dros ffordd i mewn i'r parlwr yn welw gan afael yn sownd yn Mam a sibrwd yn ei chlust, 'Ma gin i ofn, Katie bach, fod John wedi'n gadael ni'. Clywais a deallais innau'r neges. Rhedais i fyny i'r llofft gan feichio fy ngofidiau i'r gobennydd. Bu farw John yn ddisymwth iawn ym mlodau ei ddyddiau, yn batrwm o iechyd ac yn gryf o gorff pan oedd ond pum mlwydd ar hugain oed.

Dyma'r brofedigaeth fawr gyntaf yn fy hanes innau, a hynny pan oeddwn mewn oed i deimlo miniogrwydd yr ergyd. Fel glaslanc ni allwn dderbyn mai'r 'Drefn' oedd yn gyfrifol am gipio ymaith ŵr a thad mor ifanc a gadael henwr a'i briod yn eu galar unig. Dwi'n cofio Mam yn ceisio perswadio'r ddau i ddod i lawr i'r gwastadeddau i fyw, ond ofer fu'r ymdrech. Dyn y mynydd oedd Harry Tŷ Uchaf ac yno ar lethrau'r Cefn Du y mynnai dreulio gweddill ei oes. Ond roedd ganddynt Raymond, ac efallai mai'r 'Drefn' fu'n gyfrifol iddo ymddiddori yng nghrefftau bugeiliol ei daid gan eu defnyddio yn ddiweddarach i sicrhau bywoliaeth. Diolch amdano ac i'w fam a'i lystad am ei annog i gadw'r cysylltiad. Gyda iechyd y ddau yn pylu, a gwytnwch 'hen ŵr y mynydd' ddim fel y buo fo, daeth yn ddydd y pwyso a mesur arnynt. Gwyddai fy ewythr mai dim ond un dewis oedd ganddo – mudo i'r gwastadeddau. Ond yn hytrach na gwneud hynny dewisodd lwybr arall, llwybr garw a brawychus. Terfynodd ei fywyd ei hun ac fe'i darganfuwyd gan ei frawd, Robin, yn crogi yn y tŷ gwair. Fe berswadiodd y teulu Anti Jini i ymadael â'i chynefin a daeth i lawr at Carys a minnau i fyw am naw mis. Buan y daethom i sylweddoli fod gwytnwch yn fy modryb hefyd ac yn rhyfeddol fe gadwodd ei hysbryd i fyny tra'n ceisio dod i delerau â hi ei hun a'i sefyllfa. Gwelaf dŷ Robin, Pen Hafodlas o'm ystafell y funud hon a gwn mai dim ond ychydig o lathenni sydd yna dros y drum i'r byngalo newydd lle cynt y safai'r hen dyddyn bach. Tŷ Uchaf fydd yno am byth i mi.

'Dy fam gafodd y ddawn gerddorol i gyd, a finna gafodd y ddawn i barablu!' Dyna fyddai Anti Jini yn ei ddweud bob amser wrthyf. Sawl tro y clywais gyfoedion fy mam yn dweud, 'Petai Katie wedi cael y cyfle ma' rhein yn ei gael heddiw, Duw yn unig ŵyr lle bydda hi!' Cafodd ei bendithio â llais contralto dwfn a hyfryd. Nid oes gennyf gof ohoni yn ei hanterth ond tystia'r posteri a'r rhaglenni sydd yn fy meddiant fod gofyn cyson am wasanaeth Madam Katie Jones i sawl ardal yng Nghymru. Un o'r atgofion cyntaf sydd gen i ohoni yn canu oedd mewn oratorio yng Nghapel Coch, Llanberis. Does gen i ddim cof o'r cantorion eraill nac ychwaith pa oratorio ydoedd, ond cofiaf ei bod mewn ffrog laes, felfed liw'r gwin ac yn edrych yn dlws urddasol. Cofiaf feddwl, 'Nid hon ydi Mam – y fam bob dydd, sy'n brysur yn llnau'r tŷ ar ei glinia', yn golchi llestri yn ei brat ac yn paratoi swper chwarel – does bosib!'

Mewn gwlad arall y dois i sylweddoli fod fy mam i fymryn yn wahanol i famau pawb arall! Nid o ran pryd a gwedd ond o ran y sylw a gawsai. Yn Llanberis – Katie Bodandrag oedd hi, ond yn yr Unol Daleithiau tyrrai nifer o bobl o'i chwmpas yn dilyn ei pherfformiadau. Yn wyth oed sylweddolais fod gen i fam a oedd â'r gallu i ddenu sylw pobl, a'r rheiny yn 'bobol ddiarth, yn siarad iaith ddiarth' a hynny mor bell i ffwrdd o Lanbêr. Roedd fy nhad a minnau wedi cael mynd drosodd i'r America yn ei sgil ac wedi cymryd pythefnos i forio o Lerpwl i Efrog Newydd ar yr 'H.M.S.Georgic'. Cofiaf gyfarfod cyfnitherod fy mam a'u teuluoedd yno, ac yna teithio i Utica i aros fel man sefydlog. Oddi yno y teithiai fy mam i'r cyngherddau. Ond y profiad mwyaf a gefais, ac fe'i cofiaf tra byddaf byw, oedd gweld teledu am y tro cyntaf yn fy mywyd. Sgrin gron oedd i'r set a'r llun yn ddu a gwyn. Ond yr hyn sy'n rhyfeddach fyth yw'r ffaith mai'r person cyntaf i mi weld ar sgrin deledu oedd fy mam fy hun! Roedd yn canu o'r stiwdio leol. Pan gafodd ei chyfweld cofiaf hi'n dweud ei bod yn dod o Gymru, o bentref bychan wrth droed Yr Wyddfa, a bod ei gŵr Richard a'i mab Arwel drosodd hefo hi. Dyna'r tro cyntaf i'm henw gael ei ynganu ar deledu!

Brith gof sydd gen i o'r atyniadau mawr. Cofiaf weld y 'Statue of Liberty', yr 'Empire State Building' a rhyfeddu at Efrog Newydd o'i gopa. Cofiaf yn dda weld a chlywed rhaeadrau anferthol y Neiagra a Nhad yn canu yn ddigyfeiliant hanes trychineb 'Pleserfad y Neiagra' ar lan yr afon! Cofiaf Mam yn canu mewn gwledd yn un o westai mawr Utica a'r cyflwynydd yn cyhoeddi ar ôl ei pherfformiad, *'Her husband and son are here this evening, I'm sure you'd love to hear the little guy sing in Welsh!'* Cyfieithodd fy nhad y cais. Ond ysgwyd fy mhen yn swil wnes i. Mae'n debyg y byddwn wedi mynd o'r gwesty yn blentyn llawer cyfoethocach pe bawn wedi cytuno! Ond fe wnes ganu yn Utica unwaith, ac unwaith yn unig, a hynny am fy mod wedi cael fy nghythruddo. Mam dystiodd i'r ddrama a gymerodd le yng ngardd gefn fy modryb Eurwen yn 1408 Stryd Miller Utica. Dadl gododd rhwng y ferch drws nesa' a mi. Terfynwyd y ddadl yn ôl Mam hefo fi ar ben bonyn coeden yn gweiddi nerth esgyrn fy mhen yn fy Saesneg carbwl, 'Eniwê, Wales is betar than Mericia!' Yn y fan a'r lle mi ddechreuais ganu 'Hen Wlad Fy Nhadau'. Ni arhosodd y feinwen fach i wrando ar yr anthem i gyd a chiliodd yn ôl i'w gardd ei hun mewn penbleth llwyr. Aeth fy nghyfle gorau i gael 'cariad' yn Mericia yn chwilfriw rhywle tua nodau uchaf 'Gwlad, gwlad, pleidiol wyf i'm gwlad...'

Ar ôl cyfnod o dri mis daeth y tri ohonom yn ôl ar y 'Queen Mary'. Cefais groeso twymgalon gan fy ffrindiau ysgol a phawb yn ysu am gael gweld fy nillad 'cowboi'! Bûm yn arwr yr ysgol am ychydig wythnosau.

Ond 'daeth i ben deithio byd'. A minnau ar fin mynd i'r ysgol uwchradd, bodlonodd Mam ar ddefnyddio ei thalentau yn ei hardal ei hun, yr ardal a'r gymdeithas a garai mor angerddol. Gwyddwn ei bod yn gymêr, a deuthum i werthfawrogi ei dawn deud a'i dawn actio a'i hiwmor. Doedd gyffelyb iddi am ddweud stori neu jôc. Byddai pawb yn eu dyblau pan fyddai Katie yn ei llawn hwyliau! Etifeddodd ddawn y cyfarwydd ac fe'i defnyddiodd i'r eithaf. Doedd neb yn ddiogel rhag llach ei hiwmor, nid hyd yn oed ei gweinidog, ac meddai Y Parchedig John Owen (Rhuthun erbyn hyn) yn ei anerchiad blynyddol, 'Ychydig cyn y Nadolig (1976), wedi gwaeledd byr, collwyd un o gymeriadau mwyaf talentog yr eglwys a'r ardal ... Ni châi'r dwysaf ohonom fod yn ddwys yn hir yn ei chwmni. Bu'n donic i lawer a bu'n gymwynasgar.' Bu ffawd yn garedig wrthi gan gyfyngu ei dioddefaint i bythefnos yn unig. Dyna'r unig amser iddi fod mewn ysbyty yn ei bywyd ac ar drothwy oed yr addewid fe'n gadawodd. Crisialodd Tony Elliot mewn dau englyn yr hyn a deimlwn ac a geisiwn i ei gyfleu mewn llith:

> Eiddil y goeden 'leni, – heno'n gam
> Yn y gwynt a'r oerni;
> Unwaith daeth nerth ohoni
> A chysgod hynod i ti.

Ond, Arwel, wrth ffarwelio, – er y boen
Ger y bedd, cei gofio!
Mae un oedd yma heno
Yn awr yn Ei Gwmni O.

Chefais i mo fy nifetha gan Mam er mai'r 'unig blentyn' oeddwn. Rwy'n berffaith sicr o hynny. Cefais bopeth ganddi oedd o fewn ei gallu a therfynau synnwyr. Doedd y cyfnod ddim yn caniatáu i blant 'gael popeth'. Cytunaf fod Mam wedi rhoi i mewn yn rhwydd i rai o'm gofynion. 'Plis ga'i roi gora i wersi piano?'

'Cei.'

'Plis ga'i fynd i'r pictiwrs heno, nos 'fory... a nos Sadwrn?'

'Cei, ond yn y wercws fydda i hefo chdi.'

'Plis, plis ga'i fynd i weithio i'r chwarel pan fydda i'n ddigon hen?'

'Cei gin i – ond ddim gan Nan Nan!' Byddai Mam bob amser yn ymgynghori ag Ann, ei chwaer yng nghyfraith, a hithau yn ei thro yn rhoi taw ar fy ngofynion afresymol. Roedd y ddwy yn deall ei gilydd i'r dim!

Teulu Minffordd

Yn ardal Llanrug, Arfon adnabyddid fy nhad fel Dic Minffordd ar ôl y tŷ lle'i ganwyd. Ond i drigolion ardaloedd ehangach cawsai ei adnabod fel 'Dic Moto' neu Dic Peris. Roedd fy nhad yn berchennog cwmni bysiau ar y cyd â'i frawd hŷn, Evan, a'i frawd yng nghyfraith, Johnny, Cae Rhos. Yr enw a roddwyd ar y cwmni oedd 'Peris Motors'. Dyma'r 'Bysus Bach y Wlad' cynnar, a'r rhain ymysg eraill symbylodd Rol Williams i ysgrifennu ei deyrnged farddonol enwog. Gan eraill y deallais fod fy nhad yn arwr mawr yn ugeiniau'r ganrif gan ei fod yn 'ddreifar bŷs'. Roedd y rhain yn arwyr. Dyma'r cyfrwng newydd, modern i gysylltu cefn gwlad â'r trefi. Trwy ddawn anhygoel y gyrwyr roedd modd 'picio' i Gaernarfon a Bangor a hyd yn oed Pwllheli mewn bore a hynny o leoedd anghysbell fel Nant Peris a Llanberis! Fy nhad yrrodd y bws deulawr cyntaf i Lanberis! Heidiodd y trigolion i'r stryd fawr i weld y 'prosesiwn' hanesyddol! Ychydig flynyddoedd ynghynt nid oedd y ffordd droellog, garegog o Ben Llyn i Lanberis ond yn addas i drol a cheffyl. Gyda thrên y trafaeliai'r 'fisitors' a thrigolion y pentrefi cyfagos i Lanberis cyn dyfodiad y bysus.

Byddwn wrth fy modd yn gwrando ar fy nhad yn adrodd straeon am y bysus cynnar. Mae'r stori am ei brofiad yn Ffair Nant yn glasur! Byddai Nant Peris yn

Nyffryn Peris yn un bwrlwm gwyllt bob blwyddyn ar 18ed o Fedi, a chydnabyddid y ffair fel un o'r rhai gorau. Tyrrai pobl o bobman i'r pentref a swatiai'n glyd yng nghesail mynyddoedd uchaf Cymru. Ffair anifeiliaid ydoedd, ond fel pob ffair arall yn y cyfnod dibynnai ar y stondinau i ddenu'r tyrfaoedd. Gwerthai'r rhain bopeth o 'india roc' i botia pi pi! Byddai'r stondinau yn un rhes ar ochr y ffordd ac wedi eu clymu'n sownd i'w gilydd rhag gerwinder y gwyntoedd cryfion a ruai weithiau i lawr Bwlch Llanberis. Am ddeg o'r gloch y nos deuai Bysus Peris draw i gyrchu'r rhai a garai'r hwyr a'r meddwon. Dychmygwch y gymysgedd ar y bŷs hwyr! Doedd o fawr o beiriant i gyd ond bochiai hyd yr ymylon â phoblach afreolus a swnllyd gyda rhai yn mynnu dod â'u bargeinion o 'loeau, cŵn a ieir' hefo nhw! Byddai rhai yn hongian ar yr ochrau am y cwta ddwy filltir rhwng y ddau bentref. Ond roedd cellwair a thynnu coes yn rhan annatod o'r ŵyl hefyd. Gan fod bŷs fy nhad wedi ei barcio wrth ochr y stondin gyntaf yn y pentref fe welodd rhai o laslanciau direidus y ffair eu cyfle. Clymodd un ohonynt raff y stondin i ben ôl y bŷs! Llusgwyd hanner Ffair Nant beth o'r ffordd i Lanberis y noson honno! Fy nhad, medda nhw, yn ôl ei drefn arferol yn bytherio a damio gan ymdynghedu na ddeuai â bŷs byth yn ôl i'r 'blydi lle eto!' Ni fu amynedd yn un o gryfderau natur fy nhad – na finnau tae'n dod i hynny!

Dro arall daeth â llond bŷs yn ôl o Gaernarfon i Lanberis. Bochiai hwn gan deithwyr hefyd. Wrth ddod i lawr rhiw bychan rhwng Tafarn y Fricsan, Cwm-y-glo a Phen Llyn clywodd fy nhad glec, ac yn ddisymwth gwelodd olwyn flaen y bŷs yn ei ragflaenu! Yn ffodus cadwodd y bŷs ei gydbwysedd tra'n symud – ond y broblem oedd sut i'w stopio heb iddo fynd ar ei drwyn i'r llawr! Gwelodd fy nhad ei gyfle – roedd llwybr yn cydredeg â'r ffordd ar lefel ychydig yn uwch. Llywiodd y bŷs yn araf i gyfeiriad y llwybr gan ei wasgu yn raddol i'r pridd a daeth i stop yn ddigon taclus wrth ochr un o gaeau Llwyncoed heb gynhyrfu fawr ar y teithwyr. Arwr y dydd unwaith eto!

Roedd fy nhad yn un o bedwar o blant Griffith Jones, Minffordd a'i briod Mary. Yr hynaf oedd Mem, yna Evan, yna fy nhad Richard a'r cyw nyth Ann. Chwarelwr uchel ei barch oedd fy nhaid a hynny ar gyfrif ei ddawn gerddorol. Fel fy nhaid Llanberis dysgai blant y pentref i ganu. Sefydlodd, dysgodd ac arweiniodd gôr plant adnabyddus yn Llanrug. Bu'r teulu hefyd yn gonglfaen yr achos Methodistaidd yn Llanrug yn nechrau'r ganrif gan ymroi i weithgareddau'r Capel Mawr.

Roedd fy nain Llanrug yn ddynes ddistaw ac urddasol. Bu'n athrawes babanod yn hen Ysgol Bryn Eryr, Llanrug. Os cefais fy nifetha gan unrhyw aelod o'r teulu gan Nain y cefais i hynny. Ac eto rhoi sylw i mi y byddai, sylw ysgogol cyn-athrawes ydoedd. Cofiaf dreulio noson gyfan cyn sefyll fy arholiad Lefel A Cymraeg yn darllen a thrafod Gweledigaeth Uffern, Ellis Wynne gyda hi. I'r cyfarwydd nid gorchwyl hawdd ydi hynny! Pan ddaeth fy modryb Ann i lawr y grisiau yn oriau mân y bore cafodd y ddau ohonom yn cysgu'n sownd.

Tŷ cynnes a diddos oedd Minffordd ac edrychwn ymlaen i fynd yno i aros. Byddai'n lle cyffrous i fynd iddo. Fy hoff le oedd ffenestr yr ystafell fyw. Roedd iddi silff oedd yn ddigon llydan i mi eistedd arni. Gwasgwn fy hun i mewn i'r gofod cyfyng yn cogio fy mod yn gyrru bŷs deulawr fy nhad gyda phot blodau glas golau go nobl Nain rhwng fy nghoesau fel llyw. Deuai sŵn y bŷs o'm genau ond ni chlywais fy nain yn cwyno unwaith fod y sŵn 'brrrrrr' yn annioddefol! Siaradwn â mi fy hun er mwyn creu'r sefyllfa a chodwn law ar y teithwyr wrth iddynt esgyn i'r bŷs! Byddai Mam a minnau yn mynd i Minffordd bron bob nos Sadwrn pan fyddai fy nhad yn gweithio yn y Crosville yng Nghaernarfon. Yno y byddem yn cael gwylio teledu, a hynny mewn cyfnod pan fyddai'r cyfrwng rhyfeddol hwnnw yn brin a dieithr i'r rhan fwyaf. 'Cafe Continental' a 'What's My Line' fyddai'r ffefrynnau os cofiaf yn iawn. Sylw Nain fyddai, 'Sgin i ddim byd i ddweud wrth yr hen beth 'na ond mi fydd o gymorth i Susnag yr hogyn bach 'ma ma'n siŵr gin i!' Ond sawl tro y daliwyd hi'n sbecian ar ffilmiau cowbois yn hwyr yn y nos!

Roedd Afon Fach Parc Minffordd gerllaw. Yno o dan gyfarwyddyd arbenigol fy nhad y dysgais sut i gosi bolia pysgod a'u dal. Parc Minffordd, Afon Saint yn Crawiau a Choed Castell Bryn Bras oedd ei gynefin i bysgota a hela a hynny yn anghyfreithlon! Chlywais i erioed fy nhad yn celu'r ffaith, nac yn cywilyddio iddo fod yn botsiar. Yn wir, ymhyfrydai yn y ffaith. 'Cyfnod felly oedd hi', medda fo, 'cyfnod pan oedd hi'n anodd cael dau ben llinyn ynghyd.' Roedd hela yn ei waed. Cariai wn hefo fo pan ddeuai ei dwrn ef i gasglu pres ar Fysiau Peris. Roedd gwaelod Nant y Garth ger Bangor yn fan delfrydol i saethu ffesantod. Ffesantod perchennog stad y Faenol, ac roedd tueddiad ynddynt i grwydro dros y wal fawr! 'Mi ddwynodd y diawl ddigon oddi arnom ni!'

fyddai sylw fy nhad wrth gyfiawnhau ei weithredoedd amheus. Gan fod y rhiw i fyny'r Nant yn arafu cryn dipyn ar yr hen fysiau gallai fy nhad saethu ffesant, rhedeg i'w godi a dal y bws cyn iddo gyrraedd pen y rhiw! Ni fu gen i fawr o ddiddordeb mewn hela, ond dilynais ddiddordebau eraill fy nhad a hynny'n gyfreithlon! Pysgota, pêl-droed, canu ac arwain canu oedd ei ddiddordebau mawr. Pysgotwr llaw chwith ydoedd ac yn giamstar hefo pluen. Bu'n chwarae pêl-droed, a bu'n ddyfarnwr. Ymddiddorai mewn sawl maes ym myd chwaraeon ac yn ei ddydd bu'n bencampwr y naid uchel yn yr ardal. Meddai lais bariton cyfoethog ac fe'i codwyd yn godwr canu yng Nghapel Preswylfa, Llanberis. Bu galw mawr am ei wasanaeth fel arweinydd cymanfaoedd canu. Bu hefyd yn arweinydd Côr Meibion Crosville, Caernarfon.

Ni chofiaf Anti Mem. Bu farw'n ifanc gan adael gŵr a dau o hogiau, Cledwyn a Bert. Dynes addfwyn fel ei mam oedd Mem ac yn enwog yn yr ardal am ei charedigrwydd tuag at yr anghenus. Bu mynych sôn ar fy aelwyd am ei dewrder a'i dycnwch yn ymgodymu â'r afiechyd brwnt a'i cipiodd ymaith mor gynamserol. Symudodd y ddau fachgen i Minffordd pan ailbriododd eu tad. Addolwn Cled a Bert gan mai 'hogia mawr' oeddynt. Byddai fy nhad yn mynd â mi i gae Cefn Llwyd yn Llanrug i weld Bert yn chwarae pêl-droed a daeth yn arwr mawr i mi!.Gwyddwn hefyd fod Cled yn bêl-droediwr cymwys iawn ac yn arbenigo fel golwr, ond ni chefais y fraint o'i weld ef yn chwarae. Fo oedd ac ydyw y cefnder mawr ac fe edrychwn i fyny arno gyda rhyw barchus edmygedd! Deil ei ddylanwad arnaf ac yn ddigon anfoddog yr af i ddadlau ag ef! Mae gwleidyddiaeth wedi bod yn destun eithaf llosg rhwng y ddau ohonom! Nid rhyfedd fod plant ac wyrion y ddau wedi chwarae neu ymddiddori yn y gêm bêl-droed. Drwy gyd-ddigwyddiad fe briododd y ddau ddwy feinwen brydferth yn dwyn yr un enw – Megan. Caiff y ddwy eu hadnabod ag anwylder gan bawb o'r teulu fel Megan Cled a Megan Bert!

Roeddwn yn fy arddegau hwyr cyn y deuthum i adnabod Yncl Evan ac Anti Ronwy yn iawn. Pan oeddwn yn blentyn edrychwn ar eu tŷ nhw yng Nghaernarfon fel tŷ 'posh'. Ond doedd y croeso ddim llai 'chwaith i deulu bach o'r wlad. Gwisgai Anti Ronwy yn drwsiadus iawn bob amser ac roedd gwell brethyn ar Yncl Evan nag oedd ar fy nhad! Roedd yna ryw urddas yn perthyn i'r ddau. Roedd y ddau blentyn wedi eu derbyn i golegau – y mab i goleg arlunio a'r ferch i goleg cerdd. Daeth y mab yn adnabyddus drwy Gymru ym myd y crefftau fel Selwyn Jones, yr artist. Yn anffodus bu farw Selwyn yn 1997 ac mae ei le yn wag. Collaf ei hiwmor anghonfensiynol, ei bryfocio a'i agosatrwydd. Mae dau o'i luniau yn crogi ar wal fy nghartref, un o fynyddoedd Eryri o'i gartref ef a Sally ym Mrynsiencyn, Ynys Môn a'r llall yn hunanbortread. Er bod tipyn go lew o bris ar y ddau lun ym marchnadoedd celf erbyn hyn, i mi maent yn amhrisiadwy. Ymfudodd Gwyneth ei chwaer yn gynnar iawn i Ynysoedd y Sianel. Gweithiodd yno fel athrawes, priododd a magodd blant. Er iddi adael ei chynefin yn ddwy ar bymtheg oed mae ei Chymraeg yn parhau yn groyw. Fel fy nhad gweithiodd Yncl Evan ar hyd ei oes ar y bysus. Pan werthwyd y cwmni yn niwedd yr ugeiniau i Crosville derbyniodd y ddau swydd gyda'r cwmni newydd. Aeth Evan i yrru a Nhad i reoli'r garej fel fforman.

'Y rhai olaf a fyddant flaenaf' meddai'r hen air. Ac mae hynny'n wir am Ann, neu Nan Nan i'r teulu i gyd. Hi oedd y fenga o blant Minffordd. Yn ddibriod, treuliodd ei bywyd cynnar yn gofalu am ei rhieni. Er iddi dderbyn addysg uwch, nid oedd modd gadael cartref i brofi addysg bellach. Nid yn unig bu'n gynhaliaeth a chefn i'w rhieni ond fe aberthodd ei hannibyniaeth cynnar er mwyn y teulu oll. Hi oedd y ddolen gyswllt rhwng y teulu. Hi, heb amheuaeth, fu'n gyfrifol am fy nhrywydd gyrfaol. Roedd fy rhieni yn berffaith fodlon i mi adael yr ysgol a cheisio gwaith yn lleol.

'I'r chwaral dwi isio mynd fel fy mêts,' fyddai fy sylw apelgar i Nan Nan bob amser.

'Paid â siarad yn wirion, yli be' ddigwyddodd i dy daid!' fyddai ei sylw pendant hithau. Wrth gwrs, hi welodd ei thad yn gwywo o sgil-effeithiau y llechen las, a hi fu'n eistedd wrth erchwyn ei wely angau. Pwy oeddwn i i ddadlau? Hi roddodd yr hwb cychwynnol i'm gyrfa addysgol drwy restru'r manteision, ar ei haelwyd y byddwn yn astudio ar gyfer arholiadau, a hi a'm hebryngodd i Gaerdydd am gyfweliad i Goleg Addysg y Ddinas. Derbyniodd gadarnhad cyfrinachol gan y Prifathro cyn i ni adael am y Gogledd fy mod wedi cael fy nerbyn! Bu hynny'n galondid mawr iddi, ond digon llugoer y derbyniwyd y newydd ar yr aelwyd gartref. 'O! Reit dda', medda Mam, hefo rhyw hanner gwên ar ei hwyneb, 'dipyn yn bell ydi'r hen Gaerdydd 'na hefyd!' A hiraeth cynamserol yn llenwi ei bron!

Derbyniais y gwahoddiad i dderbyn addysg bellach yn

Ninas Caerdydd ond ymdynghedais hefyd mai tair blynedd yn unig fyddai fy arhosiad yno! Roedd fy ngwreiddiau yn llawer rhy ddwfn yn nhir bro fy mebyd a dylanwad fy hynafiaid yn barhaol arnaf. Roeddwn am gael y gorau o'r ddau fyd.

Mi gefais goleg gan fy nhad,
A rhodio'r byd i wella'm stad;
Ond cefais gan yr hon a'm dug
Fy ngeni'n frawd i flodau'r grug.

Hogyn Dic Moto

Yn Stryd Newton Llanberis, Arwel oeddwn i i'r cymdogion – i bawb – ond un. 'Ars' oeddwn i i Miss Mat! Trigai Miss Matilda Pritchard, athrawes enwog Ysgol Dyffryn Nantlle y drws nesaf i ni, a hi oedd yn gyfrifol am y llysenw. Mae'r enw wedi parhau a chaf fy ngalw'n Ars gan un neu ddau o'r teulu a'm ffrindiau agos heddiw! Yr un gafodd y sioc fwyaf oedd fy narpar wraig, Carys pan ddaeth i'm gweld yn chwarae pêl-droed am y tro cyntaf. Clywai'r chwaraewyr yn galw 'Ars!' yn aml, a sylweddolodd mai ataf fi yr oeddynt yn cyfeirio! Ni feddyliodd mai talfyriad o Arwel ydoedd.

'Pam ma nhw'n dy alw di'n Ars?' gofynnodd, gan roi pwyslais ar yr A!

'Anwylder ma'n siŵr gen i!' atebais.

'A... a...r... s? Ydio ddim yn swnio'n amheus dŵad?' A gadewais iddi bendroni a holi am beth amser wedyn cyn rhoi'r esboniad a'r bai ar Miss Mat. Ond i bobl y pentref, 'Hogyn Dic Moto' oeddwn i! Dyna fyddai'r drefn yn yr ardal. Adwaenid plant y pentref fel 'hogyn neu hogan hwn a hwn neu hon a hon'.

Fe'm magwyd ar aelwyd gwbl Gymreig a sosialaidd. Cymraeg oedd ein papurau newydd – *Y Cymro* a'r *Herald*. Prin iawn oedd cynnwys fy llyfrgell. Does gen i ddim cof o lyfr plant Saesneg ar unrhyw silff yn y tŷ. Ond roedd cyfres *Llyfr Mawr y Plant* ar fy silff i. Heb os nac onibai dyma'r llyfrau a fu'n gyfrwng i mi awchu am fwy. Sawl tro y bûm ar aelwyd glyd Siôn Blewyn Coch a Siân Slei Bach yn y Cerrig Mawr. Crio wnes i pan symudodd y 'teulu' i'r Creigiau Duon. Mi welwn drwy ddrws dychymyg Mic Pawen Ddu, Ned y Gynffon, Wil y Winc, Nanw Hirglust a Nel Trwyn Tamp yn llithro'n bendrist a'u cynffonnau rhwng eu coesau dros amlinell lom Creigiau Du'r Arddu! A beth am gegin brysur Martha Plu Chwithig? Daeth Wil Cwac Cwac, Ifan Twrci Tena, Twm Tatws Oer ac eraill yn 'fêts' penna i mi! Derbyniwn *Lyfr Mawr y Plant* bob Nadolig, a chyn dechrau ar y darllen byddwn yn ei arogli. Arogl newydd, ffres – arogl a'ch denai i ddarllen! Diolch i Jennie Thomas a J.O.Williams am y weledigaeth, a bendith holl blant Cymru arnynt.

Dim ond drwy y radio neu'r 'wiarles' a 'comics' y deuthum i sylweddoli fod yna iaith arall ac y dylswn yn gam neu'n gymwys ddechra'i dysgu! Cawswn drafferth mawr yn mynd trwy fy rhifynnau o'r *Beano* a *Dandy*, ond erbyn y daeth y rhifyn cyntaf o *Topper* allan roedd fy nealltwriaeth o'r ail iaith yn dipyn gwell. Ymhen blynyddoedd wedyn y deuthum i werthfawrogi cynhwysion comics a llyfrau mwy soffistigedig ac yn ieithyddol estynedig fel *Eagle*, *Buck Jones* a *Kit Carson*! Ond trwy'r radio y deuthum i ddechrau siarad Saesneg. Byddai fy nhad yn gwrando ar y radio ac yn fy annog innau i wneud yr un peth. Does gen i ddim cof i mi gael gwersi ffurfiol Saesneg yn adran babanod Ysgol Dolbadarn ac felly cymeraf yn ganiataol mai ar yr aelwyd y deuthum i ymgynefino â'r iaith estron. Bocsio fyddai hoff raglen fy nhad. Byddai rhai o'r gornestau mawr yn cael eu darlledu yn fyw o'r America a hynny yn ystod oriau mân y bore! Cawn fy neffro bryd hynny gan sŵn sibrwd yn fy nghlust, 'Ma'r ffeit yn dechra, paid â gneud sŵn rhag i chdi ddeffro dy fam!' Deffro Mam? Doedd gan y g'yduras ddim gobaith, oherwydd byddai nobyn rheoli'r sain wedi ei droi i'r pen gan fod y sŵn weithiau'n gwanhau a lleisiau Eamonn Andrews a Raymond Glendening yn boddi rhywle yng nghanol Môr yr Iwerydd! Trawsnewidiai aelwyd 'Gwenallt' i 'Madison Square Garden' ar amrantiad a Nhad a minnau yn esmwyth yn y 'ring side seats' yn cynhyrfu'n lân. Daeth enwau fel Joe Louis, Rocky Marciano a Tommy Farr yn enwau cyfarwydd yn tŷ ni. Yn eu sgil daeth *'a left and a right to the solar plexus – the champion is reeling on the ropes...'* yn sylwadau cyfarwydd, ac yn y cyffro dyheais i weld drwy y llais a mynnais ddysgu mwy.

Fûm i erioed yn rhyw lawer o focsiwr fy hun, er bod gorfod sefyll ar eich traed eich hun yn Llanberis yn rheidrwydd. Un ffeit wedi ei threfnu ymlaen llaw ges i erioed am wn i. Fe gymerodd le ar ôl ysgol yng nghae Bob Bwtch! Fy ngwrthwynebydd oedd Glyn, tad Malcolm a Gavin Allen y pêl-droedwyr enwog. Fe'i curais heb ei daro unwaith er mai fi oedd ar y llawr ar ôl y dyrnad cyntaf yn griddfan mewn poen! Penderfynodd Keith Rallt Goch, y reffari, a Meirion Bach y promotar fy mod wedi derbyn *'low blow'* ymhell o dan y belt ac fe'm dyfarnwyd yn enillydd. Fe'm cariwyd o'r cae yn arwr gan y dorf anwaraidd. Sylweddolais yn y fan a'r lle ac yn gyfrwys fod i'r ddawn actio ei manteision – nid wyf yn siŵr hyd heddiw a wnaeth Glyn druan!

Drwy'r radio y dois i glywed am dimau pêl-droed a

phêl-droedwyr enwog y cyfnod. Deuthum i adnabod enwau cyfarwydd fel Matthews, Finney, John Charles ac Ivor Allchurch gan gyfeirio atynt yn yr ysgol fel tae nhw'n byw yn Stryd Newton! Dotiais at y clybiau ac enwau rhamantus iddynt fel West Bromwich Albion, Sheffield Wednesday, Tottenham Hotspurs, Wolves ac eraill heb y syniad lleiaf o'u lleoliad. Roedd pob tîm mawr rhywle tu draw i Benmaen-mawr! Byddai canlyniadau pêl-droed yn achlysur yn tŷ ni. Gwrandawai Nhad arnynt yn ddi-feth gan ei fod yn slei bach yn rhoi cynnig ar y pyllau. 'Ddylswn i ddim a finna'n y Sêt Fawr', fyddai ei sylw cynnil. Byddai'n pendroni am oriau dros y gemau gan drafod ambell gêm â mi. Anobeithiai ar adegau gan felltithio Mr Littlewoods a thro arall Mr Vernons gan adael y dewis i mi neu'r bwji. Ie, Jowi Bach y bwji! Byddai fy nhad yn nodi rhifau'r pyllau ar ddarnau o bapur, eu gosod allan ar y bwrdd gan adael i'r bwji yn ôl ei reddf a hynny o ddoethineb a berthynai i greadur pluog felly, ddewis yr wyth rhif cywir. Gwyddwn mai siom fyddai ar wyneb fy nhad am ddeng munud wedi pump bob prynhawn Sadwrn gyda'r sylw disgwyliedig i gloi'r cyfan, 'Gweithio eto ddydd Llun!'

Yn ystod fy neng mlynedd cyntaf ym mhedwardegau'r ganrif doedd y Saesneg ddim yn bwysig iawn. Cymraeg fyddai iaith pobman ond y pictiwrs. Dim ond un Sais rwyf yn ei gofio yn yr ysgol gynradd – mab gwesty'r Castle – a buan y trodd yntau i siarad Cymraeg. Oedd, roedd hi'n 'nefoedd bois o dan y sêr yn hen Bentra Bach Llanbêr' bryd hynny! Cofiaf 'Sais' bach arall yn dod ar ei wyliau i dŷ ei nain yn Stryd Newton. Hogyn main, pryd tywyll a thrwsiadus yr olwg ydoedd ac yn dwyn yr enw

Carl. *'You want to play with me, yes?'* fyddai fy ngwahoddiad iddo, a chyn belled na fyddai ei gwestiynau yn rhy gymhleth mi fyddai'r berthynas rhyngom yn ddigon derbyniol. Ymhen blynyddoedd wedyn y dois i glywed mwy amdano a'i fod yn feddyg uchel iawn ei barch tua Llanaelhaearn ac yn amddiffynnwr brwd i'r iaith Gymraeg. Y meddyg Carl Clowes oedd y Carl hwnnw a wahoddwn i chwarae â mi ym more oes! Ysgwn i a gafodd y gwyliau achlysurol hynny yn Llanberis unrhyw ddylanwad arno pan benderfynodd y byddai'n dysgu'r iaith, ac yn ddiweddarach yn sefyll mor gadarn drosti? Unwaith yn unig y cefais y fraint o'i gyfarfod ers y dyddiau cynnar a hynny ar faes yr Eisteddfod Genedlaethol, a'r ddau ohonom ar frys! Ond bu'r cyfarfyddiad, er mor fyr ydoedd, yn gyfrwng i ni hel ychydig o atgofion. Pan gawn gwrdd eto, ac amser o'n plaid, bydd ein sgwrsio yn llawer rhwyddach a hynny mewn iaith y bydd y ddau ohonom y tro hyn yn ei deall.

Saif Llanberis yn Nyffryn Peris, Arfon, ar lan yr ail lyn naturiol mwyaf yng Nghymru, Llyn Padarn. Mae'r pentref ei hun yn swatio'n glyd yng nghesail sawl mynydd. Yn wir mae wedi ei amgylchynu gan nifer o fynyddoedd uchel – Cefn Du, Dinas, Moel Eilio, Moel Gron, Moel Goch, Moel Cynghorion, Yr Wyddfa, Derlwyn, Y Glyder Fawr, Y Garn, a'r ddwy Elidir. Credir bod y dyffryn ymhlith y rhai harddaf yng Nghymru os nad ym Mhrydain, ac eto ni ellir disgrifio Llanberis ei hun fel pentref prydferth. Pentref diwydiannol oedd fy Llanberis i, wedi ei leoli mewn man o harddwch naturiol anarferol. Rhyw bentref deuliw ydoedd – llwyd tywyll a llwyd golau! Llwyd fyddai toeau'r tai a'r waliau. Peth anghyffredin iawn oedd *pebble dash* bryd hynny! Yn y llwydni gogoneddus hwnnw y cefais fy magu. Yno yng nghanol plethwaith o srtydoedd cwbwl ddigynllun a'r rheiny yn cael eu cysylltu â llwybrau cefn, cul a thywyll, a adwaenem ni fel 'rentries', y treuliais fy mhlentyndod. Enwau estronol oedd ar y strydoedd hyn – Charlotte Street, Goodman Street, Warden Street, Snowdon Street, Newton Street, Turner Street, Water a Well Street, Field Terrace, Olgra Terrace, Cambrian Terrace ac i goroni'r cyfan – Yankee Street! Gwasgwyd y rhain i gyd ond un, York Terrace, i un congl o'r pentref, sef fy nghongl i, gyda'r cwbl o'r bron yn amgylchynu'r 'Gias Wyrks'! Diolch am enwau mwy syber a naturiol fel Llain-wen Uchaf ac Isaf, 'Rallt Goch, Ceunant, Tŷ Du, Maes Padarn, Maes Derlwyn a Blaen Ddôl.

Ac eithrio'r Stryd Fawr neu'r High Street, mannau digon diogel i chwarae ynddynt oedd y strydoedd hyn yng nghyfnod fy mhlentyndod i. Byddwn yn fwy tebyg o gael cefn llaw gan drigolyn anfodlon am gicio pêl yn erbyn talcen y tŷ na chael fy nharo gan fodur. Cydnabyddir plant yr oes yn fwy o boendod nag o ddrwg. Byddai'n hawdd dianc o stryd i stryd drwy'r llwybrau cefn, ailgychwyn chwarae mewn stryd arall, cyn cael ein herlid drachefn! Ond byddai'r llwybrau yn gallu bod yn fannau delfrydol i blisman y pentref wneud ymddangosiad cwbwl annisgwyl. Roedd hwn yn gyfnod pan oedd plisman yn plismona ar droed. Sawl tro y gafaelodd Jac Hughes yn fy sgrepan gan fy rhybuddio, 'Gwranda, Stanley Matthews, os gwela i di yn fa'ma eto mi fydd croen dy din di ar flaen yn esgid i! Dos am y coed 'na i chwara ffwtbol'. Ac am y coed y byddwn yn mynd heb feiddio pledio fy achos nac ateb yn ôl!

Oedd, roedd coed yn Llanberis, aceri ohonynt! Ymestynnai 'Coed Doctor' o lan Llyn Padarn gan ddilyn tomennydd Chwarel Glynrhonwy, draw i fyny i'r Tŷ Du wrth droed Dinas gan ffinio ar yr ochr arall â gerddi cefn pentref Llanberis. Ar gwr y goedwig hon yr oedd 'Gwenallt'. O fewn pum munud gallwn fod yng nghanol y coed. Dyma fy nghynefin, dyma loches fy niniweidrwydd, dyma solas fy mhlentyndod. Gwyddwn am bob craig, llyn, twll a chornel o'r goedwig a gallwn nyddu fy ffordd drwy'r llwybrau blith draphlith a gysylltai wahanol fannau ohoni. A gyda drws fy nychymyg ar agor led y pen cawn fy hun yng nghanol jyngl Tarzan a Jane neu goedwig Robin Hood a'i Griw Hapus!

Lle 'anwaraidd' oedd 'Y Coed' weithiau. Dyma lle y byddai Giang Llain-wen yn meiddio croesi'r ffin i diriogaeth Giang Pentra. Pan fyddai'r gyflafan wedi ei chyhoeddi yn yr ysgol byddai Myrddin (Hogia'r Wyddfa) a finnau yn cael gorchymyn i fynd gerbron sanhedrin Giang Pentra i weithio'r strategaeth amddiffynnol allan! Cafodd Myrddin hefyd ei fagu ar gwr Coed Doctor. Treuliasom ein dyddiau cynnar, cynnar yn rhannu'r un goits gan fod Maud a Katie wedi penderfynu yn y dyddiau caled hynny y byddai un goits rhyngom yn gwneud y tro yn iawn! Ar ôl i'r ddau ohonom ddysgu sefyll ar ein traed ein hunain a gadael y goits daeth yn amser anturio i'r coed. A chan fod y ddau ohonom yn treulio rhan helaeth o'n cyfnodau chwarae yno roedd ein hadnabyddiaeth o'r lle yn amhrisiadwy i hogia'r pentref ac yn ddraenen yn ystlys hogia Llain-wen! Yn ôl yr arfer cael ein hanfon fel rhyw 'sgowtiaid' i ragflaenu'r 'fyddin' fyddai'r ddau ohonom gan anfon negeseuau'n ôl yn datgan lleoliad y gelyn! Swyddogaeth a brofai weithiau'n beryglus. Cefais fy nal sawl gwaith! Y gosb arferol fyddai cael fy nghlymu ym môn coeden, yna fy holi'n fygythiol a cheisio fy mherswadio i ymuno â'r gelyn. Ni fyddwn yn cael fy rhyddhau hyd nes i'r gyflafan ddod i ben. Byddai'r gelynion, chwarae teg iddynt, boed nhw'n fuddugoliaethus neu'n aflwyddiannus, yn fy rhyddhau o'm cadwynau! Unwaith yn unig y mae gennyf gof iddynt fy anghofio. Bûm yn sownd am oriau hyd nes i drigolyn o Tai Christmas fy nghlywed yn bloeddio a dod i'm hachub. Cyrhaeddais adref yn welw a'm trowsus bach yn wlyb!

Roedd peryglon yn llechu yn 'Y Coed' hefyd. 'Cym di rofol fynd ar gyfyl yr hen lyn 'na!' fyddai rhybudd cyson Mam. 'Yr hen lyn 'na' oedd Llyn Tomos Lewis. Hen dwll chwarel wedi ei feddiannu gan ddŵr oedd ac ydi hwn. Hen le digon tywyll ac iasoer ydoedd gyda choed trwchus o'i amgylch ac ochrau serth i'w ddyfnderoedd. Edrychai'r dŵr yn ddu bob amser. Roedd yn lle unig, ac o'r herwydd, yn fan delfrydol i drueiniaid anffodus fyddai'n dymuno rhoi terfyn ar eu bywydau. Cofiaf sawl achlysur, a thristwch i fron pawb fyddai clywed y newydd, 'ma' nhw 'di cael hyd i rywun yn Llyn Tomos Lewis'. Ond cofiaf dreulio oriau ar ei lan yn gwylio cŵn dŵr yn plethu'n chwareus drwy'i gilydd. Gwrthodwn bysgota yno er y gwyddwn fod yna bysgod yn ei grombil gan i mi weld un wedi ei ddal. Dyna'r pysgodyn hyllaf i mi ei weld erioed!

Roedd llyn arall ar gwr y goedwig – Llyn Wil Boots. Enwyd hwn ar ôl y botanegydd enwog o'r ddeunawfed ganrif. Cyfrifid ei lannau fel yr ardd fotaneg gyntaf o'i bath yng Nghymru. Casglai Wil Boots blanhigion prin ar lethrau'r mynyddoedd gan eu trawsblannu ar lan y llyn. Deuai cannoedd o dwristiaid i weld y fangre yn yr hen ddyddiau. Dim ond mieri ac ysgall a'i meddiannai yn ein dyddiau ni. Ond roedd yno ddigon o lyffantod, a golygai hyn y byddai'r penbyliaid yn ymddangos yn y gwanwyn. Treuliai Alun Tŷ Capel (Alun Roberts, cyn-brifathro Ysgol Y Gelli, Caernarfon yn ddiweddarach) a minnau oriau yn casglu penbyliaid gan eu rhannu rhwng ein ffrindiau. Caredigrwydd ar ein rhan na chawsai ei werthfawrogi gan rieni'r fro! Ni welir olion o Lyn Wil Boots heddiw. Diflannodd y cyfan dan dunelli o rwbel er mwyn creu ffordd osgoi Llanberis. Anfadwaith amgylcheddol a hanesyddol os bu un erioed.

Meddiannwyd rhan helaeth o Goed Doctor a Chwarel Glynrhonwy am flynyddoedd ar ôl y rhyfel gan Awdurdod y Llu Awyr. Gan fod tyllau dyfnion yr hen chwarel yn fannau delfrydol i ddifa 'bomiau dros ben' awyrlu Prydain, amgylchynwyd aceri o dir gan ffens uchel a rhesi o wifrau pigog. Bob hyn a hyn crogai bwrdd gwyn ar y ffens yn datgan rhybudd mewn paent coch a hynny'n uniaith Saesneg – *DANGER KEEP OUT. TRESPASSERS WILL BE PROSECUTED*. Roedd yr ail frawddeg o'r rhybudd y tu hwnt i grebwyll hogia unieithog wyth i naw oed! Gwyddem fod perygl yn llechu yno ac eto i gyd roedd chwilfrydedd yn mynd yn drech na ni'n aml, a than y ffens y byddem yn mynd. Penodwyd trigolion lleol i blismona'r lle. Gelwid y rhain gennym yn 'Jac Dos' oherwydd lliw eu gwisg mae'n debyg. Byddent yn llechu ac yn disgwyl amdanom! Cofiaf Vivian (gitarydd Hogia'r Wyddfa yn ddiweddarach) yn cael ei erlid gan un. Wrth iddo geisio dringo dros y ffens bachodd ei gôt yn y gwifrau pigog a dyna lle roedd yn hongian yn ddigon diseremoni gan strancio i'w ryddhau ei hun. Disgynnodd ymhen hir a hwyr gan dorri ei ddwy fraich. Ni fu'n rhaid i'r erlidiwr holi na chymryd manylion am y drwgweithredwr oblegid y Jac Do oedd ar ddyletswydd y diwrnod hwnnw oedd Thomas Alun – tad Vivs! Rhyfel cartref os bu un erioed!

Roedd yn rhaid cael gwared o arfau dieflig rhyfel yn rhywle mae'n bur debyg. Am fisoedd byddai ochr Cefn Du fel mynydd tanllyd yn chwydu mwg dieflig i'r awyr. Cofiaf dywyllwch cynamserol yn meddiannu'r cwm bron yn ddyddiol, a gallaf arogli'r brwmstan yn fy ffroenau y funud hon.

Ond roedd mannau llawer mwy hamddenol a dymunol i'w cael yn y coed. Gallai'r 'Greigan Fach' gael ei throi yn gastell neu hyd yn oed yn dŷ bach. Ie, 'tŷ bach!' Doedd wiw i ni'r hogia gael ein dal yn mynychu'r 'tŷ bach' neu Duw a'n helpo yn yr ysgol wedyn! Ond yno yr arferem fynd yn slei at Lorna Jean a Nancy Gwenllian a Julie Cil Melyn. Ein gorchwyl arferol fel 'dynion y tŷ' fyddai hel pricia a thanio'r tân. Yn y 'tŷ bach' y dysgais sut i grasu 'tatws trw'u crwyn' a smocio mwsog sych. Collodd Mam sawl tysan a bocs matsus a fy nhad sawl papur Rizla!

Ond roedd dangos i'r genod pa mor ddewr oedd y 'dynion' yn rhan anhepgor o fywyd y 'tŷ bach'. Sawl tro, hyd at syrffed, y bu'r genod yn disgwyl yn amyneddgar amdanaf tra deuwn i lawr 'Graig Fawr' wyneb i waered, neu ddringo 'Coedan Fwya'r Coed' fel pry copyn neu hongian fel Tarzan ar raff a grogai o frigyn? Arwyddion cyntaf o'r awydd ar fy rhan i ddenu sylw'r rhyw deg oedd hyn mae'n debyg – er na sylweddolwn hynny ar y pryd!

Adref erbyn pump fyddai'r arferiad bryd hynny. Dyna amser cychwyn Awr y Plant ar y radio. Doedd wiw colli eiliad o 'Gari Tryfan'. Cofiaf dagu ar fy swper chwarel un noson pan wrandawn ar sŵn car y ditectif enwog yn tagu ei ffordd i fyny gallt go serth, yna Alec yn gofyn i'w gydymaith, 'Lle yn union yda ni, Gari?'

'Ryda ni ar ein ffordd i fyny am Fwlch Llanberis. Mi fyddwn i yn Llanberis ymhen rhyw ddeng munud!'

Neidiais o'm cadair ac allan drwy'r drws fel mellten heb esbonio i Mam lle roeddwn yn mynd! Pan gyrhaeddais y stryd fawr roedd torf o blant eraill wedi ymgynnull ger y Prince of Wales a phob un yn gobeithio cael cipolwg ar Gari Tryfan ac Alec yn gwibio heibio!

Ymhen rhyw hanner awr daeth ebychiad o blith y dorf, 'Esu, ma'n rhaid fod gynno fo gar ffast uffernol neu mae o wedi mynd ar goll yn Nant!'

Dyddiau hapus, dyddiau'r dychymyg byw a dyddiau diniweidrwydd Hogyn Dic Moto!

Addysg Go Iawn

'Fedra i ddim aros heddiw, ma' Mam yn golchi!' Dyna fy ngeiriau cyntaf yn y dosbarth derbyn yn Ysgol Dolbadarn Llanberis yn ôl fy niweddar athrawes Miss Morfydd Evans. Roeddwn bron â thorri fy mol isio mynd adref y diwrnod hwnnw i dawelwch 'Gwenallt' a'r sicrwydd cadarn yna fod Mam o fewn golwg a gafael! Peth mawr mewn bywyd ydi'r gollwng gafael cyntaf yna, a gwerthfawrogais tra bûm ym myd addysg gymaint o brofiad ysgytwol ydoedd i blant bychain fynychu'r ysgol am y tro cyntaf. Pan osodais fy nhroed dros riniog yr ysgol ym Medi 1947 ychydig a wyddwn y byddwn yn parhau yn y 'busnas' am bron i hanner canrif!

Yn llaw fy mam yr euthum y bore hwnnw yn dalog i gyd ac yn barod i wynebu'r holl dreialon! Aeth popeth yn iawn am ryw awr hyd nes i mi sylweddoli fod Mam wedi diflannu. Agorodd y llifddorau, ac er im gael fy sodro ar gefn yr hen geffyl pren annwyl hwnnw a fyddai'n cael ei neilltuo i'r 'plant da', ni thyciodd dim. Ar lin Miss Evans y treuliais weddill y diwrnod a hithau yn ceisio fy narbwyllo 'na fydd Mam ddim yn hir rŵan, Arwel bach!' Babi mam go iawn – a diolchaf hyd heddiw fod fy nghyfoedion yn rhy brysur yn darganfod rhyfeddodau eu hamgylchfyd newydd i sylwi ar fy nghyflwr truenus a dagreuol i!

Ond setlo wnes i. Buan y cofiaf fynd i nôl Myrddin a

Lorna, hoff ffrindiau bore oes, cyn cychwyn ar y daith filltir dda dros Llain-wen am yr ysgol, a hynny ymhob tywydd. Cofiaf gael fy 'sgidia hoelion mawr cyntaf o'r Coparet gan ddangos fy hun i Myrddin. Byddwn yn sglefrio i lawr allt Snowdon View er mwyn gweld y gwreichion yn tasgu oddi tanynt. Pharhaodd y rheiny fawr. Cofiaf gael clocsia ond erbyn hynny cyfrifid nhw'n bethau hen ffasiwn a buan y deuthum yn destun dirmyg ymysg fy ffrindiau! Ar y ffordd byddai'r tri ohonom yn cyfnewid brechdanau – roedd gwell blas ar frechdanau plant eraill am ryw reswm. Jam, triog neu suryp fyddai rhwng y tafelli fel arfer, ond pan fyddai rhywun fel Gwilym Charles, hogyn ffarm a ffrind agos, hefo past neu gig, yna byddai'r crefu am damaid yn llawer mwy taer! Yn llechu yng ngwaelod y bagiau bwyd y byddai gweddillion y 'da da' y byddem wedi eu prynu â'r 'cwpons rhyfel' bondigrybwyll hynny y noson cynt yn Siop Top neu Siop Mametz. Byddai cymysgedd o 'gob-stoppers', 'taffi buwch', dolly mixtures', 'lici sbôl' a 'cachu llygod' yn wledd i'r llygaid yn ogystal â'r bol! Cyfnewid y rheiny wedyn cyn dechrau ffraeo. Byddai ffraeo ymhlith ein gilydd yn ddigon derbyniol ac fe wneid hynny yn eithaf aml, ond Duw a waredo unrhyw un arall fyddai'n ymuno i mewn – tewach gwaed na 'da da'!

Treuliwn fy niwrnod yn y dosbarth derbyn yn ôl yr hyn a gofiaf yn llithro i lawr y llethren, marchogaeth y ceffyl pren, chwarae yn y tywod, ffurfio llythrennau ar 'lechan las', canu hwiangerddi a gwrando ar straeon. Yn yr ail ddosbarth, dosbarth Miss Walter Jones, cefais fy nghyflwyno i'r band taro a chael fy nerbyn fel offerynnwr! Siom oedd cael fy sodro yn adran y trionglwyr! Credaf hyd heddiw mai adran y rhai di-glem oedd hon! Rhyw dincian yn y gornel y bûm i am y flwyddyn gan roi edrychiad eiddigeddus tuag at fyrddau'r 'glokenspilwyr', y 'castanetwyr' a chornel y drymiwr! Hwn oedd sylfaen a chanolbwynt y band a sawl tro y bûm yn dymuno i Gareth Roberts gael ei gadw adref gyda dos go egar o annwyd yn y gobaith y byddai Miss Jones yn fy newis i i lenwi'r arswydus swydd o golbio'r drwm! Nid felly y bu. Yn ffodus iddo ef, ond yn anffodus i mi, mwynhaodd Gareth flwyddyn iachusol! Wn i ddim pam y cefais fy ngalw'n ffefryn i Miss Walter Jones. Dyma'r unig athrawes i mi ei rhegi yn fy mywyd! Daeth ataf yn llechwraidd yn yr iard, ac o'r tu cefn gosododd ei dwylo dros fy llygaid. Gan fy mod wedi ymgolli'n lân hefo'r ceir bach ar y llawr o'm blaen, ebychais, 'O, dos oma'r diawl gwirion!'

'Arwel Jôs, rhag y'ch c'wilydd chi!' cofiaf hi'n ymateb mewn rhyw ffug sioc. Roedd y wên ddirgel a chellweirus yn ddigon i'm bodloni nad oedd hi ddim dicach wrthyf. Cafodd gadarnhad i'w rhagdybiaeth yn y fan a'r lle fod ei hoff ddisgybl pengoch, chwe blwydd oed yn rhegwr greddfol. Darganfu hyn drwy demtio ffawd!

Yn nosbarth Miss Edwards y dechreuais ddysgu'n ffurfiol. Roedd yn athrawes ddistaw ac addfwyn iawn ac yn arogli o bersawr hyfryd bob amser. Yn ei dosbarth hi y cefais fy mhrofiad cyntaf o waith gweinyddol athro. Gadawodd imi farcio'r cofrestr, ar yr amod y byddwn yn hogyn da! Cofiaf y bwrdd natur yng nghornel ei dosbarth. Byddwn yn gyfrannwr cyson i'r casgliad. Byddai cynnyrch 'Coed Doctor' yn amlwg ar y bwrdd.

Newidiai'r cynnyrch o dymor i dymor. Ffarweliwn â'r gaeaf hefo lili wen fach o'r ardd ffrynt, croesawn y gwanwyn gyda phenbyliaid Llyn Wil Boots, cynffonnau ŵyn bach Lôn Tŷ Du a bwnseidiau o bwtias y gog o lethrau Dinas yn sbesial i Miss Edwards! Gwyddwn am leoliad pob nyth bron yn 'Coed Doctor' a gallwn adnabod y deiliaid o edrych ar batrwm a chynllun gwneuthuriad eu tŷ. Gwyddwn hefyd pa nythod oedd yn oer ac yn wag a deuwn ag amrywiaeth ohonynt i'w harddangos. Byddai'n werth gweld y bwrdd yn ystod y cynhaeaf a chyfnod y Diolchgarwch. Byddai'r cynnyrch yn prinhau fel yr âi tymor yr hydref rhagddo ond gwnâi Miss Edwards yn sicr y byddai crinddail o bob math yn gorchuddio'r lle. Llwm iawn fyddai'r bwrdd yn y gaeaf a gorchuddid ef â phapur sidan gwyn a changhennau noeth wedi eu paentio'n wyn, cyn y deuai'r lili wen fach unwaith eto, fel Ioan Fedyddiwr cynt, i ddarogan gwell dyddiau! Addysg gynnar o'r radd flaenaf oedd hyn.

Symud wedyn i 'standard wan' at Miss Rhiwen Jones oedd ar fin ymddeol, ac yna Miss Megan Humphries. Dyna oedd newid byd! Roedd cymryd y cam mawr yna o glydwch mamol addysg babanod i drefnusrwydd 'militaraidd' bron yn arswydus. Am y tro cyntaf dyma wynebu athrawesau oedd yn 'gosod a deud y drefn' ac yn llwyddo yn eu dyletswyddau. Ond buan y dois i sylweddoli mai er ein lles ni yr oedd hyn. Dysgais un peth yn standard wan – dysgais barchu athrawon.

Er na chefais fy ystyried fel 'hogyn drwg' tra yn yr ysgol, allai neb fy nisgrifio fel 'hogyn da' chwaith. Byddwn yn ymddangos yn y rhan fwyaf o'r ysgarmesoedd ar yr iard, yn cicio'r bêl a phopeth arall o fewn cyrraedd, yng nghanol trefniadau a rhagbaratoadau 'rhyfeloedd Coed Doctor' ac yn un o'r rheiny oedd yn benderfynol o fedru pi pi dros wal uchel toiledau'r hogia! Daeth y gweithgaredd anwaraidd hwnnw i ben yn fy nghyfnod i pan gerddodd athrawes heibio yn ystod grymuster y cystadlu!

Ofnwn fy mhrifathro. Arswydwn pan ymddangosai Mr Madog Jones ar y coridor neu yn nrws y dosbarth. Does gen i ddim cof ei glywed yn yngan fy enw erioed. 'Machgen i,' fyddwn i a phob hogyn arall iddo fo bob amser. Anghofia i byth y diwrnod hwnnw pan gefais fy anfon allan i'r coridor a Mr Jones yn ymddangos. Arhosodd yn stond gan lygadrythu arnaf am eiliadau. Clywn lif y gwaed yn fy ngwythiennau yn llifo i'm pen.

'Machgen i?'

'Hogyn drwg, syr!'

'Pam?'

'Dwn im, syr'

'Plant dwl ydi plant dwn im, machgen i'

Gafaelodd yn fy sgrepan, fy nhroi ac yna fy nghertio ar hyd y coridor hir tuag at ei ystafell gan chwipio fy nhin bob hyn a hyn i'm hatgoffa na ddeuwn ar y siwrnai yna byth eto! Gadawyd fi'n ddiseremoni tu allan i'w 'stafell yn llyfu fy nghlwyfau a sychu 'nhrwyn a'm llygaid yn fy llawes.

Dim ond unwaith y bûm o flaen prifathro wedyn, a hynny ar gam. Mr R.E. Jones oedd y pennaeth erbyn hynny. Mewn ysgarmes peli eira fe dorrwyd ffenestr. Fe'm cyhuddwyd o'r anfadwaith! Er imi bledio fy niniweidrwydd ni thyciai dim, ac fe'm dedfrydwyd i gael y gansen. Cariwyd y gosb erchyll allan, a gwingais.

Euthum yn syth am dap dŵr oer i geisio lleddfu peth o'r boen. Yn anffodus fe adweithiodd y dŵr oer yn groes i'w fwriad ac fe chwyddodd fy llaw. Synnodd Mam o weld fy llaw chwyddedig yn gafael yn y gyllell yn ystod swper chwarel a dechreuodd holi. Esboniais y cyfan iddi. Anfonwyd fi i'r gwely am fod mor haerllug yn amau dilysrwydd cosb y prifathro!

Cofiaf fy athrawon cynradd yn dda – Miss Griffiths 'standard tw' ddistaw, annwyl; Mr Emlyn Jones â'i 'rrr' Llwyd o'r Brynaidd a'i fwstash Erol Flynnaidd; Miss Pat Burgess, yr athrawes gyntaf i mi syrthio mewn cariad â hi (Y Cynghorydd Pat Larsen erbyn hyn); Miss Bessie Roberts, standard ffaif sgolarship, addolwn hi ac fe'i hofnwn hi yr un pryd. Er y byddai'n cael ei gwawdio fel athrawes flin a dideimlad anghofia i byth Miss Roberts yn ymddangos ar fy aelwyd ddiwrnod canlyniadau'r 'eleven plus' bondigrybwyll yn cysuro Mam am nad oeddwn wedi llwyddo.

'Nyrfs neu ei Susnag o, Katie fach, fedra i ddim meddwl am ddim arall!' oedd ei sylw, 'ond fydd o ddim yn hir hefo ni.'

Mi ddylswn fod wedi pasio'n rhwydd ar gyfrif fy nghynnydd addysgol dros y blynyddoedd yn yr adran iau, ond nid felly y bu, ac fel miloedd o blant eraill drwy'r wlad cefais fy nghlustnodi fel 'methiant' a hynny ar gyfrif un diwrnod o'm bywyd! Os bu melltith addysgol erioed yr 'eleven plus' oedd hwnnw.

Ond does dim drwg lle nad oes da, meddai'r hen ddywediad. Golygai'r 'methiant' y byddwn yn cael mynd i standard sics at Mr Evie Roberts. Bu'n arwr mawr i mi fel pêl-droediwr chwim a galluog ers blynyddoedd, a phob pnawn Sadwrn safwn ar dop Ffordd Padarn yn barod i gario ei esgidiau i'r 'stafell newid. Doedd yna ond un chwaraewr ar y cae i mi – Mistyr Robyts – a dotiwn at ei gyflymdra a'i sgiliau. Yn yr ysgol yr oedd yn ŵr golygus a thrwsiadus, yn addfwyn odiaeth ac yn llawn hiwmor. Roedd tynnu coes yn rhan anhepgor o'i gymeriad.

'Arwel,' gofynnai o flaen y dosbarth, 'fuo chi'n y gêm ddydd Sadwrn?'

'Do, Mistyr Robyts.'

'O'dd hi'n gêm dda?'

'Oedd, Mistyr Robyts.'

Pesychiad i glirio'i wddf... 'Pwy oedd y chwaraewr gora' ar y cae, Arwel?'

'Chi, Mistyr Robyts!'

Lledai gwên dros ei wyneb a llithrai ddarn ariannaidd i'm llaw. Yn ystod amser chwarae byddai pawb o'm cylch yn awyddus i weld cyfanswm fy ngwobr. Yr hwyl wedyn o ddatgelu'r swm – top arian potel lefrith!

Bu addysg standard sics yn addysg estynedig i mi, a'r ddau oedd yn gyfrifol am hyn oedd Evie Roberts a Mr. Harry Jeffrey Owen. Byddai'r ddau yn arbenigo yn eu meysydd, Evie Roberts yn arlunydd penigamp ac yn dysgu gwaith coed, a Harry Jeffrey Owen yn gerddor gwych. Dyma'r gŵr a'm dysgodd drwy rym i harmoneiddio! Er ei fod ef a'i wraig ymhlith ffrindiau gorau fy rhieni ac yn fynych yng nghwmni ei gilydd ofnwn y gŵr tal penwyn – ond mae 'nyled i, a sawl un arall, iddo'n fawr.

Gofynnwyd i mi un diwrnod gan Evie Roberts yn hollol ddirybudd a fyddwn yn fodlon 'dweud stori' wrth y dosbarth. Daeth y cwestiwn mor sydyn gan fy ngadael yn gegrwth.

'Pa stori, syr?'

'Unrhyw stori. Gwnewch hi i fyny!'

Nid oeddwn yn un i osgoi sialens a chofiais am fy mhrofiad yn yr America, a bwriais iddi. Dyma'r cyfle cyntaf i mi ei gael i siarad yn gyhoeddus o flaen cynulleidfa. Rhoddodd yr ysbaid gyfle i Evie Roberts gwblhau ei ddyletswyddau gweinyddol ac fe roddodd gyfle eto i mi gael llwyfan dan fy nhraed, a'r hyder i ddiddanu cynulleidfa mewn maes dieithr. Daeth 'Stori Arwel' yn slot digon blasus o gofio ymateb y dosbarth ac yn ddisymwth daeth galwadau am fy ngwasanaeth o ddosbarthiadau eraill!

Heb os, Evie Roberts fu'r athro mwyaf dylanwadol arnaf ar hyd fy ngyrfa addysgol. Cwta dymor fûm i yn ei ddosbarth cyn cael fy symud i Ysgol Ramadeg Brynrefail. Digon digalon oedd fy nhrosglwyddiad, gorfod gadael ffrindiau oes, gorfod gadael Ysgol Dolbadarn ac yn waeth na dim gorfod gadael Evie Roberts. Ymhen rhyw dair blynedd, a minnau wedi hen gyfarwyddo ag Ysgol Brynrefail a'i threfn, pwy ddaeth yn athro arlunio yno? Neb llai na Mistyr Robyts!

Addysg syml oedd fy addysg gynnar i, ond rhoddodd bopeth i mi. Paratôdd imi'r ffordd i addysg uwch heb y gimics na'r giamocs sy'n nodweddu addysg heddiw. Gadawodd i mi ddatblygu yn ôl hynny o allu a feddwn. Cafodd fy athrawon y gorau allan ohonof a dim mwy – nid oes modd cael gwaed allan o garreg ac yn sicr ni ellir gwneud ceffyl rhywiog allan o ful! Diolchaf hyd heddiw fy mod wedi cael fy addysg yn ystod y dyddiau hynny.

Tristâf heddiw o weld fy nghyn-broffesiwn yn y fath gyflwr, yn gwegian dan bwysau gweinyddol a gwleidyddol ac yn ceisio ers blynyddoedd bellach ddygymod â system a maes llafur trymlwythog a chymhleth a ystyriwn i ers blynyddoedd 'fel pe'n stremp i gyd'.

'Oes 'Ma Bobol?'

Pobl sy'n gwneud cymdeithas, nid ei harddwch hi, na'i hagrwch hi chwaith. Cig a gwaed oedd fy Llanberis i a dddisgrifiwyd gan Y Parchedig Gyn-Archdderwydd Bryn Williams, cyn-weinidog Capel Coch, fel 'gwerin dlawd yn byw'n gyfoethog'. Ac roedd o'n llygad ei le!

Ardal glos iawn oedd fy Llanberis cynnar i. Roedd pawb yn adnabod ei gilydd. Yn fynych yn nrws tŷ ni clywid y ddeunod 'Iw hw!', gyda'r ychwanegiad arferol, 'Oes 'ma bobol?' Codai Mam yn syth o'r gadair i roi'r teciall ymlaen. Roedd picio i dŷ hwn ac ymweld â thŷ'r llall yn orchwyl gyffredin. Mae'n debyg fy mod wedi treulio oriau yn gwrando ar sgyrsiau oedolion heb ddeall eu cynnwys na'u harwyddocâd. Ond meithrinais y ddawn i wrando am nad oedd gen i ddewis.

Tŷ agored oedd 'Gwenallt'. Ond y cof cyntaf sydd gen i o'm cartref oedd sŵn canu diddiwedd. Roedd fy nhad yn godwr canu a Mam yn dysgu plant a rhai o oedolion y pentref i ganu. Byddai'n fwrlwm yn tŷ ni cyn eisteddfodau'r pentref. Na, nid un eisteddfod, ond pump ohonynt! Eisteddfod yr Eglwys, Capel Coch, Nant Padarn, Gorffwysfa a'n capel ni, Preswylfa. Byddai'r tŷ yn llawn bob nos, a safon y canu yn amrywio! Byddai ambell lais hyfryd iawn i'w glywed yn y parlwr ac o bryd i'w gilydd deuai sŵn digon aflafar oddi yno hefyd! Roeddwn i yn perthyn i'r ail ddosbarth, dosbarth y sŵn aflafar er na chlywais i Mam erioed yn fy nifrïo. 'Mi ddoi di 'sti,' fyddai hi'n ddweud bob amser. Wn i ddim hyd heddiw a'i ceisio fy nghysuro i yr oedd, yntau ei chysuro ei hun. Mae'n debyg fod fy nawn gerddorol wedi bod yn dipyn o siom iddi.

Byddai gan fy nhad ddosbarth Sol-ffa yn y *Band of Hope* ym Mhreswylfa. Tyrrai plant y pentref yno i ddysgu'r grefft, ac i gymryd rhan yn y gystadleuaeth. Dyna'r dynfa o bosib, gan fod chwe cheiniog o wobr i'w chael am ennill. Roedd dwy geiniog i'w gael am gystadlu. Fy unig obaith i oedd cael y ddwy geiniog gan ddibynnu ar Myrddin i ennill y 'cyfri mawr'. Byddai ei wobr ef yn sicrhau y chips, a'm dwy geiniog i yn ddigon i ychwanegu y pys slwts! Does dim dwywaith fod fy nawn sol-ffuo yn codi cywilydd ar fy nhad, a chofiaf iddo ddweud un noson cyn y *Band of Hope*, 'Arwel bach, os ro i y chwe cheiniog i ti rŵan, w't ti'n gaddo peidio trio heno!' Gwyddwn fod gwledd yn fy nisgwyl yn Siop Chips Peter Angel y noson honno!

Ond doeddwn i ddim am gael fy amddifadu o lwyfan eisteddfodol a rhuban coch chwaith. Gallwn siarad os na allwn ganu! Cymerodd Mrs Mathias fi dan ei hadain. Hi oedd gwraig ein gweinidog hawddgar, Y Parchedig J.L. Mathias. Roedd yn enillydd y brif wobr adrodd yn yr Eisteddfod Genedlaethol ac adwaenid hi yn y cylchoedd cystadlu fel 'Teifi'. Cofiaf hi'n dysgu 'Coeden Afalau' T. Rowland Hughes i mi. Cerdd drist am feddrod hen gi a gladdwyd wrth fôn y goeden afalau. Ar ôl trafod y gerdd fe adroddodd Mrs Mathias hi i mi. Cafodd y fath ddylanwad arnaf fel na fedrwn ynganu gair. Roedd lwmp solat yn fy ngwddf! Pan gliriodd y gwddf rhois gynnig arni a'i hadrodd yn ddigon taclus hyd nes y dois at y llinell, 'Mae dagrau'n cronni'n fy llygaid i.' Nid cronni oedd fy nagrau i, ond llifeirio fel nentydd heilltion i lawr fy ngrudd! I ychwanegu at fy ngofid roeddwn wedi addo i Hefin eu mab y byddwn yn mynd i chwarae gydag ef ar ôl y wers. Ymlwybro'n ddistaw tua 'Gwenallt' wnes i y noson honno gan adael Hefin yn yr ardd i bendroni lle roedd ei 'fêt mawr' wedi mynd! Os oeddwn yn 'hogyn mawr' i Hefin, doeddwn i ddim am iddo wybod fy mod hefyd yn 'fabi mawr'! Sodrwyd y rhuban coch ar fy mynwes ymhen diwrnod neu ddau a sylweddolais fod llwyfan yn lle digon pleserus! Diolch i Teifi!

Bu capel Preswylfa yn ddylanwad mawr yn fy mywyd. Mae hanes diddorol iddo. Saif ar lecyn go uchel yn y pentref gyda strydoedd Cambrian, Yankee, Goodman a Newton yn arwain at ei ddrws. Yng nghanol y ganrif ddiwethaf cydnabyddid yr ardal hon o Lanberis fel ardal y tlodion gyda rhan helaeth o'r boblogaeth byth yn tywyllu man o addoliad. Gan nad oedd lle yng Nghapel Gorffwysfa ni ellid mewn gwirionedd geisio denu'r tlodion yno. Yr unig obaith i'r trueiniaid hyn oedd codi capel newydd. Ac yn wir yn 1878 llwyddwyd i brynu tir am £150. Erbyn 1883 roedd drysau Preswylfa ar agor gyda 106 o aelodau yn perthyn i'r achos Methodistaidd.

Cynhelid yr Ysgol Sul yn y Festri a oedd wedi ei lleoli o dan y capel. Does gen i fawr o gof am fy nosbarth cyntaf. Cofiaf weld llun o Iesu Grist yn curo wrth ryw ddrws. Cymerwn yn ganiataol mai Iesu Grist oedd y gŵr gan mai ef a Siôn Corn oedd yr unig ddau berson a adwaenwn oedd yn tyfu locsyn! Roedd yno lun o Moses yn yr hesg hefyd a chredwn ar y pryd mai o'r afon y deuai'r arogl sur o bydredd a thamp a lethai'r ystafell fach. Ar lin Mrs Owen, Bryn Derw y deuthum i glywed am ryfeddodau'r Beibl, i ddysgu adnodau a phenillion syml, ac yn ei chesail y byddwn yn syrthio i gysgu!

Arswydwn o fod yng nghwmni Mrs Richards. Hi oedd arolygwraig yr Ysgol Sul ac o'r herwydd hi fyddai'n gorfod disgyblu. Anaml y gwelwn wên ar ei hwyneb, ac roedd hiwmor yn rhywbeth prin a dieithr iddi. Gan ei bod hefyd yn dioddef o anhwylder ar ei gwddf a hwnnw'n chwyddedig a hagrwch ei hwyneb di-wên yn llenwi'r lle, byddwn yn eistedd fel angel a'm llygaid yn pylu gan ofn yn y gwasanaeth agoriadol. Cywilyddiais pan ddois i adnabod y Mrs Richards go iawn ar fy aelwyd, a'i chael yn ddynes dyner ac annwyl. Wrth eu gweithredoedd yr adnabyddir hwynt.

Cefais sawl athro neu athrawes Ysgol Sul. Erbyn hyn gallaf werthfawrogi eu hymdrechion, oblegid nid dros nos, a ddim heb brofiad y gall rhywun ddod yn athro. Bendith arnyn nhw. Ond roedd un yno a allasai'n hawdd fod wedi bod yn athro neu'n seicolegydd plant – Yncl Wil. Meddai Wil Davies, Llain-wen gymwysterau'r dysgwr er na fu mewn coleg. Gwyddai am ddiddordebau plant y cyfnod a defnyddiai'r maes i ysgogi ymateb. Roedd yn storïwr heb ei ail, ac felly mynnai ein sylw. Roedd yn llawn hiwmor a charedigrwydd, ac felly enillai ein hymddiriedaeth. Cychwynnai bob gwers yn trafod canlyniadau gemau pêl-droed y diwrnod cynt, maes delfrydol i gael sylw'r hogia. Yna yn ei ffordd ddihafal symudai 'mlaen i ysgogi trafodaeth yn ein mysg am ddysgeidiaeth ei Arwr Mawr ef a'i Waredwr. Meddai Mair Roberts wrth gloi teyrnged i'w thad '...cafodd gystudd blin, ac ychydig cyn iddo farw d'wedodd wrthyf, "Dwi'n barod i fynd. Yr unig beth golla i fydd pregeth dda a gêm ffwtbol".'

Pulpud plaen oedd pulpud Preswylfa, ond tyrai peipiau'r organ ysblennydd y tu cefn iddo. Ymestynnai'r rhain yn dri phyramid, yn wyrdd, glas golau ac aur. Gwyddwn mai o'r hafnau aur y deuai'r sŵn. O dan yr holl beipiau addurnol, ac allan o'r golwg, y byddai William Hughes neu Wili Hughes Bron Eryri. Yng nghyfnod fy mhlentyndod cynnar ef oedd prif organydd y capel. Ond roedd angen rhywun i chwythu'r organ hefyd, ac nid gorchwyl hawdd fyddai hynny. Gwaith ydoedd a olygai bwmpio aer o'r fegin anferth i'r organ drwy bwyso a chodi trosol bren. Y ddau 'bwmpiwr' dwi'n eu cofio oedd Stevie Hughes, brawd yr organydd, ac Ifor neu Ifor Gias. Roedd Stevie yn ŵr cryf ac yn cael y gwaith yn eitha hawdd, ond bychan o gorff ac eiddil oedd Ifor. Er bod llenni yn gorchuddio safle'r 'pwmpiwrs' byddai gweld pen Ifor Gias yn codi fel pelen bob tro yr elai'r trosol i fyny yn rhywbeth i'n diddori ni'r plant. Dro arall cofiaf y pregethwr yn ledio'r emyn ar ôl pregeth drom a hirfaith. Sodrodd Wili Hughes ei fysedd ar y cord cyntaf – ond ni ddaeth bref allan o'r peipiau! Cofiaf y llenni yn cael eu hagor gan un o'r blaenoriaid gan ddatgelu yr hen Ifor â'i ben yn ôl yn cysgu'n sownd! Aeth y pregethwr yn syth i gyhoeddi'r fendith!

Cydnabyddid canu Preswylfa ymhlith y gorau. Dyna farn y pregethwyr a ddeuai yno. Gan fod fy nhad bob amser yn y sêt fawr yn codi canu, eisteddwn i hefo Mam. Cawswn fy amgylchynu gan leisiau eithriadol o gyfoethog. Clywaf hwy'n awr yn morio 'Clawdd Madog':

Doris a Wil Griffith i'r chwith ohonof; Annie Wilson (neu Nan Nan) ac Ifan Wilson (Hughes), ei brawd y tu cefn i mi, a Ceinwen Jones – fy annwyl Anti Cei, chwaer arall iddynt, a mam Elwyn Hogia'r Wyddfa i'r dde ohonof. Rhywle hefyd yn y cefn y byddai Dafydd Dafis, Idwal Roberts ac Irfon Ellis. Ffurfiodd y rhain Barti Preswylfa, y parti y daeth Elwyn, Myrddin a minnau yn rhan ohono yn ddiweddarach. Dyma gychwyn go iawn Hogia'r Wyddfa. Yn cyflwyno'r parti byddai Hugh Richard Jones, tad Elwyn. Roedd yn ŵr dysgedig a hwyliog ac yn ddelfrydol i arwain noson lawen y cyfnod. Un arall a ddeuai i arwain y parti o bryd i'w gilydd fyddai John Ellis (Perisfab) o'r Nant. Yntau fel Hugh Richard o'r un anian a chyda'r gallu prin a gwerthfawr i wneud i bobl chwerthin. Chwarelwyr oedd y ddau. Yn ddiweddar clywais Hugh Richard yn cael ei holi ar Radio Cymru ac yntau yn ei wythdegau hwyr. Y testun oedd 'glasenwau'r chwarel'.

'Oedd gynnoch chi lasenw?' gofynnodd Nia Roberts iddo.

'Hugh Rich oeddan nhw'n fy ngalw i – er fy mod wedi cael fy magu'n dlawd!' atebodd fel ergyd o wn. Y ddawn wedi parhau a heb golli dim o'i naturioldeb.

Cofiaf Hugh Richard Jones yn dda fel blaenor yn y sêt fawr. Yno hefyd yr oedd Michael Thomas, Dafydd Owen a Robert Morris. Yn ddiweddarach ymunodd tri arall â hwy – William Williams (Cae Mawr), William Williams (Bach) a Bert Thomas. Ond Robert Morris oedd y penblaenor – gŵr a gydnabyddid gan gannoedd o gyn-ddisgyblion Ysgol Ramadeg Brynrefail fel yr athro mwyaf dylanwadol erioed. Bu'r bardd a'r llenor mawr T.

Rowland Hughes yn ddisgybl iddo. Nododd Rowland Hughes mai Robert Morris fu'n bennaf gyfrifol am ei ysgogi, a'i achub o grafangau difaterwch a lechai tu ôl i ddrysau caeëdig cwt biliards Llanberis! Chefais i erioed y fraint o gael fy nysgu ganddo. Mr Morris Sêt Fawr oedd o i mi. Syllais oriau ar y man geni eglur a orchuddiai hanner ei wyneb bron.

Nid man geni Robert Morris oedd yr unig beth a dynnai fy sylw yn y capel. Gan fod cynnwys y pregethau ymhell allan o gyrraedd fy neallusrwydd a'r traddodi weithiau yn drwm ac undonog roedd arallgyfeirio yn rheidrwydd. Sawl tro y syllais ar batrwm hardd nenfwd y capel, gwneud syms pen hefo'r rhifau a ymddangosai ar fwrdd yr emynau a'r tonau, darllen emynau, gweithio allan enwau'r emynwyr a chadw cil llygad ar rai o'r genethod del a ddeuai i'r capel! Edrychwn ymlaen i gael dweud fy adnod, nid yn gymaint y dysgu, ond y perfformio! Dyma lwyfan eto i mi. Byddwn yn cael ceiniog gan Mam bob tro y dysgwn adnod newydd. Byddai 'Duw cariad Yw' a 'Cofiwch wraig Lot' yn arian hawdd ei ennill, ond pan ddaeth yn ddyddiau 'Cysegrwn flaenffrwyth ddyddiau'n hoes, i garu'r Hwn fu ar y groes...' roedd hi'n amser gofyn am godiad cyflog! Ond diolch am y cyfle i gael dysgu'r emynau a'r adnodau. Sylweddolais eu gwir werth yn ddiweddarach. Cof drysorau amhrisiadwy.

Roedd un 'academi addysgol' arall ym Mhreswylfa – Y Gymdeithas Lenyddol. Dwi'n cofio'n iawn edrych ymlaen at y dydd pan fyddwn yn ddigon hen i gael fy nyrchafu o'r *Band of Hope* i'r Gymdeithas! Cofiaf fwynhau sawl drama yno. Mae gennyf gof o fy nhad yn cymryd rhan yn y ddrama 'Pawen y Mwnci'. Disgynnodd llond hambwrdd o lestri o'i ddwylo gan dorri'n deilchion ar y llwyfan. Cafodd gymeradwyaeth fyddarol gan y dorf gan fod y peth wedi digwydd mor naturiol, ei wyneb yn welw a phanig yn ei lygaid fel y safai'n gegrwth yn ei unfan. Ar ôl mynd adref y noson honno a'i glywed yn cael ffrae gan Mam y sylweddolais mai anffawd oedd y cwbl, ac iddo dorri llestri gorau Mrs Robert Morris! Gwelais nifer fawr o bartïon noson lawen o bell ac agos yn perfformio yno. Ond doedd yr un ohonynt i'w cymharu â pharti Cwm-y-glo. Welais i erioed gymeriad mor ddoniol ag Emlyn Watkins, Becws Cwm. Roedd yn naturiol ddoniol, a'r sgetsys yn ddeifiol o ysgafn. Ceisiais innau ei efelychu yn ddiweddarach ar lwyfannau gan sylweddoli nad oeddwn hanner mor llwyddiannus. Gwelaf ef yn awr yn dal, denau a golwg naturiol bruddglwyfus arno yn y sgets 'Y Tri Milwr', sgets y rhoddais gynnig ar ei haddasu i dri myfyriwr coleg! Cawsai ei gynorthwyo gan Dafydd Seimon, Hugh Jones Seiont House a Huw Parry 'Barbar'. Yn eu plith y canai triawd swynol – Idwal Williams, Robert Henry Parry a Llew Hughes gyda Jac Jones wrth gefn. Cefais hefyd y fraint o weld a chlywed yno arwyr mawr y cyfnod, Bob Lloyd (Llwyd o'r Bryn), Bob Owen, Croesor, I.B. Griffith a llawer mwy. Cewri'r ddawn dweud i gyd. Yn y gymdeithas hefyd y cefais y cyfle i actio, cyflwyno, a chanu ar fy mhen fy hun, a hynny am y tro cyntaf. Coleg heb ei fath, magwrfa gyfoethog a Glanaethwy'r pumdegau!

Yn fuan ar ôl i Mam ymddeol fel unawdydd ymunodd â pharti Noson Lawen. Parti Eilian oedd hwn, ac yn hynod boblogaidd. Deuai ceisiadau am eu gwasanaeth o bellafoedd y wlad a thros y ffin. Gwelaf hwy 'nawr yn eu gwisgoedd sipsiwn lliwgar yn y 'grand finale'. Fy nhad a'm mam, Llew a Peg Batten, Jack (Glo) a Rosie Hughes, Deliah Parry (Selafê), Jan Davies (Garej), Emyr Roberts (Chips), Richard Williams (Chips), Ann Jones (Nan Nan) a Gwyn Jones, a'r morwr talentog Jonah Gwilym. Yn eu cynorthwyo'n aml byddai teulu o frodyr talentog, wedi eu gwisgo mewn dillad 'cowbois' – Bert, George ac Eric Parry. Bob un yn offerynnwr cymwys iawn. Byddwn yn ysu am gael ymuno â hwy ar y llwyfan, ond oherwydd fy oed a'm diffyg talent, gorfod bodloni ar eu gwylio o'r 'wings' y byddwn i.

Cefais bob cyfle i wella fy nawn gerddorol. Byddai fy rhieni yn ffrindiau mawr â William Huxley Thomas a'i briod Mem. Chwarelwr a cherddor hunanddysgedig oedd Wili Huxley, a byddai'n dysgu plant y pentref i chwarae'r piano. Roedd yn organydd proffesiynol. Cofiaf yn dda gychwyn dysgu'r piano hefo fo yn y parlwr ffrynt. Byddai'n eistedd â'i gefn at y ffenestr bob amser. Wrth ymarfer y 'scales' un diwrnod, beth welwn yn hongian y tu allan i'r ffenestr ond pâr o sgidia ffwtbol! Roedd Myrddin wedi cael ei anfon fel cynrychiolydd tîm Pentra i geisio fy mherswadio fod mwy o fy angen ar gae pêl-droed nag yn Eisteddfod Preswylfa! Er i mi blygu i demtasiynau'r bêl gron parhawn i fynd i dŷ Anti Mem ac Yncl Wili i gael 'swpar chwaral' hefo'r hogia – George ac Elgar. Dotiwn at nerth Elgar. Roedd yn ddisgybl pybyr i Charles Atlas! Byddai'n codi pwysau yn y sied gan ymarfer yn barhaus i'w gadw ei hun yn gryf a lluniaidd o gorff. Bwydai Anti Mem ef hyd yr eithaf. Bodlonai

George ar fwyta'n unig! Yn wir, ei bwysau a'i iselder a barodd iddo ymneilltuo a bodloni ar orwedd yn ei wely ddydd a nos. Fi oedd un o'r ychydig gâi fynd i'w weld, a threuliais sawl orig yn ymgomio ag ef gan geisio codi ei ysbryd. Hogyn hawddgar, ffeind a difeddwl-ddrwg oedd George. Cododd o'i wely yn ystod oriau mân rhyw fore barugog, ac yn ei wendid aeth allan i'r oerni. Rhywdro cyn iddi wawrio cododd ei dad, a gweld ei stafell yn wag. Dilynodd yr hen ŵr ôl traed ei fab ym marrug y bore bach drwy Coed Doctor hyd at lan Llyn Tomos Lewis. Yno, fel sawl un arall, y rhoddodd George annwyl derfyn ar ei fywyd ei hun.

Yn dilyn ymadawiad Y Parchedig J.L. Mathias, daeth gweinidog ifanc i gymryd yr ofalaeth. Roedd Y Parchedig Meirion Lloyd Davies yn gymeriad byrlymus, gyda'r gallu i ddenu'r ifanc i'r eglwys. Sefydlodd glwb ieuenctid, a fu ymhen yrhawg yn gyfrwng i feithrin talentau ieuenctid y pentref. Cefais innau yn fy nhro fy llusgo o'r cwt biliards a'r cae pêl-droed i ymuno yn y rhialtwch a'r gweithgareddau amrywiol. Ac o'r diwedd, a minnau yng nghanol fy arddegau, cefais wahoddiad i ganu! Sefydlwyd wythawd ieuenctid a chefais y fraint o ganu tenor wrth ochr Myrddin. Roedd hwn wedi datblygu yn ganwr cywir a hyderus erbyn hyn, a sylweddolais, ond i mi wrando'n ofalus arno, y gallwn innau ganu'n ddigon swynol. Cofiais eiriau Mam, 'Mi ddoi di 'sti!'

Trefnodd Meirion Lloyd Davies gystadleuaeth bêl-droed rhwng eglwysi'r pentref yn dilyn swnian cyson rhai fel fi mae'n debyg. Ymatebodd i'r sialens, a chafodd Y Parchedig Meurig Daniel, gweinidog hwyliog a phoblogaidd yr Annibynwyr i'w gefnogi a'i gynorthwyo. Chwaraeai Meirion Lloyd Davies ar yr asgell i dîm Preswylfa ynghyd â phlismon y pentref, Jac Hughes. Roeddwn innau yn yr un tîm. Derbyniodd y gweinidog hawddgar y bêl gan y plismon. Ymatebodd yn gwrtais drwy ddiolch iddo.

'Peidiwch â diolch,' rhuodd Jac, 'ciciwch hi i'r diawl!'

Bu digalondid mawr ymysg yr ifanc pan gyhoeddwyd y newydd fod Meirion Lloyd Davies am ein gadael am Bwllheli bell! Ond yn ddisymwth, daeth gweinidog ifanc arall i gymryd ei le – Y Parchedig John Owen. Ymddiddorai yntau yng ngweithgareddau'r ifanc, ond aeth gam ymhellach drwy sefydlu Cwmni Drama yn y pentref. Treuliais oriau yn ei gwmni yn dysgu amrywiol ddramâu, a chael y fraint o gydactio ag ef. Cofiaf y ddau ohonom ar y llwyfan yn Rhiwlas. Llinell gyfarch John i mi oedd, 'Gymrwch chi ddiferyn bach o sieri?'

'Diolch yn fawr,' oedd fy ymateb innau. Gafaelodd yn y botel, a thywalltodd ei chynnwys. Derbyniais innau wydr gwag! Edrychais i fyw llygaid fy nghyd-actor, 'Pam na thriwch chi heb y corcyn?' gofynnais yn ddiniwed, er nad oedd hyn wedi ei sgriptio! Parhaodd y cyswllt llygaid am eiliadau, yna dechreuodd ein gwefusau grynu. Roedd y pwffian wedi dechrau cyn i'r ddau ohonom weld papurau newydd ar y gadair. Cawsom loches yn cuddio tu ôl i'r papurau am rai munudau. Roedd y gynulleidfa wedi synhwyro ein bod mewn trafferthion dybryd hefyd, a buan y trodd y neuadd yn un bwrlwm o chwerthin afreolus! Cefais y fraint o rannu llwyfan â sawl actor deallus a naturiol yng nghwmni drama Llanberis. Dysgais lawer yn eu cwmni. Tristwch i'm bron a sawl un arall yn y gymdogaeth oedd ymadawiad John Owen i Ruthun.

Ond roedd lleoedd eraill yn Llanberis heblaw'r capel yn denu, a'u gweithgareddau'n apelio. Y man mwyaf ysgogol a moethus oedd y 'Regal Cinema' neu'r 'Pics' i ni blant y pentref. Mr a Mrs Wakeham oedd perchnogion y fangre, cwpwl dymunol a charedig. Byddwn yn mynychu'r lle yn aml iawn – deirgwaith yr wythnos! Ymateb Mam i'r amheuwyr fyddai, 'Mae o allan o drwbwl yn fanna, ac ma'i Susnag o'n gwella!' Ceisiais efelychu sawl arwr, a syrthiais dros fy mhen a'm clustiau mewn cariad â sawl meinwen hardd a siapus y sgrin seliwloid. Cenfigenwn at unrhyw un a ddeuai o fewn hyd braich i Doris Day! Byddem ni'r plant yn cael ein cyfyngu i'r seti ffrynt swllt a thair er tegwch a diogelwch y rhai hŷn, yn enwedig pan fyddai ffilm gowbois ymlaen. Byddai'r lle yn ferw o sŵn, a phawb ar eu traed yn cymeradwyo pan ddeuai'r 'cavalry' o unlle i achub y cowbois da! Bryd hynny y byddai John Tomos (Terror) ar ei draed yn y ffrynt yn bygwth ein taflu allan, a hen ferched o Tai Newydd yn ein pastynnu â'u ffyn ac ambell ambarel. Ond ym merw'r foment ni allai undim na neb ein sobreiddio. Roedd ein dychymyg a'n diniweidrwydd wedi cymryd drosodd. Dro arall byddai'r ffilm yn torri. Sôn am bandemoniwm wedyn! Byddai'r neuadd yn crynu gan sŵn traed a sŵn y 'bw' yn diasbedain. Wedyn fe fyddai'r tuchan a'r colbio yn ailddechrau, a Terror yn ailgydio yn ei orchwyl fygythiol! Ond diolchaf hyd heddiw am gael y cyfle i fynd i'r pictiwrs, a chael gweld am y tro cyntaf glasuron hirfaith hanesyddol megis *Ben Hur, Gone With The Wind, Ten Commandments* a'r clasur a'm ffefryn hyd heddiw – *High Noon*. Gwerthfawrogwn ddawn doniolwch Harold Lloyd, Jerry Lewis a Bob Hope. Addolwn wrhydri Burt Lancaster, John Wayne a Gary Cooper a dotiwn at harddwch Jane Russell, Marilyn Monroe a Sophia Loren. 'Toeddan nhw'n ddyddia da?' Da dros ben!

Byddai cryn fynd ar y neuadd bren yn Park Lane hefyd – Y Cwt Biliards a'r Snwcer. Tri bwrdd oedd yno, dau wedi eu neilltuo i'r oedolion ac un i'r ieuainc. Dyma fan lle roedd trefn a disgyblaeth yn rheidrwydd. Doedd wiw i ni'r rhai ifanc sibrwd bron tra oedd yr oedolion yn chwarae. Teyrn distaw oedd Tomos, byddai edrychiad ceidwad y cwt yn ddigon. Ni welais i mohono erioed heb sigarét yng nghongl ei geg. Ysmygai 'roll your own' yn ddiddiwedd. Gadawai i'r sigarét fudlosgi hyd at ei fwstas, cyn y dechreuai'r blewiach gipio a gadael twll crwn, brown-ddu yn y gornel. Ni welais i mohono'n brysio chwaith. 'Peidiwch â rhedag, ma 'na ddigon o amser tan 'fory!' fyddai ei gyngor i ni y cywion oedd mor awyddus i gychwyn gêm. Byddai gemau cynghrair ar nosweithiau Mawrth yn achlysur. Brysiwn adref o'r ysgol, te cynnar, ac yna rhedeg yr holl ffordd i'r cwt er mwyn sicrhau'r sedd orau. Yna deuai'r arwyr i mewn. Hogia'r tîm, pob un yn edrych yn lân a thrwsiadus a phob un yn cario'i giw! Yno y byddwn wedyn yn eistedd yn ddistaw bach heblaw am ambell ebychiad canmoliaethus o, 'Siot!' Edmygwn ddawn Raymond Pritchard, Wil Penny, Wil John Roberts, Mellor, Ceris Hughes ('Rhen Gêr), Jôs Cemist, Glyn Penbryn a Gwynedd Owen (brawd Myrddin). Bu'n rhaid i mi ddisgwyl tan fy mhedwar-degau hwyr cyn i mi gael gwahoddiad i chwarae i dîm snwcer fy mhentref genedigol. Treuliais sawl orig yn ymlacio yng nghwmni Dafydd Roberts, Cwm, Meirion Evans, Oliver Edwards, Alan Jones, David Evans, Noel Owen a Dafydd Arfon. I ychwanegu at y pleser, roedd dau o'm harwyr yn parhau i chwarae – Glyn Penny a Gwynedd Owen, dau a ddaeth yn ffrindiau agos iawn i mi dros y blynyddoedd.

Parhâ Gwynedd i gadw cwmni i mi'n aml pan fyddaf ar fy nheithiau yn sgwrsio mewn cymdeithasau. Mae'n gwmni mor ddiddan. Fe'i 'bedyddiwyd' yn 'road manager Hogia'r Wyddfa'! Tystia Gwyn hyd heddiw mai fo gafodd y dalent gerddorol ond nad oedd 'cheeks' ei frawd ganddo!

Cawn gwmni Glyn Penny Williams, Ben Rodrick a Bobby 'Cooks' Jones yng nghornel y bar yn y 'Fic' am sawl blwyddyn. Byddai Glyn a minnau yn ymuno â'r ddau yn gynnar cyn mynd i chwarae snwcer. Ben fyddai'r ffraethaf o bell ffordd. Roedd yn daid i Susan Bullock y gantores adnabyddus a Dafydd Bullock, y cerddor a'r cyfansoddwr uchel ei barch. Cofiaf yn dda eistedd wrth ochr Ben yn nerbynfa'r syrjeri yn Llanberis rhyw ddiwrnod. Roedd Dr Hughes braidd yn hwyr yn cychwyn ei feddygfa y bore hwnnw.

'Mair!' gwaeddodd Ben, 'fydd Dr Hughes yn hir eto?'

'Dwn i ddim, Ben!' atebodd Mair, 'a peidiwch â swnian!'

'Diawl, os fydd o fymryn yn hwyrach mi fydda i wedi anghofio be' sy'n matar arna i!' Cafodd y criw 'afiach' i lana' chwerthin y bore hwnnw. Doedd dim angen ffisig tra oedd Ben o gwmpas!

Dro arall aeth Glyn a finnau a fo i glwb Penisarwaun i

gael gêm o snwcer. Yno y cyfarfu â'i hen ffrind John Jones – y ddau ymhell yn eu hwythdegau.

'Faint nei di rŵan, Johnnie?' gofynodd Ben i'w ffrind.

'Wyth deg pedwar', atebodd John yn grynedig a dagreuol, ac ychwanegodd, 'ni wyddys y dydd na'r awr y daw Mab y Dyn, Ben bach!'

'Taw wir Dduw, Johnnie,' atebodd Ben wrth godi ei beint, 'dwi mond yn gobeithio na ddaw o cyn i mi orffan hwn!' Hiwmor sydyn a deifiol y cyn-chwarelwr.

Nid chwarelwr oedd Bobby 'Cooks' ond dreifar Trên Bach yr Wyddfa. Roedd cymeriadau yn y fangre honno hefyd. Bytheiriai Bob yn aml os na châi ei blesio. Roedd wedi alaru ar ymdrech bitw rhyw hen foi bach a weithiai fel 'stoker' iddo ar y trên. Aeth i weld y rheolwr, ac aeth ei gydweithwyr draw i wrando ar y 'drafodaeth'.

Clywent sŵn y bytheirio yn dod o gyfeiriad y brif swyddfa – yna yn sydyn agorodd y drws. Safai Bob yno yn dalsyth fel hen geiliog dandi gan adael y rheolwr a'i gydweithwyr yn gegrwth gyda'r frawddeg athrylithgar hon, *'And look, if you can't get me a better stoker, then get me a smaller bloody mountain!'*

Ia, pobol wnaeth fy nghymdeithas i – a wela i byth eu bath.

'Rysgol Fowr!

Yn siop Eric, Cwm-y-glo y prynodd Mam gap imi, un gwyrdd a rhimyn coch ar ei big, 'blazer' werdd a'r 'bathodyn llun engan' ac YB yn fawr ar y boced, a throwsus llwyd, llaes a thei werdd a choch i fynd i Ysgol Ramadeg Brynrefail. Bu'n rhaid i mi baredio ar y 'cat walks' teuluol am ddyddiau i ddangos yr iwnifform newydd!

Fwynheais i ddim ar fy mrecwast y bore cyntaf hwnnw cyn cychwyn am yr 'ysgol fawr'. Petawn wedi bwyta yn ôl fy arfer yna rwy'n berffaith siŵr y byddai ei hanner wedi dod i fyny rhwng drws siop E.B. Jones a Phen Llyn! Plastrais y Brylcreem ar fy ngwallt er mwyn cael y troell gorun i orwedd a thacluso dipyn ar y ciw pi! Gorchwyl gwbl ddianghenraid gan fy mod yn gwisgo cap! Prynodd Nan Nan fag ysgol i mi i ddal celfi angenrheidiol ysgolor bach – pensil, rhwbiwr, pren mesur a ffownten pen newydd sbon! Rwy'n cofio cychwyn o'r tŷ yn ddigon petrusgar i ddal y bws ysgol a'm bag yn rhuglo fel morthwyl sinc babi!

Does gen i ddim cof o groesi Pont Pen Llyn y bore hwnnw, dim ond dilyn y dorf ar hyd y ffordd gul i bentref Brynrefail a gweld yr ysgol furiau llwydion am y tro cyntaf ers diwrnod arholiad yr 'eleven plus'. Bûm yn tin-droi y tu allan i ddrws yr ysgol am ysbaid yn rhyw chwarae hefo'r syniad o ddianc. A fyddai rhywun yn fy ngholli o blith y dorf enfawr petawn yn ei gluo hi am hen Lôn Clegir ac yna i lawr Lôn Tŷ Du i Goed Doctor? Digon o waith. Ond fy mherswadio fy hun i aros wnes i i wynebu'r drin a cheisio cychwyn yn fy ysgol newydd ar y droed iawn.

Cofiaf gael fy anfon i ystafell a adwaenid fel 'Lab Cem' i gael fy nghofrestru, a hynny i ganol arogleuon dieithr ac amhersawr. Doedd bosib fod yr achlysur wedi bod yn ormod i rai! Ymddangosodd dyn byr ysgafndroed yn gwisgo gwydrau dirimyn a chlogyn du o'n blaenau. Mr T.R. Jones yr athro Cemeg. Dyn dymunol iawn. Cofiaf iddo restru rhai o reolau'r ysgol i ni. Dim ond un sy'n sefyll yn y cof – 'Chi hogia, pan welwch chi Mr Emrys Thomas, y Prifathro allan yn yr iard neu ar y stryd – cofiwch chi ei gyfarch drwy gyffwrdd pig eich cap.' Daeth y cyfarfyddiad hwnnw y diwrnod cyntaf. Roeddwn yn sgwrsio â Merfyn Lloyd Jones, fy ffrind newydd, ger mynedfa'r bechgyn pan gerddodd Mr Thomas i fyny. Fferrodd fy ngwaed! Arhosodd heb yngan gair gan edrych â dau lygad oeraidd i fyw fy llygaid i. Edrychai'n fygythiol heb ystumio dim ar ei wyneb main, gwritgoch. Ymhen ychydig eiliadau o sefyll yn fud cofiais am y rheol! Yn hytrach na chyffwrdd pig fy nghap, gafaelais ynddo gan ei ollwng ar y llawr! *'Thank you boy,'* meddai, a diflannodd drwy'r drws. Dyna'r unig dro iddo yngan gair â mi – diolch byth am hynny, gan y gwyddwn ei fod braidd yn or-hoff o ddefnyddio'r 'strap'. Penderfynais yn y fan a'r lle, er mwyn fy lles fy hun a'm diogelwch, i ymwrthod â thraddodiadau amheus yr ysgol fel mynd i'r creigiau i smocio a 'hel merchaid' a bod yn boendod i drigolion pentref Brynrefail.

Arweiniwyd ni yn ystod y bore i'r 'assembly'. Croesawyd ni i'r ysgol gan Mr Emrys Thomas yn uniaith Saesneg. Yna canwyd anthem Ysgol Brynrefail gan y plant hŷn. Anthem a oedd yn drewi o draddodiad ysgolion bonedd neu ramadeg Lloegr, ac yn anffodus bu'n rhaid i mi ei dysgu ymhen amser.

'Forty years on when afar and asunder,
Parted are those who were singing today...'

Yno y bûm heb gynhyrfu neb nac undim am flwyddyn a hanner, yn bodoli fel rhif ar gofrestr yn unig ac yn ceisio fy ngorau glas ddod i delerau â'r pynciau enwau swanc fel *Algebra, Geometry, Physics, Latin* a *French*! Pynciau mae gen i ofn na ddisgleiriais ynddynt a phynciau na chymerais atynt o gwbl. Yr unig ddefnyddioldeb a gefais o'r rhain oedd llyfrau trwchus Geometreg – gwnaent 'pads ffwtbol' penigamp! Bu Pythagoras yn gwarchod fy nghrimogau am flynyddoedd!

Ymhen blwyddyn a hanner daeth yn amser mudo eto! Y tro hwn i ysgol newydd enfawr yn Llanrug. Nid ysgol ramadeg mo hon, ond ysgol 'bilateral' i roi yr enw swanc iddi! Golygai hyn y byddai fy ffrindiau bore oes yn cael ymuno â mi. Er fy mod wedi gwneud ffrindiau newydd, braf oedd medru cyfarch yr hen fêts i'r ysgol newydd. Yn rhyfedd iawn rhoddodd hyn ryw hyder newydd ynof, teimlwn yn gartrefol unwaith eto yn yr ysgol.

Penodwyd ein hathro Ffiseg, Mr Ieuan James, yn Brifathro. Dyn llawer, llawer mwy dymunol. Dyma un o'r athrawon a dynnodd fy sylw gyntaf pan euthum i'r hen ysgol. Dyn tal, tal a lluniaidd ac yn siarad gydag acen y de. Un o'i hoff ddywediadau fyddai, '*When I was down the pits years ago…!*' Cofiaf i mi amau ei osodiad sawl tro drwy feddwl yn ddistaw bach, 'Nefar – deith 'i seis o byth i le mor fach!'

Roedd pwysau trwm ar ysgwyddau Ieuan James bryd hynny gan fod nifer disgyblion yr ysgol wedi treblu. Roedd yn adeilad newydd hefyd ac yn dipyn o ysgol sioe. Roedd yn rhaid ei chadw mor ddestlus a glân ag oedd bosib er mwyn y llu ymwelwyr a ddeuai yno. Felly, fe'n gorfodwyd i wisgo 'pymps' yn yr adeilad ac esgidiau y tu allan. Gorchwyl lafurus feunyddiol a greai bob math o anawsterau a rhwystredigaethau gan arwain maes o law i wrthdaro a ffraeo. Byddai Mr James yn ein hatgoffa yn feunyddiol o'r glanweithdra disgwyliedig, a phan fyddai'n rhaid pwysleisio rhywbeth, trôi i'r Saesneg.

'You'd think we had a contract with Smiths just by looking out through the window,' taranai gan dynnu ein sylw at y bagiau creision a bentyrrai yng nghilfachau'r ysgol!

'Mr Smith must be a millionaire by now!' ychwanegai. Oherwydd ei faint, ni chafodd Ieuan James fawr o drafferth yn disgyblu, ac o flwyddyn i flwyddyn datblygodd yr ysgol yn fan cynnes a chartrefol.

'Wna i byth fathemategwr ohonat ti, Arwel bach, ond mi fyddi'n berffaith gartrefol ar y llwyfan!' Dyna oedd proffwydoliaeth fy athro Mathemateg. Ac roedd yr annwyl ddiweddar William Vaughan Jones, mathemategwr a dramodydd, yn llygad ei le. Cefais flas ar y llwyfan yn yr ysgol uwchradd. Dylanwad cyffuriol ydoedd ac yn ddi-droi'n-ôl. Lluniodd gwrs fy mywyd.

Llwyddodd Nain a Nan Nan i'm perswadio i ddilyn trywydd addysgol yn hytrach na bwrw prentisiaeth yn y chwarel, a bwriais iddi yn hwyr yn y dydd i astudio. Daeth cyfnod y chwarae a chadw reiat i ben.

Roedd athrawon arbennig yn ysgol Brynrefail yn niwedd y pumdegau a thrwy eu hymdrechion hwy y llwyddais i gyrraedd y chweched dosbarth. Daeth rhai pynciau yn rhwydd imi a chefais rai eraill yn drybeilig o astrus. Byddwn yn flin â mi fy hun am fethu mewn rhai pynciau. Ymdrechwn yn galed yn y gweithdai coed a metel i William Land a Robin Williams, ond yn ofer. Dechreuais wneud bwrdd smwddio i Mam ym mlwyddyn tri, erbyn blwyddyn pump roeddwn i'n parhau â'r gwaith gyda'i goesau'n llawer byrrach. Sylw Mr Land yn ei acen co' dre oedd, 'Ydi'ch mam yn ddynas fer, Arwel?' Mae'r bwrdd yno byth, am wn i!

Dewisais gerddoriaeth am un rheswm yn unig – roeddwn wedi syrthio dros fy mhen a'm clustiau mewn cariad plentyn ysgol â'r athrawes. Wn i ddim a wyddai Miss Mair Hughes (Mrs Welch yn ddiweddarach) hynny wrth imi lygadrythu'n freuddwydiol arni tra byddai'n stwffio theori miwsig i lawr fy nghorn gwddf! Doeddwn i ddim yn poeni fawr gan fod Eryl wrth law. Eryl Roberts fyddai'n gwneud fy ngwaith cartref i mi yn nrws E.B. Jones wrth ddisgwyl am y bws! Gadawai i mi gopïo'r theori i gyd ac rwy'n ddiolchgar hyd heddiw iddi. Teimlwn fod Miss Hughes yn rhyw ddechrau gwerthfawrogi fy nhalent gerddorol gan fod sylwadau megis 'Da Iawn' a 'Gwych' yn ymddangos yn fy llyfr. Dyma lyfr egin gerddor. Tybed fod Miss Hughes ar fin darganfod rhyw Sibelius neu hyd yn oed Beethoven

Cymreig? Ond dadrithiwyd y cyfan un bore trist. Roedd Eryl druan wedi camddeall cwestiwn y gwaith cartref ac wedi cael y cwbl yn anghywir! Gan fod fy nghynnyrch innau air am air a nodyn wrth nodyn yr un fath, datgelwyd y cyfan! Er i mi dderbyn cerydd ar y pryd ni ddaliodd Miss Hughes ddig ac fe lwyddodd, ynghyd â Menai Pritchard, capten Tŷ Eryri, i'm cael i gystadlu ar yr unawd bechgyn yn eisteddfod yr ysgol. Dyma'r ddwy gyntaf erioed i'm perswadio i wneud ffasiwn beth. 'Breuddwyd Glyndŵr' oedd yr unawd mi gofiaf, a dim ond tri chystadleydd – fi, Gwil Jôs a Gwilym Wyn Williams. I mi trodd y profiad yn fwy o 'Hunllef Glyndŵr' ac fe rannwyd y wobr gyntaf rhwng y ddau Gwilym, a hynny'n haeddiannol – doedd gan Mam ddim lle o gwbl i fynd i gwyno at y beirniad!

Mi ymdrechais ymdrech deg yn y labordy Bioleg hefyd gan fod gen i ddiddordeb yn y pwnc, ond fod ei gymhlethdodau ymhell tu hwnt i'm crebwyll i. Doedd dim athrawes mwy diddorol ei chyflwyniad yn yr ysgol na Mary Vaughan Jones, a gwn am sawl meddyg a fu dan ei dylanwad yn ymdynghedu mai hi yn anad neb fu'n gyfrifol am eu trywydd a'u llwyddiant yn y maes. 'Roedd o'n hapus braf yn gneud stimia ar y llwyfan a chael pawb i chwerthin,' meddai Mrs Jones wrth fy nghyflwyno i roi sgwrs yn Waunfawr ymhen blynyddoedd wedyn, 'ac mi roedd o'n hen beth bach digon dygyn am wneud llun penbwl a thwmffat i mi!'

'Arwel, mae'n rhaid i chi ei basio ne chewch chi ddim mynd i'r coleg!' plediai Mrs Menai Williams, yr athrawes Saesneg â mi. Daeth yr apêl daer ar ôl i mi fethu'r pwnc yn arholiad Lefel O.

'Dwi 'di pasio'r Lit, Miss. Neith hwnnw ddim y tro?' Ond gwyddwn mai esgus tila oedd hynny. Gwyddwn fod yn rhaid i mi brofi mewn arholiad fod fy meistrolaeth o'r iaith fain yn gwbl angenrheidiol cyn y gallwn feddwl am addysg bellach. Daeth fflachiadau annymunol yn ôl i'm cof o gyfnod yr 'eleven plus'. Trodd y cyfan yn chwerwder a dechreuais wrthryfela, a bu ond y dim i mi roi'r ffidil yn y to. Dwi'n cofio dadlau'n daer mewn dosbarthiadau trafod yn y chweched dosbarth pam y dylem ni'r Cymry orfod profi'n hunain yn yr ail iaith a ninnau mor hyderus a rhugl yn ein hiaith gyntaf. Gallwn siarad, darllen ac ysgrifennu'r ail iaith yn ddigon derbyniol. Mwy nag y gallai Sais uniaith ei wneud! Ond perswadiodd Mrs Williams fi i roi un cynnig arall iddi a hynny yn ystod tymor yr hydref. Anghofia i byth y diwrnod hwnnw pan ddaeth Mrs Williams i'r dosbarth i gyhoeddi'r canlyniadau gan ddatgan fy mod wedi bod yn llwyddiannus y tro hwn. Neidiais o'm sedd gan atal fy hun rhag cofleidio Menai Willams a rhoi clamp o sws iddi ar ei boch! Gollyngdod oedd hyn yn hytrach na gorfoledd gan y gwyddwn na fyddai'n rheidrwydd arna i byth eto brofi i undyn fy nghymhwyster yn yr iaith Saesneg.

Astudiais Hanes, Daearyddiaeth a Chymraeg yn y chweched dosbarth. Heb os bu dylanwad Tom Ellis, Carol Hughes a Catherine Evans yn drwm arnaf. Ond bu dylanwad Catherine Evans yn bellgyrhaeddol. Deuthum i werthfawrogi llenyddiaeth a barddoniaeth Gymraeg drwy ei dysgu ysgogol a deuthum yn llawer mwy hyderus fel siaradwr Cymraeg. Cefais fy mwydo yn rhinweddau a gogoniannau'r iaith Gymraeg. Heb yn wybod ar y pryd iddi hi na finnau bu ei dylanwad yn gyfrwng i Hogia'r Wyddfa gymryd y trywydd o osod barddoniaeth orau'r genedl ar gân. Catherine Evans fu'n gyfrifol am ddod â cherddi fel Tylluanod, Gwanwyn, Llanc Ifanc O Lŷn i'm sylw am y tro cyntaf erioed. Doeddwn i ddim y disgybl disgleiriaf yn ei dosbarth ac yn aml deuai i ben ei thennyn hefo mi. Byddai gennyf y ddawn anffodus o fynd dan ei chroen yn aml ac i godi ei phwysau gwaed drwy ddweud pethau dwl ac actio'r ffŵl.

'Ydi Miss Evans yna plis?' gofynnais i rywun yn nrws yr ystafell athrawon am hanner awr wedi wyth fore arholiad Lefel A Cymraeg Llên.

'Pwy sy 'na?' clywais ei llais o'r 'stafell.

'Arwel, Miss Evans!'

'Be w'ti ishio adeg hyn o'r dydd?' gofynnodd, heb ymddangos.

'Wedi anghofio rhai o'r cynganeddion ydw i!'

'Nefoedd fawr!' ac ymddangosodd yn wyllt yn y drws. 'Sgin ti ddim ond hanner awr tan yr arholiad, hogyn. Cym on!' Gafaelodd yn fy nghlust a'm llusgo i'r dosbarth agosaf.

Dechreuodd ysgrifennu'n gyflym ar y bwrdd du yn ôl ei harfer yn y llawysgrifen traed brain mwyaf annealladwy a welais i erioed. Deuai sbarcs o'i sialc a llwch o'i dystar wrth iddi fy atgoffa o reolau cyffredinol y Gynghanedd Draws, Groes, Sain a'r Lusg.

'Gwna'r cwestiwn ar y cynganeddion yn syth bin tra mae o yn dy go' di!'

A dyna wnes i yn chwys doman, a daeth llwyddiant i'm rhan gan i mi basio'r pwnc gyda chymeradwyaeth!

Mae un athro dylanwadol ar ôl – fy athro ymarfer

corff, Aelwyn Pritchard. Ef fu'n bennaf gyfrifol dros i mi ddewis Coleg Hyfforddi Athrawon Dinas Caerdydd i ddilyn addysg bellach. Rhoddais fy mryd ar fynd i'r coleg hwnnw a bu'n gefnogol i mi. Roeddwn yn llawer mwy brwdfrydig yn y maes nag oeddwn o ddawnus. Dylifai'r brwdfrydedd drosodd ambell dro ac o'r herwydd fe'm cawn fy hun mewn trafferthion. Cadwai Aelwyn Pritchard lygad barcud arna i a sawl disgybl gorfrwdfrydig arall. Bryd hynny yr ymddangosai 'Whispering Wili' yn enwedig yn ystafell y cawodydd. Pympsen oedd 'Whispering Wili' yn cael ei defnyddio yn benodol i ddistewi'r dyfroedd a cheisio cael trefn mewn man swnllyd. Dim ond un drws dihangfa oedd i'r fangre a byddai Aelwyn a'r bympsen yn gwarchod hwnnw. Sawl gwaith y cyrhaeddais fy nosbarth gyda boch fy nhin yn wenfflam!

Rhoddodd Aelwyn Pritchard y cyfle i mi gymryd rhan mewn sawl maes ym myd chwaraeon. Y cyfle cyntaf oedd cystadlu yn y ras draws gwlad a hynny pan oeddwn yn fy nhrydedd flwyddyn. Gwil Jôs fy ffrind fyddai'r pencampwr bob tro. Yn 1958 deuthum yn drydydd gyda'r wobr ychwanegol o gael cynrychioli'r ysgol i gario Neges y Frenhines ran o'r ffordd i Gemau'r Gymanwlad yng Nghaerdydd. Cariais y brysgyll o gyrion Caernarfon i Bont Rug. Bu'n rhaid i mi ailgydio ynddi yn Llanberis gan nad oedd aelodau'r tîm achub ar fynydd wedi cyrraedd. Roedd torf fawr fyrlymus wedi ymgynnull ger gwesty'r 'Castle' gan fod cystadlaethau rhwyfo'r Gemau i'w cynnal ar Lyn Padarn. Fe dderbyniais y brysgyll y tro hwn gan Syr Michael Duff, Y Faenol. Fe'i cariais hyd at Nantperis gan basio Castell Dolbadarn, hen gastell y

Tywysogion Cymreig a minnau yn eironig yn cario yn fy llaw chwyslyd ddatganiad Elizabeth II yn cyhoeddi i'r byd a'r betws fod ei mab hynaf i ddod yn Dywysog Cymru. Mae'n gwestiwn gen i a fyddai'r neges wedi cyrraedd pen ei daith heddiw gyda'r ffordd mor agos i Lyn Peris!

Cefais fy nghynnwys yn nhîm criced yr ysgol a minnau yn fy mhedwaredd flwyddyn, ond bu rhaid disgwyl hyd y bumed cyn cael bod yn rhan o dîm cyntaf pêl-droed yr ysgol. Edrychai'r rhan fwyaf o'r hogiau ymlaen at gael bod yn aelod o dim pêl-droed 'Brynrefs' er mwyn cael teithio i ardaloedd pellennig fel Porthmadog, Botwnnog ac Amlwch. Pella yn y byd, gorau'n y byd gan fod y tîm hoci yn trafaelio ar yr un bws! Wyddwn i ddim cyn y teithiau hyn fod gweithgareddau hamdden yn gallu bod mor amrywiol a phleserus!

Ond daeth pêl-droed â'i broblemau hefyd. Byddai tri ohonom – Cecil Jones, Richie Pritchard a minnau – o bryd i'w gilydd yn chwarae i dîm mawr Llanberis a hynny gan amlaf yn dilyn gêm ysgol yn y bore. Byddai'r tri ohonom yn cael ein tywys yn syth o'r cae yn y bore i gêm yn ystod y prynhawn. Weithiau ni fyddai amser yn caniatáu i ni folchi hyd yn oed. Cofiaf ddod oddi ar gae yr hen Ysgol Biwmares yn fwd i gyd, a Lal Jones, rheolwr tîm Llanberis yn disgwyl amdanom ger y castell. Penderfynodd y tri ohonom fynd i'r ffos a amgylchynai'r castell i ymolchi. Penderfynodd Aelwyn Pritchard fod hon yn weithred hurt a pheryglus ac fe'n gwaharddwyd yn haeddiannol iawn rhag chwarae i'r ysgol am sawl gêm. Galwyd ar ein rhieni a Lal Jones i'r ysgol i drafod y cwestiwn a oedd dwy gêm mewn diwrnod yn ormod o gowlad i rai mor ifanc. Doedd bosib ein bod yn gallu gwneud cyfiawnder â'r timau. Gadawyd y penderfyniad i'r rhieni. Roedd ein brwdfrydedd yn ormod a llwyddasom i berswadio ein rhieni i ganiatáu i ni chwarae i'r ddau dîm. Cafodd y tri ohonom gyfle i chwarae i dîm Ysgolion Arfon hefyd.

Byddai cyfle yn ystod tymor yr haf i ddisgyblion y chweched dosbarth hawlio'r cyrtiau tenis. Byddai Robin Jones, Dinorwig a Heddwyn Evans, Deiniolen a finna yn treulio oriau yn chwarae'r gêm. Deuai'r genod draw hefyd. Buan y trodd y cystadlaethau yn 'mixed doubles'. Fy mhartner bob amser fyddai geneth fer, bryd tywyll, siriol – Maureen Lloyd Jones o Cwm. Oherwydd ei maint a'i henw cawsai ei galw yn 'Little Mo' ar ôl Maureen Conelly a finnau yn Rod Laver oherwydd lliw fy ngwallt! Daeth 'Rod' a 'Mo' yn fêts pennaf. Ychydig wyddwn i bryd hynny mai fy mhartner fyddai un o actoresau llwyfan gorau Cymru – Maureen Rhys.

Llwyfan cynnar iawn oedd llwyfan Brynrefail i'r ddau ohonom a chawsom ein tynnu i mewn i gymryd rhannau mewn sgetsys gan amlaf. Câi Maureen drafferth mawr yn y sgetsys gan ei bod yn cael rhyw byliau o chwerthin afreolus o bryd i'w gilydd. Unwaith y daethai'r ffit o chwerthin denai'r gweddill i ymuno! Cofiaf yn dda sgets arbennig yn Noson Lawen y chweched. Enw'r sgets oedd 'Dêt yn y Car'. Eurwyn Evans a Mona oedd y sêr. Nhw oedd y ddau gariad. Cafodd Mo a finnau ein castio ynghyd â dau arall fel olwynion i'r car! Bu'n rhaid i ni rowlio i fyny yn ein cwman o dan flancedi gyda'n cefnau'n grymog i gyfleu siâp yr olwynion. Yno yr oedd y pedwar ohonom yn ceisio ymateb i droadau'r llyw. Maureen oedd yr olwyn flaen a finnau tu ôl.

'Mo,' sibrydais, 'paid â bacffeirio beth bynnag 'nei di!' Dechreuodd yr olwyn flaen grynu'n afreolus. Clywn sŵn piffian ac yna dechreuodd yr olwynion i gyd ysgwyd. Aeth y car a'r sgets allan o reolaeth yn llwyr a daeth i derfyn swta a chynamserol! Roedd y gynulleidfa yn eu dyblau. Bedydd da i ddau a dreuliodd gymaint o amser ar lwyfannau!

Does dim sy'n waeth na ffrindiau oes yn gwasgaru. Datgymalwyd y cysylltiadau, aeth pawb i'w ffordd ei hun rywsut, ond parhaodd y cyfeillgarwch.

Plorod, Blaceds a Brylcreem

Yn fy arddegau cynnar tueddu i aros yng nghyffiniau Llanberis y byddwn i yn hytrach na dilyn yr hogia mawr i Gaernarfon ar nos Sadwrn a nos Sadwrn Bach. Roedd digon i'w wneud yn Llanberis. Roedd yna sinema, clwb ieuenctid, cae ffwtbol, caffis a siopa' chips! Byddai Gwilym Jones, fy ffrind newydd yn Ysgol Brynrefail yn dod draw o Gwm-y-glo i ymuno yn y rhialtwch a'r hwyl. Byddai Gwil yn awyddus iawn i gael ei gyflwyno i genod Llanberis cymaint ag y byddwn innau i genod Cwm! Yr un drefn fyddai i'r nos Sadyrnau – rhyw gasglu ynghyd i benderfynu pwy oedd am fynd hefo pwy, yna anelu am y pictiwrs i fachu'r seti cefn! Byddai tueddiad ynom ni'r hogia i anfon y genod i mewn yn gyntaf i forol am y seti, a hynny yng ngoleuni'r neuadd cyn i'r ffilm gychwyn. Roedd mynedfa i'r pictiwrs yn y tu blaen ac yn wynebu'r gynulleidfa. Gwelai pawb chi'n dod i mewn. I osgoi wynebu'r dorf a'r swildod byddem ni'r hogia yn disgwyl i'r neuadd dywyllu cyn gwneud ymddangosiad. Cachgwn o'r radd flaenaf!

Byddai genod yn costio hyd yn oed yn Llanberis! Byddai'n rhaid talu drostynt i fynd i'r pictiwrs, prynu da da yn Siop John, sgodyn a tsips fel 'evening meal' a photeli Vimto i'w golchi i lawr cyn cychwyn ar y daith ramant i Lan y Llyn neu dan gysgod platfform y rheilffordd ar dywydd gwlyb!

Roedd rhaid ffeindio gwaith yn rhywle yn rhan-amser a hynny ar frys gan fod y coffrau'n wag. Mentrais ofyn am waith yng Ngwesty'r Fictoria yn Llanberis. Cytunodd y rheolwr ar y pryd fy nghyflogi i weithio gyda'r nosau a phenwythnosau fel porter. A dyna ddechrau ar fy swydd gyflogedig gyntaf erioed. Cefais fy sodro ger mynedfa'r gwesty swanc wedi fy ngwisgo mewn crys claerwyn, gwasgod o'r un lliw, tei bo a throwsus du. Byddai'r brilcrim yn blastar ar fy nhroell gorun afreolus unwaith eto. Dyna lle byddwn yn hollol groes i'r graen yn moesymgrymu i'r gwesteion.

'Can I carry your cases, madam?' neu *'Can I show you to your room, sir?'* fyddai'r cyfarchion arferol, yn y gobaith y byddai fy nghwrteisi yn cael ei gydnabod trwy gil dwrn.

'Paid â deud dim byd amdanyn nhw yn Gymraeg!' fyddai cyngor Dic Bach Limbo fy nghyd-borter profiadol i mi. 'Wyddost ti ddim o ble maen nhw 'di dŵad!' Gyda blynyddoedd o brofiad y tu cefn iddo gwyddai Dic pa rai fyddai'r rhai ariannog, clên gan anelu'n syth amdanynt!

Ni fûm yn 'Y Fic' yn hir er i'm coffrau wella'n sylweddol. Cefais swydd wedyn yn gwarchod cychod Llyn Padarn hefo Johnny Rees. Gwaith awyr agored wrth fodd fy nghalon, er yn llai proffidiol. Mantais fawr y swydd oedd cael y cyfle i bysgota pan fyddai'r cwsmeriaid yn brin. Dyma'r adeg y cytunais i rwyfo cwch wrth ochr Awen Parry a Jean Davies. Roedd y ddwy wedi penderfynu yn eu harddegau hwyr mai hwy fyddai'r ddwy ferch gyntaf i nofio lled Llyn Padarn. Gorchwyl fentrus a pheryglus. Llwyddodd y ddwy i gwblhau'r dasg ond ychydig a wyddent bryd hynny nad oedd y cychwr a'i gwarchodwr yn gallu nofio! Erbyn meddwl ychydig a wyddai Johnny Rees hefyd!

Roedd gennyf swydd fach arall ar y pryd, a gwnawn honno'n ddi-dâl. Cytunais i fod yn aelod o'r tîm achub lleol. Tîm answyddogol o wirfoddolwyr oedd hwn yn cael ei redeg o'r Swyddfa Heddlu yn y pentref. Chwilotwyr yn hytrach nag achubwyr oeddem. Deuai'r alwad i Becws Penbryn, drws nesaf i 'Glasfryn', fy nghartref newydd. Fy ngorchwyl i fyddai ceisio casglu ynghyd hynny o wirfoddolwyr ag y gallwn i fynd gyda'r heddwas i chwilota am anffodusion fyddai wedi mynd ar goll yng nghyffiniau'r Wyddfa. Daethom ar draws llawer wedi eu carcharu gan niwl trwchus, wedi eu parlysu gan ofn ac yn analluog i roddi un droed o flaen y llall. Unwaith erioed y deuthum ar draws corff, corff dynes yn ei chanol oed o gyffiniau Lerpwl a hithau wedi disgyn i lawr clogwyn serth. Cefais hyd i'w 'sgidiau – rhai sodlau hir!

Ond rhaid oedd ehangu'r gorwelion maes o law a mentro allan o ddiniweidrwydd Llanberis i brofi rhialtwch newydd a llawer mwy cignoeth yn y dref fawr ddrwg – Caernarfon. Cefais fy nhywys gan fy ffrindiau hŷn am y tro cyntaf i gerdded rownd a rownd strydoedd Caernarfon a synnu gweld y creaduriaid rhyfedda fyw ar ddwy droed – y *Teddy Boys*! Fedrwn i ddim dychmygu fy hun yn cerdded y strydoedd hefo gwallt 'tin chwadan', wiscars trwchus 'dat ên llawn plorod, siaced hir amryliw gyda 'sgwyddau llydan sgwâr, crys gwyrdd llachar, tei llinyn, trowsus peipia' ac, i goroni'r cwbl – lympia' o 'sgidiau swêd anferth! Edrychent fel robotiaid yn swagro o ochr i ochr. Tueddent i gadw mewn clwstwr i edmygu eu hunain, i gymharu eu harfau mileinig ac i gynllwynio eu tactegau am y noson. 'Cadwa'n glir o'r rhain', fyddai rhybudd 'henaduriaid' profiadol ein criw bach ni o'r wlad, 'os nad w't ti ishio rasal dan dy ên neu *knuckle duster* ar dop dy drwyn a tsiaen rownd dy wddw!' Cymerodd amser i mi ddod i ddeall mai arfau mileinig y cyfryw rai oedd yr offer yma. A chadw'n glir wnes i am beth amser, ond yna'n raddol dois i adnabod rhai o'r fflyd fesul un a'u cael yn betha bach digon cyfeillgar a hwyliog. Ond sylweddolais fod gen i ffordd bell i fynd cyn y gallwn sefyll ar fy nhraed fy hun yn y dre. Cariwn dalp o ddiniweidrwydd hogyn bach y wlad hefo mi.

Ond yn y dre hefyd y daeth dydd y pwyso a'r mesur – a oeddwn i am ddilyn fy ffrindiau i'r dafarn? Gwyddwn na fyddai fy rhieni yn fodlon pe baent yn clywed a minnau o dan oed, er y gwyddwn fod fy nhad yn eitha hoff o lymaid. Ychydig iawn fyddai Mam yn yfed a hynny ddim ond ar achlysuron arbennig. Yfai *Port Wine* a chadwai'r botel yn y cwpwrdd eirio dillad 'allan o'r golwg, jest rhag ofn i'r gweinidog alw!' Byddai un botel yn gwneud o Ddolig i Ddolig acw. Cefais sialens gan yr hogia i fynd i mewn i dafarn ar fy mhen fy hun a derbyniais yr her. Sefais y tu allan i ddrws yr hen Westy Mona yng Nghaernarfon.

'Be' dwi'n mynd i ofyn i ddyn neu ddynas y lle?'

'Gofyn am botal o *Forrest Brown*!' awgrymodd Guto Bach. Rhoddais ochenaid a cherddais i mewn. Dyn tal yn llewys ei grys oedd y tu ôl i'r bar ac yn brysur hefo'i gwsmeriaid. Yna yn sydyn daeth ysictod drosof – beth petae 'na ddim *Forrest Brown* i'w gael yn y lle. A oedd yna ffasiwn beth yn bodoli? Yr unig gwrw arall wyddwn i amdano oedd *Double Diamond* ac fe welais botel ar y silff.

'Nesa?'

'Y… y potal o *Double Diamond* plis!' Edrychodd y tafarnwr yn ofalus arnaf. Ymestynnodd am y botel a'i hagor.

'Faint ydi hi?' gofynnais.

'Wel, mi ddylsa unrhyw un sy'n yfed *Double D* w'bod y pris yn dylsa?' awgrymodd yn amheus.

'Ia, ond newydd ddechra' yfad ydw i ychi!' meddwn yn ddiniwed.

'W't ti ishio glàs?'

'Plis!' Eisteddais i lawr yn y gornel gan arllwys cynnwys y botel yn syth i'r gwydr. Ffrwydrodd y ffroth dros yr ymyl a hyd y bwrdd i gyd. Prentis go iawn! Ymhen ychydig daeth yr hogia i mewn gan fy llongyfarch, eisteddais innau'n ôl yn fy nghadair fel tawn i wedi hen arfer, gan deimlo'n eitha' balch o'm gwrhydri. Roeddwn i'n un o'r hogia o'r diwedd. Oedd, roedd diddanwch llawer mwy amrywiol i'w gael yn y dre. Yn wir, tri pheth y ceisiwn eu cuddio a'i gelu pan ddown adref ar y 'duplicate ddeg' – arogl diod ar fy ngwynt, lipstic ar fy ngholer a marciau chwain pictiwrs y Guild Hall. Duw a'm helpo pe deuai un o'r cyfryw sugnwyr i'm danfon yr holl ffordd adref i Lanberis!

Wn i ddim hyd heddiw sut y cefais i amser i wneud fy ngwaith cartref. Roedd yna rywbeth ymlaen yn Llanberis bron bob nos. Roeddwn yn aelod brwdfrydig o gwmni drama John Owen, yn aelod o'r clwb ieuenctid ac yn aelod o Gymdeithas Gorawl y pentref. Mae'r profiadau a'r troeon trwstan a gefais gyda'r cwmni drama yn llawer rhy niferus i'w croniclo, ond mae ambell i ddigwyddiad yn sefyll yn y cof. Cawsom ein gwahodd i Ysbyty Ifan i berfformio'r ddrama 'Modryb Angelina'. Cefais ran yr hen was yn y ddrama. Rhyw ran syml oedd hon ond roedd un symudiad digon anodd ynddi. Roedd gofyn i mi faglu ar y grisiau gyda ches ymhob llaw gan ddisgyn yn glewt ar flaen y llwyfan, yna aros yno am rai munudau yn llonydd bost. Roedd llwyfan Ysbyty braidd yn gyfyng a bu'n rhaid i mi orwedd â'm traed dros yr ymyl. Clywais ryw fân gyffyrddiadau o gylch fy nhraed yn union fel tae pysgodyn yn cynnig. Pan ddaeth yn amser i mi ddadebru a cherdded oddi ar y llwyfan sylweddolais fod fy nhraed wedi eu llyffetheirio gan fod criau fy esgidiau wedi eu clymu yn sownd i'w gilydd! Roedd plant Ysbyty wedi cael modd i fyw, yn enwedig y rhai a eisteddai yn y rhes flaen! Drwy ddynwared cangarŵ llwyddais i gyrraedd diogelwch y 'wings'. Torrodd bonllefau o chwerthin allan yn y neuadd gan adael 'modryb' druan am bum munud ar ei phen ei hun yn ysgyrnygu a bytheirio. Fe lwyddodd Catherine (Owen bryd hynny) i gadw credinedd ei chymeriad a naws y ddrama'n fyw. Cyfrifaf hi hyd heddiw ymhlith yr actoresau gorau i mi gyd-actio â hwy gan gynnwys rhai proffesiynol.

Cafodd Elwyn, Myrddin a minnau ein tynnu i mewn i'r Côr Mawr neu Gôr Aled yn gynnar iawn. Roedd hwn yn gôr adnabyddus iawn wedi ei sefydlu gan dad yr arweinydd, Charles Owen, a oedd yn gerddor cymwys ac uchel ei barch. Roedd hi'n anhygoel fod pentref cymharol fychan yn gallu dysgu darnau o gerddoriaeth mor anodd a chymhleth. Amaturiaid oeddem i gyd gan gynnwys y cyfeilydd a'r arweinydd. Trwy ryfedd wyrth byddai'r aelodau yn llwyddo i ddysgu 'oratorios' hirfaith gan berfformio'n flynyddol yn y Capel Coch. Byddai'r capel bob amser dan ei sang. Anodd credu hyn gan fod nifer helaeth o'r pentrefwyr yn y côr. Ac yn eu plith nifer dda o hogia a genod ifanc. Y genod yn eu blowsus ffril, gwynion a ninnau yn ein crysau o'r un lliw â'n tei bows. Yr hyn sydd yn fy synnu wrth edrych yn ôl dros y cyfnod yw'r ffaith fy mod wedi dysgu rhan tenor i'r *Creation* gan Joseph Haydn; y *Messiah* gan Handel; *Requiem* gan Brahms; y *Requiem Mass* gan Mozart; *Samson* gan Handel; y *Twelfth Mass* gan Mozart; y *Stabat Mater* gan Rossini a sawl anthem fawr gan gynnwys 'Teyrnasoedd y Ddaear', 'Bydd Melys Gofio y Cyfamod', 'Arnom Gweina Ddwyfol Un', 'Efe a Ddaw' a'r 'Arglwydd Yw Fy Mugail'. Gwnes hyn i gyd cyn fy mod yn ddeunaw oed! Cawsom y fraint fawr o glywed cantorion enwog yn y maes megis Zoe Cresswell, Nancy Bateman, Esme Lewis, Mary Baines, Ann Edwards, Tano Ferendinos, Redvers Llewelyn, John Dethick, Rowland Jones, Derick Davies, John Dobson, John Stoddart, Ivor Lewis, Richard Rees a Richie Thomas. Y rhain i gyd mewn pentref bychan anghysbell yn Eryri. Feddyliais i erioed y byddwn ryw ddiwrnod yn cael y fraint o rannu llwyfan â dau ohonynt – Dic Rees Pennal, y baswr gorau i mi rannu llwyfan ag o erioed, a'r annwyl ddiweddar Richie Penmachno gyda'i lais melfedaidd a phob gair a nodyn peraidd yn dod o'r galon. Dau fychan o gorffolaeth ond cewri yng ngwir ystyr y gair. Gofynnai'r ddau yr un cwestiwm i mi bob tro wrth fy nghyfarch, 'Sut ma' Katie?' Rhannodd Mam sawl llwyfan â'r ddau, a hi fyddai yn cymryd rhan y contralto ym mhob un o'r 'oratorios'. Dau chwarelwr fyddai wrth y llyw, Aled Owen yr arweinydd a William Huxley Thomas yn cyfeilio ar yr organ. Oes euraidd y canu corawl, oes oleuedig, werinol dalentog. A welwn ni byth ei thebyg?

Does ryfedd, felly, fod canu yn rhan anhepgor o'r gymdeithas arbennig yma. Arferai mintai o hogia'r pentref gerdded allan i'r wlad fin hwyr i sgwrsio am bopeth dan y lleuad. Ond yn ddi-feth, trôi'r sgwrsio'n ganu a hynny dan arweiniad medrus os braidd yn orchestol Guto Bach. Meddyliais lawer tro beth oedd barn tylluanod coed Fictoria am ein gosodiad o *He's the Lilly of the Valley* neu farn llwynogod Lôn Tŷ Du am harmoni clos *Jimmy Brown*.

Roedd Elwyn yn un o hogia mawr y criw, gyda Myrddin a minnau bron yn rhy ifanc i ymuno â hwy ond yn llawn edmygedd ohono fo a'i fêts. Achlysur pleserus oedd i Myrddin a minnau gael ein derbyn yn swyddogol i ymuno â'r 'giang'. A chriw o hogia hwyliog oeddan nhw hefyd gyda hiwmor bachog y chwarel yn llifeirio o'u genau. Aros yn y cefndir fyddem ni'r cywion gan wrando ar y straeon ac edmygu'r castiau cellweirus fyddai'n rhan o natur hogia fel Gruffudd Eurwyn (Guto Bach), Alun Roberts (Chiarl), Alan Jones (Jôs) ac Elwyn ('Rhen Êl). Gwir yw dweud felly mai o'r criw yma y daeth Triawd yr Wyddfa. Heb os, Elwyn a Myrddin oedd y cantorion gorau ac fe slotiais innau'n daclus yn y canol fel rhyw lais i gynnal yr alaw. Yn nhawelwch Bont Bala, cysgod Castell Dolbadarn, Coed Dinorwig a Ffordd Nant y dechreuodd yr ymarfer answyddogol. Pe bai'n ddrycinog byddem yn troi i mewn i gynhesrwydd caffi Mrs Roberts

– Caffi Meffkin neu o flaen tanllwyth o dân ar aelwyd Glasfryn. Daeth Ty'n Llan, Nantperis a'r Dolbadarn yn lleoedd i ymlacio a chyfeillachu ynddynt, a buan y daeth mynychwyr y mannau hyn i werthfawrogi hynny o dalentau oedd gennym ar y pryd. Braf oedd cael canu ffwrdd-â-hi ar nos Sadyrnau yn Ty'n Llan i gyfeiliant Mrs Aubrey. Tyrrai ugeiniau o bob man o'r Gogledd i brofi croeso Elfed a Bet ac i fwynhau'r awyrgylch trydanol. Dro arall, aros yn y pentref y byddem a chael rhyw gân fach rownd tanllwyth o dân yn y Dolbadarn ymysg cyfeillion agos.

Yn ffodus, roedd gen i ddigon o ddiddordebau i'm cadw rhag datblygu i fod yn hogyn stryd, pictiwrs a thafarn yn unig. Roedd pysgota yn fy ngwaed. Treuliwn oriau ar lannau llynnoedd Padarn a Pheris yn pysgota pluen neu 'mino bach'. Yn ystod misoedd yr haf awn allan gyda'r enwair ar ôl bod yng Nghaernarfon, ac yno y byddwn tan tua thri o'r gloch y bore. Erbyn hyn roeddem wedi symud i lawr i'r Stryd Fawr i fyw yn Glasfryn a hynny yng ngolwg y llyn. Clywn Mam weithiau yn galw o ffenestr yr atig, 'Arwel, cofia roi "Mista Jôs" allan cyn dŵad i dy wely!' Y gath oedd Mista Jôs, ac edrychai 'mlaen yn arw i'm gweld yn mynd am y llyn. Byddai'n sicr o gael gwledd allan o weddillion yr hen frithyllod brown ar ôl i Mam eu llnau!

Bu fy nhad yn gymorth mawr i mi pan ddechreuais bysgota. Roedd yn bysgotwr pluen penigamp. Gwyddai pa blu i'w defnyddio ar bob adeg o'r tymor. Ond y wefr fwyaf heb os i mi yn fy arddegau cynnar oedd codi am bedwar o'r golch y bore, cynorthwyo fy nhad gyda'r gêr a'i ddilyn i lawr i lan Llyn Padarn at y cwch. Treulio pum awr wedyn yn dal y pysgodyn rhyfeddol a phrin hwnnw – y torgoch. Pysgodyn, yn ôl haneswyr, a garcharwyd yn Llyn Padarn ac ambell lyn arall yng Nghymru, Ardal y Llynnoedd a'r Alban gyda diflaniad y rhewlifau. Fy ngorchwyl i yn y cwch fyddai gosod neu godi'r angor yn ôl gorchymyn fy nhad wrth iddo rwyfo o un hoff lecyn i'r llall yn chwilota am yr haig. Hen, hen draddodiad fyddai i bysgotwyr y dyffryn fynd allan yn y cychod yn blygeiniol gyda hynny o enweiri a feddent. Byddai gan fy nhad ddeg ohonynt, a phob lein wedi ei farcio â darnau o edafedd fesul llathen. Rhoddai hyn syniad iddo o lefelau yn nyfnderoedd y llyn. Yna pan ddechreuai ddal ar un lein byddai'n gosod y gweddill ar yr un lefel. Cofiaf ddod adref gyda dros gant o bysgod, cofiaf redeg allan o gynrhon, a chofiaf hefyd ddod adref yn ddigon aml yn waglaw! Rhannai fy nhad yr ysbail rhwng y teulu a ffrindiau.

Yng nghanol y saithdegau daeth gorchymyn llys allan yn gwahardd y defnydd o fwy nag un genwair. Heriodd y pysgotwyr y gorchymyn gan gario 'mlaen â'r traddodiad. Penderfynodd yr awdurdod anfon y beili draw i rwystro a gwahardd un pysgotwr o'u plith gan ddefnyddio'r achlysur fel achos prawf yn y llys. Fy nhad oedd y pysgotwr anffodus hwnnw. Plediwyd ei achos gan dwrnai, ond colli fu ei hanes. Talwyd ei ddirwy a chostau y twrnai a'r achos ei hun allan o gasgliad a wnaed gan bysgotwyr y fro. Lladdwyd traddodiad yn y fan a'r lle, ac yn waeth, effeithiodd ar iechyd fy nhad. Nid wyf innau wedi cael yr awydd i bysgota torgoch byth ers hynny.

Ond roedd pysgota afonydd gwyllt y fro yn fwy o wefr. Treuliais fy ieuenctid a chanol oed yn pysgota'r rhain.

Llifai Afon Arddu o Lyn Cwm Du'r Arddu anghysbell ac Afon Hwch o Lyn Cwm Dwythwch. Mae'r ddwy yn cyfarfod tua milltir uwchlaw Ceunant Mawr, Llanberis. Mae'r pyllau yma yn ddwfn ac yn fyrlymus gyda thueddiad i greu trobyllau delfrydol i bysgota brithyllod brown gwyllt hefo plwm a phry genwair. Yma, pan oeddwn yn blentyn y cyfarfyddais un o arbenigwyr y math hwn o bysgota, fy nghyfaill agos Glyn Penny Williams. Cofiaf ei gyfarfod uwchben Pwll Morwyn ar 'bulpud o greigan'.

'W't ti 'di dal rwbath, y ngwas i?' gofynnodd gan ddal i bysgota.

'Dim byd, ond dwi 'di gweld sawl un,' atebais innau gyda rhyw dinc gobeithiol yn fy llais.

'Ia, dyna'r drwg ti'n gweld, os w'ti wedi gweld y pysgod, ma' nhwtha'n siŵr o fod wedi dy weld ditha. Ma' nhw'n hen betha bach digon call.'

O'r eiliad honno teimlais fy mod wrth draed Gamaliel! Bu sawl cyfarfod ar lan yr afon wedi hynny.

Un diwrnod gwelais Glyn ar ei benagliniau yng nghanol y rhedyn.

'Wedi colli rhywbeth, Glyn?' holais.

'Na, hogyn, ond yn chwilio.'

'Am be'?'

'Rhein yli,' a thynnodd focs matsus o'i boced. Agorodd y bocs yn ofalus ac o'i fewn yr oedd 'sponcod gwair' yn gwingo drwy'i gilydd. 'Chiampion o betha yn fan hyn. Tria nhw tro nesa.'

A'u trio nhw wnes i. Daliais lond tun yng Nghoed Doctor. Ddwyawr yn ddiweddarach roedd y tun yn wag ond, yn waeth, felly roedd y bag pysgod hefyd. Doedd bosib fod Glyn o bawb wedi tynnu 'nghoes! Chefais i ddim cynnig o gwbl. Pan welais Glyn ymhen amser soniais wrtho am y siom.

'Lle gest ti'r "sboncyn"?' holodd.

'Yn Coed Doctor.'

Gwenodd. 'Tria'u dal nhw ar lan yr afon a physgota'n syth bin wedyn.'

A'u trio nhw wnes i, yn slei bach, rhag ofn fod Glyn wedi cael rhyw flas ar dynnu fy nghoes i. Ond yn rhyfeddol deuthum adref y diwrnod hwnnw hefo tri brithyll braf yn fy mag. A brysiaf i ychwanegu nad stori bysgota mohoni!

Ymhen rhai blynyddoedd wedyn soniais wrth Glyn fy mod yn cael dipyn o lwc yn Llyn Peris reit o dan hen Gastell Dolbadarn. Caws oedd yr abwyd. Bu Glyn allan sawl tro heb ddim lwc.

'Pa gaws ddefnyddioch chi, Glyn?'

'Pob math, hogyn, o Gaerffili i *Red Leicester*!'

'Pam na thriwch chi *Dairylea*, Glyn!'

Cyfaddefodd ymhen misoedd wedyn ei fod wedi bod yn amheus iawn ohonof ac mai rhyw gynllwyn talu'n ôl oedd hyn. Damiodd fi yr holl ffordd at y llyn gan fodio'r pâst *Dairylea* yn ei boced – ond daeth adref â llond bag o bysgod! Stori wir eto, ond peidied neb â cheisio profi'r gwirionedd oherwydd does dim pysgod yn Llyn Peris mwyach. Gwnaeth y Bwrdd Trydan Cenedlaethol yn siŵr o hynny, ac mae'n loes i'm calon.

Fy mraint i oedd cael fy magu mewn ardal oedd yn gyforiog o ddiwylliant a thalentau naturiol Gymreig. Fy mraint i oedd cael etifeddu rhyw fymryn o'r dalent yna.

> 'A dyna pam, gan gymaint a roed im,
> Nad ydwyf yn dyheu am odid ddim.'

Addysg y Ddinas Fawr Ddrwg

Roedd hiraeth wedi fy llethu cyn i mi gyrraedd stesion Bangor. Wyddwn i ddim sut y gallwn dreulio tymor yng Nghaerdydd mor bell oddi wrth fy nheulu a'm ffrindiau. Yn ffodus iawn roedd Robin Dinorwig, fy ffrind pennaf yn y chweched dosbarth, wedi penderfynu dod i'r un coleg ac fe liniarodd hynny dipyn ar finiogrwydd yr hiraeth.

Treuliais bythefnos ym mis Medi 1961 yn arsylwi ac yn fy rhagbaratoi fy hun yn fy hen ysgol, Ysgol Dolbadarn, cyn cychwyn am Gaerdydd. Cefais y fraint o dreulio'r cyfnod gyda Leslie Jones, gŵr hynaws a hynod o groesawgar, yn athro addfwyn ac yn addysgwr wrth reddf. Penderfynais bryd hynny mai athro yr oeddwn am fod. Ymhen blynyddoedd wedyn cefais y fraint o fod yn gymydog i Les yn fy ngwaith ac yn fy ardal. Trigai ar draws y cae i mi ym Mhenisarwaun ac fe gyffyrddai ffiniau ein hysgolion hefyd. Bu Les yn fentor i mi bron ar hyd fy ngyrfa. Gan fod y ddau ohonom yn deillio o gyfnod cyn-Thatcheraidd byddai'r ddau ohonom hefyd o'r un anian addysgol. Yn ystod y cyfnodau dyrys byddai'r ffôn rhwng Ysgol Bontnewydd ac Ysgol Waunfawr yn boeth! Gwrthodai'r ddau ohonom blygu i'r newidiadau newydd lloerig a'n gwnâi weithiau yn dipyn o boendod i'r rhai hynny 'oedd yn credu mewn trefn'!

Fe'i collais pan ymddeolodd ond fe'm llethwyd pan fu farw yn gynamserol iawn yn 1999.

Hen gampws y fyddin wedi ei addasu oedd y coleg ac wedi ei leoli yn ardal Heath Caerdydd. Addaswyd yr adeiladau a'r baricsod pren. Nid oes dim o'u hôl erbyn hyn gan fod Ysbyty a Choleg Meddygol yr Heath wedi meddiannu'r safle. Roedd yr adeiladau unllawr ar wasgar a gweddill y tir wedi ei neilltuo i amrywiol feysydd chwarae gan mai coleg hyfforddi myfyrwyr ymarfer corff yn benodol oedd hwn. Ymhyfrydai'r coleg yng ngorchestion ei fyfyrwyr talentog ym myd athletau, pêl-droed a rygbi yn anad dim. Ymfalchïai'r awdurdodau fod sawl chwaraewr cenedlaethol wedi derbyn ei addysg a'i hyfforddiant yn y coleg. Yn wir treuliais oriau yn gwylio Lynn Davies (a ddaeth yn bencampwr Olympaidd a deilydd record y byd yn y naid hir) yn ymarfer a hynny o ffenestr fy ystafell.

Yr argraff a gefais i y diwrnod cyntaf i'r myfyrwyr ddod ynghyd oedd pa mor fawr a heini yr edrychai pawb. Doedd bosib fy mod wedi gwneud homar o gam-gymeriad yn dod yma? Gan mai Saesneg gydag acen y De a glywn ymhobman teimlai Robin a finnau fel dau 'adyn ar gyfeiliorn'. Yn wir cymerodd wythnos dda i ni ddarganfod Cymry! Trwy Eryl Hughes, cyn-ddisgybl a chyfaill agos yn Ysgol Brynrefail y deuthum i adnabod y myfyrwyr hyn. Roedd Eryl wedi'n rhagflaenu i'r coleg o flwyddyn. Roedd enwau fel Richard Parry, Porthmadog, Aled Hughes, Llanbedrog, Ian Furlong, Llangefni ac O.M. Edwards, Wrecsam yn gyfarwydd i mi eisoes gan eu bod yn adnabyddus fel pêl-droedwyr amatur cenedlaethol. Ond yn bwysicach o lawer Cymry Cymraeg oeddynt i gyd. Bu hyn yn hwb mawr ac yn gymorth i mi i setlo i lawr yn fy amgylchfyd newydd ac i fwrw fy swildod yn y ddinas. Cawsom sawl cyngor addysgol a goleuedig megis 'pam prynu llyfr i chi eich hun pan fyddai pedwar yn gallu cyfrannu at y gost ac yn manteisio'n addysgol yr un pryd?' Byddai gweddill y cyllid ar gael wedyn tuag at y *Brains Bitter*! Does dim byd tebyg i brofiad!

Penderfynais astudio Cymraeg fel prif bwnc. Drwy wneud hyn dois i adnabod mwy o Gymry Cymraeg y coleg ac ymunais â Chymdeithas Gymraeg y myfyrwyr. Braf oedd cael dod i adnabod ieuenctid o wahanol ardaloedd yng Nghymru. Ymhlith fy ffrindiau newydd roedd Adrian Maher ac Alun Davies o Sir Aberteifi. Mab ffermdy Brechfa Fach, Llangeitho oedd Alun, hogyn esgyrnog, caled a heini. Dyma'r unig berson i mi ei adnabod fyddai'n llyncu dau wy amrwd i frecwast bob dydd, yn cysgu gyda phob ffenestr ar agor led y pen er gwaetha'r tywydd ac yn iodlio o fore gwyn tan nos! Ond roedd mwy i Alun – roedd yn gymeriad cynnes, agos ac yn llawn hwyl a direidi. Roedd Adrian yn aeddfetach ac yn fwy sicr ohono'i hun na'r un ohonom. Rhyw Anatiomaros yn ein plith a bodlonem ninnau iddo fod felly. Tynnai'n ddiddiwedd ar ei bibell. Welais i neb cynt nac wedyn yn mwynhau smôc pibell yn fwy. Ond roedd ei gyfeillgarwch yn heintus a diffuant iawn a thrwy ddod i'w adnabod ef a'i debyg y dois i ddechrau teimlo nad oedd Caerdydd mor ddrwg â hynny wedi'r cyfan. Unwaith yn unig y gwelais yr hyder a nodweddai Adrian yn pylu. Gwyddwn fod Iris, ei wraig, yn disgwyl eu plentyn cyntaf, a gwyddwn hefyd fod y diwrnod mawr heb fod ymhell. Pan ymddangosodd nodyn ar yr hysbysfwrdd yn gofyn i Adrian Maher ffonio adref aeth yn welw! Eisteddodd ar y gadair wrth y ffôn yn ystafell y myfyrwyr. 'Pa fodd y cwymp y cewri!'

'Jôs,' meddai mewn llais gwantan, gyda'i getyn yn rhyw fud losgi ar ei lin, 'nei di ffonio?'

Gyda bysedd crynedig dechreuais ddeialu. Cododd o'i gadair a daeth at y ffôn.

'Adrian,' cyhoeddodd ac am yr eiliadau a ddilynai ni ddaeth bref o'i enau. Gwrandawai'n astud a cheisiais innau ddilyn y newyddion drwy edrych ar ystumiau ei wyneb.

'Diolch,' ochneidiodd a rhoddodd y ffôn i lawr. 'Myn yffach i Jôs, 'wi'n dad! Croten fach, ac ma' Ish yn iawn! Peint!' Ac i lawr â ni i'r 'Discovery' i wlychu pen y babi newydd!

O adnabod pobl fel Maher a Brech y dois hefyd i sylweddoli fod cymêrs y tu hwnt i fy milltir sgwâr innau. Roedd talp o Sir Aberteifi yn garthen am y ddau a'm braint i oedd cael eu hadnabod a'u cyfrif erbyn hyn yn gyfeillion oes.

Gan fod gemau pêl-droed rhyngwladol yn bethau cyffredin ym Mharc Ninian bryd hynny, deuai byseidiau o gefnogwyr o'r Gogledd i lawr gan gynnwys yr hen fêts o Lanbêr. I arbed ychydig ar y gost trefnwn innau iddynt gael cysgu yn ein hystafelloedd ni yn y coleg. Byddai cynnig lletygarwch yn groes i reolau'r coleg. Cofiaf un noson gêm ryngwladol gyda thri o'm ffrindiau yn cysgu yn fy ystafell a'r gweddill mewn ystafelloedd eraill. Parodd sŵn lleisiau ddeffro Mr Bish y tiwtor bugeiliol a daeth ar ei daith nosweithiol yn hwyr. Clywais sŵn ei draed ac euthum allan i'w gyfarfod gan gymryd arnaf fy mod ar fy ffordd i'r lle chwech.

'Just thought I heard some voices, Mr Jones.'

'Yes, Mr Bish. I was having a chat through the window with Robin next door about this afternoon's big match.'

Gwyddwn nad oedd gan Bish fawr o ddiddordeb yn y gêm bêl-droed. Gwenodd ac aeth yn ei flaen. Chwydodd tri chorff allan o'r cwpwrdd ymhen rhyw bum munud gan rowlio ar y llawr yn piffian yn afreolus! Roedd y cyfuniad o fwyd Siainiaidd a *Brains Bitter* wedi bod yn ormod i un ohonynt a bu'n rhaid iddo ryddhau peth o'r gwynt mileinig a'i gwasgai, a hynny o fewn gofod cyfyng y cwpwrdd. Trueni am y ddau ddieuog!

Un arall a'm gwnaeth yn gartrefol yng Ngholeg Caerdydd oedd Pennaeth yr Adran Addysg, Hywel D. Roberts. Gan fod Hywel D., fel y'i gelwid, yn frodor o Ddyffryn Nantlle gallai uniaethu â'n problemau ni y 'Gogs'. Rhoddodd y ffaith i mi siarad yn gyhoeddus yng nghyfarfod cyntaf holl fyfyrwyr y flwyddyn gyntaf foddhad mawr iddo – ac fe wnes hynny drwy gyfrwng y Saesneg! Rhoddodd y ffaith i mi syrthio'n ôl ar fy mhrofiadau cynnar mewn cymdeithas chwarelyddol fwy o foddhad iddo! Cofiaf ddod o'r llwyfan i gymeradwy-aeth fy nghyd-fyfyrwyr yn teimlo'n falch o'm cefndir a'm magwraeth. Roedd y darlithwyr i mewn yn y cyfarfod hwnnw a chofiaf nodyn yn fy nghyrraedd yn gofyn a fyddwn cystal â threfnu i weld Pennaeth yr Adran Gymraeg. Gwyddwn mai T. Gwynn Jones (Corwen) oedd y gwron hwnnw ac euthum i'w weld. Ei neges i mi oedd ei fod yn chwilio am rywun a fyddai'n fodlon partneru rhyw Geraint Lloyd Owen o'r ail flwyddyn i gymryd rhan yn Ymrysonfeydd Areithio Colegau Cymru! Duw a'm gwaredo, nid oeddwn na phregethwr nac areithiwr dim ond rhyw bwt o arweinydd noson lawen! Roedd gan T. Gwynn ddawn anghyffredin i berswadio ac fe syrthiodd y llanc o Arfon i'r fagl! Diolchaf hyd heddiw fy mod wedi cytuno â'i gais, er mor anfoddog oeddwn, gan fod y profiadau anhygoel oedd i ddilyn wedi bod yn gyfrwng i sefydlu fy hyder ar gyfer cwrs addysg yn y coleg, ac yna fy ngyrfa fel athro a phrifathro yn ddiweddarach. Dyma'r gŵr yn anad neb a'm tynnodd fi allan o'm swildod ac a barodd i mi gredu yn hynny o allu a feddwn.

Daeth Geraint Lloyd Owen a minnau yn dipyn o dîm. Yn ein blwyddyn gyntaf fel deuawd areithio llwyddasom i gyrraedd y rownd derfynol a hynny yn hyderus. Ond torrwyd ein cribau yn ddiseremoni gan ddau areithiwr penigamp, a hynny o flaen camerâu teledu. Fe chwalwyd ein gobeithion gan ddau ddarpar weinidog o Goleg y Brifysgol Aberystwyth, D. Ben Rees (Lerpwl erbyn hyn) ac Emlyn Richards (Cemaes) ac yn haeddiannol iawn hwy gipiodd y brysgyll hardd. Yr Ymryson Areithio Rhyng-golegol oedd un o hoff 'fabis Sam'. Cofiaf Sam Jones yn datgan yn gyhoeddus ei falchder yn y rhaglen.

Roedd gan Geraint un cynnig arall ar ôl. Hwn fyddai ei gynnig olaf. Cytunais i'w bartneru unwaith yn rhagor. Llwyddasom i gyrraedd y rownd derfynol unwaith eto a'r tro hwn yn erbyn dau fyfyriwr galluog iawn o Brifysgol Bangor – Euryn Ogwen a Derec Llwyd Morgan. Gwireddwyd breuddwyd Geraint y tro hwn ac ymfalchïwn innau yn y ffaith mai dyma'r tro cyntaf yn hanes y gystadleuaeth i dîm o goleg hyfforddi athrawon ei hennill. Cefais ddod â'r brysgyll enwog adref i Lanberis am gyfnod byr, ac achlysur llawn balchder oedd cael ei arddangos yng Nghymdeithas Lenyddol Preswylfa, crud diwylliant fy mebyd.

Bu'r llwyddiant yn gryn hwb i'r Gymdeithas ac yn gyfrwng i ddenu myfyrwyr Cymraeg i'r coleg. Daeth y Gymdeithas Gymraeg yn gymdeithas glos a brwdfrydig. Ffurfiwyd parti noson lawen, a buan y daeth galwadau am ein gwasanaeth o'r tu allan i'r coleg. Manteisiodd y Gymdeithas hefyd ar wasanaeth myfyrwyr o'r Coleg Cerdd a Drama a oedd yn astudio addysg fel rhan atodol o'u cwrs. Yn eu plith yr oedd Hywel Gwynfryn ac Elisabeth Miles, dau a gyfrannodd yn helaeth iawn i fyd darlledu, drama a ffilmiau Cymru.

Cofiaf un achlysur yn arbennig. Cytunodd Hywel Gwynfryn i gyflwyno Noson Lawen yng Nghasnewydd. Sylweddolais ar ôl cychwyn y difyrru fod yna broblem. Roedd angen gosod props i sgets y tu ôl i'r llenni a byddai hynny'n cymryd tua phum munud! Pwy fyddai'n gallu llenwi i mewn?

'Dim problem,' meddai Hywel, 'mi adrodda i gerdd iddyn nhw.'

Aethpwyd ati'n ddiymdroi i osod tuniau losin ar silff uchel tra eisteddai Hywel ar ochr y llwyfan. Gwnaed y paratoadau mor ddistaw ag oedd modd, a dechreuodd Hywel drwy gyflwyno ei adroddiad.

'Cwm Tawelwch gan...'

Yr eiliad honno disgynnodd un o'r tuniau'n glewt ar lawr y llwyfan gyda'r sŵn yn diasbedain drwy'r neuadd er gwaetha'r ffaith fod y llenni ar gau. Ffrwydrodd y gynulleidfa. Yna Hywel yn ei ffordd ddihafal yn wynebu'r sialens.

'Diolch yn fawr i chi, ac fel encôr, dyma i chi 'Y Dyrfa' gan Cynan!' Ac aeth ymlaen i adrodd darn helaeth o'r bryddest.

Gŵr a gyfrannodd i lwyddiant y Noson Lawen honno oedd darlithydd ifanc yn yr adran Gymraeg – Dan Lyn James. Gŵr athrylithgar ac eithriadol ddawnus yn trin geiriau. Cynhyrchodd sawl eitem ar ein cyfer. Cofiaf fynd gydag ef i'r BBC yng Nghaerdydd i berfformio sgetsys byrion ar gyfer rhaglenni ysgafn y cyfnod yn cael eu cynhyrchu gan Dr Meredydd Evans. Dyma'r tro cyntaf i mi gael y fraint o gyfarfod un o'm harwyr cynnar.

Dim ond blwyddyn y bu'n rhaid i mi dreulio yn y 'cytiau soldiwrs' yn yr Heath. Bu'n rhaid i ni symud i fyny i ardal Cyncoed i adeiladau newydd hardd gyda chyfleusterau addysgol o'r radd flaenaf ar ein cyfer. Cofiaf Sir Edward Heath, y Gweinidog Addysg ar y pryd, yn dod i'w hagor a minnau fel Llywydd y Gymdeithas Gymraeg yn dal fy ngwynt! Fel Llywydd y Gymdeithas honno gorfu i mi gydweithio'n glós a Llywyddion Undeb y Myfyrwyr. Roedd dau o Gymry Cymraeg yn eu plith, Margaret Jones o Ystradgynlais a'r Llywydd ei hun, Roy Noble. Drwyddynt hwy y cefais ar ddeall fod y Prifathro W.T. Jones a'i Ddirprwy Eric Thomas yn dymuno fy ngweld, a hynny ar fyrder. Yn ôl Roy a Margaret roedd y coleg wedi derbyn cŵyn gan drigolion ffordd snobyddlyd Cyncoed, lle safai'r coleg, fod rhywun neu rywrai wedi bod yn ymyrryd yn eu gerddi y noson cynt. Doedd dim angen i'r ddau ymhelaethu, cans gwyddwn yn iawn fod hysbysfyrddau ymgeiswyr y

Toriaid ar gyfer yr etholiad cyffredinol a oedd ar fin ei gynnal wedi cael eu tynnu i lawr a'u dinistrio! Roedd y rhain wedi eu gosod bron ymhob gardd. Dyma'r tro cyntaf i'r trigolion cyfalafol yma orfod dioddef minteioedd o fyfyrwyr sigledig ar eu ffordd o'r dafarn leol!

Bu'n rhaid i mi ddadlau'n frwd iawn y bore hwnnw. Dadleuwn y gallai'r anfadwaith fod wedi ei gyflawni gan Sosialwyr penboeth neu Gomiwnyddion dinistriol o'r ddinas neu hyd yn oed fandaliaid Rhyddfrydol! Ond y gŵyn o'r gymdogaeth oedd fod *Welsh Students* wedi cyflawni'r weithred anwaraidd. Gan nad oedd sail i'r cyhuddiad, ac yn bwysicach, nad oedd tystion wedi dod ymlaen, gwrthodais fod yn atebol ar ran y gymdeithas. Ar ôl holi treiddgar fe'm rhyddhawyd! Ymunais â'r gweddill o'm cyd-fyfyrwyr oedd wedi ymgynnull yn yr hostel i dorri'r newydd a'u sicrhau nad oedd ymchwiliad pellach ar y gweill. Rhoddwyd ochenaid o ryddhad, ac aeth pob un ohonom ati i llnau'r mwd oddi ar ein 'sgidia a thynnu sblinteri coed allan o'n dwylo!

Ymunais â'r Gymdeithas Ddrama yn y coleg ac yno y cyfarfûm â merch bryd tywyll o Frynsiencyn, Ynys Môn a ddaeth yn ddiweddarach yn wraig i mi. Ar ôl peth amser datgelodd Carys fod ganddi frith gof ohonof pan oedd y ddau ohonom yn blant. Arferai hi a'i chwaer Elizabeth dreulio gwyliau yn nhŷ y prif beiriannydd yn iard Chwarel Dinorwig, Y Gilfach Ddu. Cofiai weld creadur bach pengoch yn dod â llefrith i stepan y drws! Mae'n rhaid mai fi oedd hwnnw gan fy mod yn helpu Jôs Waunfawr ar ei rownd laeth yn aml iawn. Y pen coch wedi gadael ei argraff eto!

Pan gwblheais fy nghwrs derbyniais swydd athro yn Ysgol Llywelyn, Y Rhyl. Roedd gan Carys ddwy flynedd arall cyn cwblhau ei chwrs. Nid oedd yn fwriad gennyf aros yn Y Rhyl ac arferwn deithio bob dydd yno o Lanberis, taith o dros bedwar ugain milltir y diwrnod. Ond ymhen dwy flynedd daeth y teithio i ben gan i Carys gael ei derbyn fel athrawes yn yr ysgol agosaf ataf yn Y Rhyl – Ysgol Emanuel. Ar 11 Gorffennaf, 1966 fe'n priodwyd yng Nghapel Hermon, Brynsiencyn ac yna ymgartrefu ym Mhrestatyn.

Gwaith Cadw

Un o siomedigaethau mawr fy mywyd oedd cael fy amddifadu o'r profiad o weithio yn Chwarel Dinorwig. 'Diolcha i Dduw nad est ti ddim ar gyfyl y lle!' yw barn y rhan fwyaf o gyn-chwarelwyr. 'Lle uffernol i weithio ynddo fo oedd y chwarel.' Cytuno'n llwyr, ond dyheais am gael ymuno â'm ffrindiau i flasu hwyl cymdeithas y caban neu'r iard a hynny ond dros dro. Rhagwelwn sefyllfa pryd y byddwn yn cyrraedd oed ymddeol heb fod yn unman ond yn yr ysgol. Duw a'm gwaredo!

Yn ffodus iawn cefais waith tra yn y coleg. 'Gwaith gwyliau' oedd hwn fel cyfrwng i hel arian. Bychan iawn oedd y grantiau bryd hynny ac roedd anfon hogyn i goleg ar gyflog *garage foreman* yn fyrdwn ychwanegol ar fy rhieni, er na chlywais hwy erioed yn datgan eu pryder nac yn edliw wedyn. Yn wir cefais dair swydd hynod bleserus. Yn ystod gwyliau'r haf cyn cychwyn am y coleg cefais gynnig swydd ar y cownsil ac fe'i derbyniais. Anghofia i byth y diwrnod cyntaf hwnnw, hefo mhecyn bwyd ar fy nghefn yn disgwyl i gael neidio i gefn y lori felen ac eistedd yn y cwt sinc symudol oedd i fod yn gaban i mi am dri mis. Am y tro cyntaf yn fy mywyd teimlwn yn ddyn!

'Chdi ydi'r diawl gwirion sy'n cychwyn hefo ni heddiw?' clywais lais cryf ac isel ei donyddiaeth yn holi. Yna neidiodd rhyw bwtyn bychan allan o flaen y lori cyn i mi gael cyfle i ateb. Daeth ataf yn ei gap gwau, crafat ac oferôls a sgidia hoelion mawr a ymddangosai'n llawer rhy fawr iddo. Cerddai gyda herc.

'Ty'd i mi gael gweld dy ddwylo di!' a minnau yn ddiniwed yn eu dangos.

'Ma nhw fatha tin babi, Huw,' gwaeddodd drachefn. Cymerais yn ganiataol mai Huw oedd yn gweiddi chwerthin yn y caban.

'Neidia i fyny a gafa'l yn sownd rhag i ni dy golli di ar y "pass" na.'

Ni allwn ddod dros y ffaith fod dyn mor eiddil a bychan yn berchen ar lais mor gryf! Yn y caban eisteddai Huw yn dal i biffian chwerthin ar ôl fy nghyflwyniad rhyfeddol.

'Mi wt ti newydd gael dy gyflwyno i Solvanus. Ma'i gyfarthiad o'n llawar gwaeth na'i frath – mi gei filoedd o hwyl hefo fo. Cymêr!'

Yn Nant Peris roedd yn rhaid aros i godi John Ellis (Perisfab) a'i fab Geraint. Hwn oedd diwrnod cyntaf Geraint yn yr arswydys swydd hefyd. Ein swyddogaeth oedd cynorthwyo'r hogia profiadol i ledu'r ffordd i lawr am Nant Gwynant. Buan y collais y dwylo 'tin babi' ac ymddangosodd clampiau o gyrn ar fy nwylo! Bu hyn yn esgus da i mi gael fy rhoi yn gyfrifol am y ferfa am gyfnod a rhoi'r gaib a'r rhaw o'r neilltu. Treuliais oriau yn y lle chwech yn ceisio dadebru a chael fy ngwynt a'm nerth yn ôl. Ein lle chwech, gyda llaw, fyddai unrhyw fan cysgodol dros ben y wal uwchlaw Cwm Dyli. Os bu rhywun yn berchen *'room with a view'* erioed – dyma hi! O'm blaen ymsythai'r Wyddfa a'i chriw yn eu holl ysblander naturiol. O na fyddwn yn fardd!

Roedd miri'r caban yn heintus. Perisfab fyddai'r cadeirydd, gwerinwr llengar a chenedlaetholwr pybyr. Meddai'r gyfrinach i gael Solvanus i fynd drwy'i betha. Clywaf Sol yn awr yn adrodd englyn enwog Dewi Wyn o Eifion i Bont Menai. Rhuai'r paladr fel hen adroddwr o'r ganrif ddiwethaf gan bwysleisio pob gair gyda'r llafariaid yn diasbedain...

Uchelgaer uwch y weilgi, – gyr y byd

Ei gerbydau drosti.

Ond roedd yn werth disgwyl am yr esgyll dramatig gyda'r breichiau'n chwifio...

Chwithau, ho...o...o...oll longau y lli...

Yna saib cyn gollwng allan rhyw sŵn 'whid' chwibanog cyn cwblhau'r englyn...

Ewch o dan ei chadwyni.

Dro arall cofiaf Huw Bethel yn gorlwytho tyllau'r ebill yn y graig hefo ffrwydron. Mi chwythodd y graig yn deilchion gyda darnau mawrion yn dymchwel i'r lôn a hynny ar un o ddyddiau prysuraf yr haf! Tystiaf i mi weld gwên slei ar wyneb Huw y diwrnod hwnnw. Roedd tagfeydd i lawr i Nant Gwynant un ochr, a draw am Gapel Curig a Bwlch Llanberis yr ochr arall. Roedd yn amhosibl symud y clytiau mawrion a bu'n rhaid eu saethu drachefn. Solvanus wrth gwrs oedd yn rheoli'r traffig. Roedd hyn yn fêl ar ei fysedd ac âi o gerbyd i gerbyd yn sgwrsio gyda'r gyrwyr rhwystredig. Merch ifanc benfelen, brydferth oedd yn y car cyntaf. Roedd hyn cyn y saethu ac aeth Solvanus yn syth ati.

'How long will it take to go to Llanberis from here?' gofynnodd i Sol.

'On your own, my darling, about twenty minutes. With me

by your side, a little bit longer!' oedd ateb y *'town crier'*. Tipyn o gymêr a diolch am gael 'nabod y criw hwyliog. Ni fûm yn un am ddefnyddio storïau gwamal am hogia'r cownsil ar lwyfannau nosweithiau llawen. Mae gan bawb ei deimlad!

Yn ystod gwyliau'r Nadolig cefais waith gan Mrs Roberts, Swyddfa'r Post Llanberis fel postmon ar droed. Golygai hyn y byddwn yn cydweithio hefo Griff Hughes neu Griff Postman, cyfaill agos i mi a thynnwr coes wrth reddf. Yn blygeiniol byddai Dafydd Cwm yn cyrraedd yn y fan goch gan arllwys cynnwys y bagiau hyd y byrddau. Ein dyletswydd wedyn fyddai rhoi trefn ar y llwyth llythyrau a chardiau. Cymerai'r orchwyl tua dwyawr i'w chwblhau cyn y byddem yn gallu cychwyn am y strydoedd a'r tyddynnod. Roedd ardal Clegir yn fy nalgylch i, ardal ddigon anghysbell ar yr hen ffordd dros y mynydd rhwng Llanberis a Llanrug. Golygai hyn ryw dair milltir o gerdded yn ôl a blaen. Byddai Mrs Roberts, Clegir a'i meibion Lewis ac Eurwyn wrth eu bodd yn fy ngweld yn dod i fyny o'r dyffryn. Byddai croeso twymgalon yng ngwir ystyr y gair i'r postmon ifanc, yn enwedig ar foreau oer. Byddai'r mins peis allan ar y bwrdd a gwydriad neu ddau weithiau o win Port cynnes! Dois o'r Clegir un bore wedi anghofio rhoi'r cardiau i'r teulu a bu'n rhaid i mi fynd yn ôl yr holl ffordd i gwblhau fy ngorchwyl! Roedd mwy o gic yn yr hen win nag a feddyliais. Taith bleserus fyddai taith Clegir. Byddwn yn cerdded ar hyd y brif ffordd o Lanberis i fyny Allt Chwarel Glyn hyd at Y Goat, yna ymlwybro drwy'r creigiau ar hyd llwybr troed a arweiniai i Clegir. Dyna olygfa! Llyn Padarn odditanaf fel gwydr, ac adlewyrchiad Coed Dinorwig yn noethlwm ynddo; Dyffryn Peris wedyn yn ymagor o'm blaen gyda'r Wyddfa a'i chymdogion gwynion yn torsythu yn y cefndir. Heb os, yn y gaeaf, ac o'r Clegir y gwelodd W.T. Hughes, hen fardd gwlad o'r ardal a thaid Myrddin Hogia'r Wyddfa, yr olygfa pan ganodd:

'Y Glyder Fach, Elidir Fawr,
Y Garn a Moel Cynghorion,
Craig Cwm Du a Bryn Coed Mawr
Yn gain mewn gynau gwynion.

Y Derlwyn mewn addurnol hedd,
Moel Eilio fel y Lili,
A'r Wyddfa mewn urddasol wedd
Yn gwarchod uwch Eryri...'

A dyna'r olygfa a wynebai'r postmon ifanc, unig bob bore. Nefoedd yn wir.

Ond gallasai taith i'r Clegir fod yn dramgwydd ar adegau, yn enwedig os oedd gêm bêl-droed yn y prynhawn. Cofiaf fod mewn tipyn o gyfyng gyngor un bore Sadwrn hefo dau gerdyn i'r Clegir a finnau angen bod yn ôl yn y pentref i ddal bws tîm Llanberis ar gyfer ein gêm cwpan yn erbyn Penmachno yn gynnar yn y prynhawn. Amhosibl.

'Be wna i, Griff?' gofynnais.

'Postia nhw i'r diawl, mi cân nhw bora dydd Llun!' Atebiad syml ond athrylithgar os bu un erioed. A dyna wnaed heb yn wybod i Mrs Roberts Post.

Drwy fy nhad mi gefais swydd yn hen swyddfa'r Crosville ar y Maes yng Nghaernarfon. Swyddfa ymholiadau, tocynnau teithiau pell a storfa parseli oedd hon yn bennaf. Byddai'n fangre loerig o brysur yn enwedig ar foreau Sadwrn pan lifai teithwyr i mewn ar y bysys o bob ardal yn yr hen Sir Gaernarfon a Môn. Y prif swyddog ymholiadau oedd y diweddar annwyl Gwilym Pontllyfni. Roedd yn bleser cydweithio hefo Gwil. Dysgais ganddo sut i weithio dan bwysau a sut i drin pobl gwyngar! Dawn y bu'n rhaid i mi syrthio'n ôl arni yn ddigon aml fel athro a phrifathro yn ddiweddarach yn fy mywyd. Mae'n rhaid gen i bod Crosville yn fagwrfa i ddarpar brifathrawon. Cofiaf gyfarfod dau a ddaeth yn gyd-weithwyr a chyfeillion i mi ymhen blynyddoedd, y ddau 'conductor' Elwyn Jones-Griffiths a Geraint Traws. Cawsom sawl sgwrs a phaned cyn i'r ddau ddiflannu unwaith yn rhagor ar eu teithiau yn ôl i'r wlad.

Deuthum i adnabod sawl Cofi adnabyddus. Ambell un yn enwog fel potsiar, sawl un fel potiwr ac un neu ddau fel ffilm star! Deuent i gyd yn eu tro i gael lloches a sgwrs. Byddai'r ddawn gan Gwil i drin pob un ohonyn nhw. Yr un a gofiaf yn bennaf oedd y cymeriad a adwaenid fel Wil Sam Bells neu Wil Seven Bells. Cariwr parseli oedd Wil i bawb! Yn anffodus, oherwydd salwch fe'i gadawyd yn fethedig. Roedd yn ddiffrwyth i lawr un ochr a châi hi'n anodd i gyfleu ei hun ar lafar. Swniai fel pe 'tai'n bytheirio'n rhwystredig bob amser. Doedd ganddo fawr o reolaeth ar ei fraich ddiffrwyth a byddai honno'n chwifio'n afreolus yn aml gan daro pethau a ddigwyddai fod yn ei ffordd. Treuliai oriau yn y swyddfa ar y Maes yn disgwyl y parseli oddi ar y bysiau. Yna byddai'n eu cario ar yr hen dryc bach i'r gwahanol siopau. Llwyddai'n rhyfeddol a chysidro ei anawsterau corfforol. Dyn bychan o gorff ydoedd ac yn gwisgo *beret* bob amser. Welais i mohono hebddo erioed. Ond roedd yn fyr ei ffiws. Gwylltiai ar ddim. Tynnai rhai o'r gyrwyr a'r 'conductors' arno'n ddi-baid a byddai Wil yn mynd yn gandryll.

Un diwrnod roedd wedi mynd drwodd i'r stafell barseli i gael paned hefo'r ddau 'inspector' a reolai'r bysus ar y Maes – W.R. Jones, Bontnewydd a Len Phillips o Gaernarfon. Roedd W.R. yn dynnwr coes o'r radd flaenaf ac yn amlwg wedi mynd i'r afael â Wil. Clywn Wil yn dechrau bytheirio. Ar amrantiad agorodd drws y Swyddfa a daeth cwpwl i mewn gan anelu'n syth at Gwil a minnau gyda golwg fileinig ar eu hwynebau. Clywais Gwil yn sibrwd, 'Gad rhein i mi!'

'We would like to see the manager or superintendant of this company,' bytheiriodd y gŵr.

'He's very busy at this moment. Would you like me to arrange a suitable time this afternoon?'

'We would like to see him now. We've already been humiliated by one of your conductors!'

Ar hynny daeth bloedd o'r stafell barseli. Roedd Wil wedi cael digon ar antics W.R. Saethodd allan o'r stafell y tu cefn i ni gan anelu'n syth am y drws gan daro hysbysfwrdd a ddigwyddai fod ar ei ffordd, ac allan â fo i'r Maes!

'I'm afraid Mr Hughes the superintendant isn't in a very good mood this morning,' awgrymodd Gwil i'r Saeson a safai'n gegrwth ac yn welw. *'I do suggest that you call this afternoon!'*

Welwyd mohonynt byth wedyn! Tybed a oedd y ddau wedi tybio mai Wil oedd y *superintendant*? A beth tybed fyddai ymateb y *superintendant* iawn, Mr Stanley Hughes wedi bod i'r holl ddrama? Digon llugoer o bosib gan mai dyn felly ydoedd. Chyfarchodd o 'rioed mohonof tra bûm yn gweithio iddo a byddai'n fy mhasio sawl gwaith mewn diwrnod.

Ymhen blynyddoedd wedyn derbyniodd Hogia'r Wyddfa wahoddiad i ganu yng Nghlwb Hwylio Caernarfon. Pwy eisteddai yn un o'r seddi blaen ond Stanley Hughes.

Yn ystod y toriad daeth ataf hefo cais, *'Do you mind translating some of these jokes into English?'*

'Certainly, Mr Hughes,' meddwn innau bron yn plygu yn fy hanner ger ei fron!

'Glywsoch chi am yr hen wraig 'na yn Llanberis?' meddwn wrth y gynulleidfa ar ddechrau'r ail hanner, 'yn gofyn i'r dyn glo, "Pa bryd ga i lo?" "Mae'n dibynnu pa bryd gawsoch chi darw!" medda hwnnw wrthi.' Chwerthiniad digon derbyniol yn ei dilyn.

Yna edrychais i fyw llygad Mr Stanley Hughes, rhywbeth nad oeddwn wedi meiddio ei wneud cynt. '*This one's for you, Mr Hughes. This old lady from Llanberis asked her coalman, "When can I have coal?" And he answered her, "It depends when you had a bull!"'* Gwyddai'r gynulleidfa am y cais eisoes. Gwyddent yn ogystal nad oedd cyfieithiad i'r stori. Dyblwyd sŵn y chwerthin ac yna bonllefau o gymeradwyaeth yn dilyn! Af ar fy llw i mi weld gwên yng nghornel ceg Stanley Hughes. Gwaeddodd fy nghyfaill Arthur Williams, colofnydd 'Wales Today' yn y *Daily Post* ar y pryd, 'Reit dda, Jôs, deud wrtho fo fod gen ti fwy!' Ma' Mistar ar bob Mistar Mostyn!

Un arall o'm cyd-weithwyr ar y Maes oedd Yncl Evan,

brawd hynaf fy nhad. Bu Evan Peris yn gaffaeliad mawr i'r cwmni. Perswadiai ymwelwyr i gymryd trip ar ei fws. Ni ddois ar draws perswadiwr na seicolegydd tebyg iddo. Roedd osgo'r bonheddwr yn ei nodweddu a byddai ei gwrteisi yn mynnu sylw y rhai mwyaf 'styfnig a sych yn eu plith. Cyfarchai hwy â saliwt fach gynnil heb fod yn nawddoglyd ac yna ei, *'Please join me this afternoon on this wonderful journey through the Switzerland of Wales – beautiful mountains, deep valleys and green woodlands'*. Yr un fyddai'r neges bob diwrnod braf. Ond ar ddiwrnodau niwlog neu lawog byddai atodiad i'r bregeth *'...and see the best rivers and waterfalls in the whole of Wales.'* Yn ddieithriad bron byddai'r siarabang yn llawn o wylwyr disgwylgar. Credaf hyd heddiw y dylai Crosville fod wedi codi cerflun o Evan Peris a'i osod rhwng Lloyd George a Syr Hugh Owen. Hwn oedd brenin y Maes i mi heb os.

Maent i gyd wedi'n gadael erbyn hyn ac yn anffodus 'does na ddim o'u hôl' yn y Maes presennol, dim ond eu hôl ar bobl fel fi a gafodd y fraint o gydweitho â hwy. Profiad bywyd oedd hyn ac fe'i cyfrifaf yn addysg bwysicach o lawer nag addysg coleg.

Ffwtbol

Ysgogodd fy nhad fi o'r cychwyn i ymddiddori mewn pêl-droed. Pan oeddwn yn blentyn ifanc iawn yn ôl pob tebyg ciciwn bopeth oedd yn ymdebygu i bêl, o waelod 'mop' Mam i dun sardîns. Treuliwn oriau yn ymarfer yng nghae Halford Hill neu ar allt Water Street. Ciciwn y bêl yn erbyn drysau'r Banc, E.B. Jones neu Garej Goch fel ymarferiad sgiliol. Ond fy Wembli i heb os oedd 'Polyn Let'. Llain o dir gyda'r mymryn lleiaf o wellt glas arno oedd hwn ar gyrion Coed Doctor, gyda ffordd garegog yn mynd trwyddo a pholyn trydan yn gwasanaethu'n hwylus iawn fel un postyn gôl ac fel llifoleuadau. Yma y bûm mewn sawl ysgarmes yn chwysu chwartiau ac yn taclo hyd at waed.

Âi fy nhad â mi yr holl ffordd i Lerpwl i weld Everton ym Mharc Goodison a hynny'n fynych. Cofiaf fod yno mewn gêm rhwng Everton a Wolves ymysg torf o 70,000. Ni chofiaf fy nhraed yn cyffwrdd y llawr ar fy ffordd i lawr y grisiau – cefais fy nghario gan wasgfa'r dorf. Dim rhyfedd felly i'r gêm fynd i'm gwaed ac mae'r diddordeb wedi parhau hyd heddiw. Dechreuais chwarae i dîm plant Llanberis a gwelwn Mam yn ysbeidiol yn sbecian dros ben wal Ffordd Padarn i gael cip ar yr 'hen hogyn bach 'cw' yn chwarae ffwtbol! Byddai criw ohonom yn ymgynnull ar gae Ffordd Padarn yn aml i chwarae i dîm Alan Jones – y Llanberis Colts. Cynhwysai'r tîm chwaraewyr awyddus megis Keith Rallt Goch, Dafydd Garej, Gareth Bingo, Eifion (Becws Eryri heddiw), Myrddin Hogia'r Wyddfa, Cecil Jones (Ses Bach), Trecs (Y Cynghorydd Trefor Edwards) Stan, Arfon, Guto Bach, Huw Harri a Gil Bach. Yna cefais fy nyrchafu i dîm ieuenctid Llanberis gan dreulio deuddeng mlynedd hapus wedyn yn chwarae i'r tîm cyntaf cyn dyfod y dydd y bu'n rhaid i mi ddewis rhwng fy nhraed a'm laryncs! Ond rwy'n parhau i'w cefnogi ymhob tywydd boed hynny gartref ar Ffordd Padarn neu i ffwrdd.

Nid yw'r un diddordeb gennyf yn y gêm ar raddfa genedlaethol a Phrydeinig erbyn hyn. Mae cyfalafiaeth yn ei rheoli bellach. Cyplyswch hyn â thrachwant ac mae gennych sefyllfa ffrwydrol, sefyllfa a all drawsnewid y gêm. Ychwanegwch rym dyfarnwyr a rheolau newydd pitw ac fe allai'n hawdd arwain at newid naws a hyd yn oed strwythur y gêm yn gyfan gwbl. Dim ond un dioddefwr sydd yn y saga – y cefnogwr pybyr a'i bwrs. Ysgwn i a oes rhywun yn rhywle rhywdro wedi meddwl yn ddwys am drefnu streic genedlaethol cefnogwyr pêl-droed? Diddorol. Lle byddai Manchester United a Chelsea wedyn tybed, neu hyd yn oed Bangor City a Caernarfon Town?

Ond mae'n rhaid i mi gyfaddef fy mod innau'n gefnogwr i un tîm Prydeinig a hynny ers fy mhlentyndod. Byddaf yn mynd ar bererindod bob hyn a hyn i'w gweld. Fel fy nghyfaill Gwyn Pierce Owen, y cyn-ddyfarnwr adnabyddus, rwy'n gefnogwr brwd o West Bromwich Albion er 1954. Dyma flwyddyn fawr West Brom pryd y bu ond y dim iddynt fod y tîm cyntaf erioed i ennill y 'dwbwl', sef pencampwriaeth y prif gynghrair a chwpan y gymdeithas bêl-droed. Fe orffennodd y tîm o fewn un pwynt i Wolves ac aethant ymlaen i guro Preston North End yn rownd derfynol y cwpan o dair gôl i ddwy. Dyma dîm Ronnie Allen, gŵr a addolwn ar y pryd. Golygai gymaint i mi fel fy mod, yn gam neu'n gymwys, yn ddigon gwirion i anfon cardiau Nadolig iddo! Dyma dîm Bobby a Bryan Robson a dyma dîm Stuart a Graham Williams, y ddau Gymro. Ar ddechrau tymor 1997-98 aeth pedwar ohonom o'r ardal draw i'r Hawthorns i weld gêm deyrnged i Ronnie Allen. Roedd yn dioddef o symtomau cychwynnol y clefydau Alzheimer a Parkinson. Roedd, yn ôl y wasg, yn benderfynol o gael ei dywys o amgylch y stadiwm i gyfarch ei gefnogwyr oes. Roedd y lle yn ferw pan ddaeth allan yn y bygi. Methais innau â dal ac fe neidiais o'm sedd gan ddilyn rhai o'r cefnogwyr i lawr y llwybr i ochr y cae gan adael fy nghyfeillion a'm cyd-deithwyr Elwyn (Hogia'r Wyddfa), Haydn Lewis ac Eifion Harding yn gegrwth! Ceisiais fy ngorau i gyrraedd ei law ond yn ofer, roedd y dorf a oedd wedi ymgynnull yn rhy drwchus. Pan ddychwelais roedd y siom ar fy wyneb yn amlwg.

'Be fasa ti wedi'i ddweud wrtho fo, Jôs?' gofynnodd Elwyn i mi.

'Dim ond gofyn – *did you get my Christmas Cards, Ronnie?*' Be arall fedrwn i ddeud â'r lwmp yn tagu fy ngwddf? Hen aflwydd digon annymunol ydi *nostalgia*.

Mae'n bosib mai dyna sy'n gyfrifol am fy nhynnu o gynhesrwydd aelwyd bob pnawn dydd Sadwrn i rynnu yng nghysgod y coed pîn ar Ffordd Padarn. Yma y bydd nifer fawr o hogia ffraeth yn ymgynnull i gefnogi'r tîm lleol, beirniadu ambell chwaraewr, a bytheirio'n ddi-feth ar y dyfarnwr a'r llumanwyr!

'Twm, fel Cadeirydd y Clwb 'ma, ma' gin ti berffaith hawl i ofyn i'r reff pam roddodd o gôl Llanberis *offside*,' awgrymodd rhywun i Twm John. Aeth Twm yn syth i stafell newid y swyddogion. Bu disgwyl eiddgar y tu allan i'r drws am ganlyniadau'r drafodaeth. Yna ymddangosodd Twm yn biws ei wyneb.

'Be dd'udodd o? Gest ti rywfaint o sens?'

'Sens!' bloeddiodd Twm gan ailagor drws y dyfarnwr, 'sut ddiawl fedri di gael sens allan o rywun sy'n brif awdurdod ar anwybodaeth?' A dyna'r disgrifiad gorau i mi ei glywed erioed o'r pwysigion yma!

Clywais sawl tro fod dyfarnwyr yn hoffi dod i Lanberis i fwynhau'r awyrgylch a'u bod yn gwerthfawrogi ffraethineb y cefnogwyr. Wn i ddim faint o fwynhad gafodd rhyw hen lumanwr bychan o Sais pan redodd yn fân ac yn fuan ar draws y cae i gymryd ei le ar y lein lle safai torf o gefnogwyr Llanberis. Cyn cyrraedd, arhosodd a chraffu'n orchestol ar y llawr. Cododd asgwrn oedd wedi ei adael gan gi mae'n debyg ac yna ei daflu dros ben y cefnogwyr.

'Is this the Lanberis butcher's shop?' gofynnodd yn wawdlyd.

'No,' atebodd Bert Cae Rhos fel ergyd o wn, *'that's last week's linesman!'* A dyna dorri crib yr hen geiliog dandi yn y fan a'r lle.

Ond Twm John y Cadeirydd hynaws yw'r arch-ddisgrifiwr heb os. Cofiaf fod wrth ei ochr yn eistedd yn barchus yn y stand yng Nghae Farrar, Bangor mewn gêm rhwng clwb y ddinas a Llanberis. Yn sydyn dyma Twm yn bloeddio'i ddirmyg at y dyfarnwr.

'Ty'd laen y llipryn uffar!'

'Twm,' meddai'r diweddar Alun Roberts yn bwyllog, 'be ydi llipryn?'

Ymdawelodd cefnogwyr Llanbêr yn syth gan sylweddoli fod yr hen Alun wedi rhoi ei droed ynddi a bod perl o atebiad ar ei ffordd.

'Sgin ti firror adra, Robaits?' gofynnodd Twm yn ddiamynedd.

'Oes.'

'Wel sbia ynddo fo heno ac mi weli un!'

Torrodd bonllefau o chwerthin allan gan dynnu sylw'r chwaraewyr hyd yn oed.

Llamodd bachgen ifanc tal, main ac esgyrnog allan o'r stafelloedd newid gan frasgamu i'r cae. Roedd ei gluniau'n anarferol o hir ac yn anffodus roedd ei siorts yn llawer rhy fychan a thynn. Darlun perffaith i Roy Padarn Road, disgrifiwr cynnil a miniog arall.

'Wel sbia ar hwn, welis i ddim byd yn debycach i filgi sipsiwn myn diawl,' meddai, 'Dydio'n ddim byd ond clunia, 'senna' a phidlan!'

Ia, dawn y disgrifiwr sydyn ffraeth ar ei orau ac maent yn drybeilig o brin erbyn hyn.

Teimlaf bod fy nghysylltiad â chlwb pêl-droed Llanberis yn mynd yn ôl nid i bumdegau'r ganrif ond yn wir i gychwyn degawd olaf y bedwaredd ganrif ar bymtheg. Doeddwn i ddim o gwmpas yn y flwyddyn 1890, ond dyma flwyddyn sefydlu tîm pêl-droed yn y pentref. Fi gafodd y dasg bleserus o ymchwilio i hanes Y Beris; Y Snowdonians; Y Teigars; Y Darans; United neu y Locomotive bandigrybwyll! Yr un tîm oedd y cwbl dros y ganrif – Llanbêr – y 'Black and Amber'. Yr un lliwiau gyda llaw â lliwiau jocis Y Faenol, perchnogion Chwarel Dinorwig. Gofynnwyd i mi gynhyrchu pamffledyn i ddynodi uchafbwyntiau'r ganrif. Trodd y pamffledyn i fod yn llyfr swmpus o bron i ddau gant a hanner o dudalennau a'r unig un o'i fath yn Gymraeg ar y pryd. Nid ffeithiau moel anniddorol a ddarganfyddais wrth ymchwilio, ond talp o hanes bro a'i chymdeithas. Roedd i'r gêm le annatod o fewn y gymdeithas ar hyd y ganrif a bu'n gyfrwng i gyfoethogi'r gymdeithas honno yn ogystal. Cychwynnodd yn 1890 gyda dyfodiad arwr cenedlaethol i'r pentref. Bu'r Dr R.H. Mills-Roberts yn gôl-geidwad adnabyddus iawn, yn chwarae i Preston North End a Chymru cyn symud i fyw i'r Grosvenor, Llanberis fel prif feddyg Chwarel Dinorwig. Sbardunodd ei ddyfodiad ddiddordeb anarferol iawn yn yr ardal. Roedd cymaint yn dymuno chwarae'r gêm fel y bu'n rhaid i'r meddyg ynghyd â gŵr llengar o Lanberis, R.E. Jones (Cyngar) a phwyllgor sefydlu wyth tîm yn y pentref! Chwaraeai'r meddyg i dîm 'Y Flowers'. Tîm o swyddogion Chwarel Dinorwig. Diddorol nodi iddo dderbyn ei wythfed cap i Gymru tra'n chwarae i dîm 'Y Flowers'. Dyna'r cychwyn, a doedd dim troi'n ôl.

Yn niwedd y pumdegau y dois i yn rhan o'r gêm gignoeth, gorfforol a chystadleuol hon a hynny pan oeddwn yn ifanc iawn ac yn eiddil. Sylweddolais yn fuan mai cystadlu oedd ac ydi holl bwrpas y cythrwfl Sadyrnol. Cystadleuaeth ydi hanfod yr holl gicio a brathu, y pwnio a'r ysgyrnygu, y baglu a'r rhychu, y chwysu a'r poeri, y rhegi a'r melltithio, heb anghofio wrth gwrs y cofleidio a'r cusanu! Naw wfft i'r syniad fod i'r gêm ei hochr gyfeillgar. Chwaraeais i erioed mewn gêm gyfeillgar. Term wedi ei greu gan y rhai egwan o galon ydyw! Er mor eiddil oeddwn, mwynhawn bob eiliad. Edrychaf yn ôl heddiw gyda boddhad er fy mod yn berchen ar drwyn sydd wedi ei dorri ddwywaith, aeliau digon trwchus i guddio ambell graith egr, yn brin o dri dant yn fy mhen ac wedi derbyn digon o bwythau i wnïo botwm yn reit sownd! A chyfrifaf fy hun yn un o'r rhai ffodus!

Erbyn diwedd y chwedegau pan ddaeth dydd y pwyso a'r mesur a minnau ddim ond wyth ar hugain oed bu'n rhaid i mi ddilyn y cantorion! Ond gallaf ymfalchïo fod dwy darian enillwyr y *Junior Cup* yn fy meddiant ynghyd â dwy darian enillwyr Cwpan Amatur Gogledd Cymru; tair tarian enillwyr Cwpan Penrhyn; dwy darian y Cwpan Alves a chwe medal enillwyr pencampwriaeth y cynghrair. Fy mraint i oedd cael bod yn rhan o un o dimau amatur gorau'r gogledd os nad yng Nghymru. Gyda mymryn o lwc gallasem fod wedi sicrhau Cwpan Amatur Cymru at y casgliad. Uchafbwynt fy ngyrfa bêl-droed oedd cael fy newis i dîm y cynghrair a chael yr anrhydedd o fod yn gapten ar y tîm hwnnw. Maddeued y darllenydd i mi am greu balchderau fel un o'i go ond maent yn flynyddoedd i'w trysori. Es i ddim pellach, er fy mod wedi breuddwydio sawl gwaith y byddwn, rhyw ddiwrnod, yn rhedeg allan yn dalog ar gae'r Hawthorns fel un o'r 'Baggies' ac yna rhyw ddydd yn fy nghrys coch ar Barc Ninian!

Ond roedd yna fwy i'r gêm. Roedd hon yn gyfrwng i wneud ffrindiau a'r rheiny maes o law yn ffrindiau oes.

Gallaf ymfalchïo fod sawl un y bûm yn ei gicio a sawl un fu'n fy nghicio innau yn gyfeillion imi heddiw. Gelynion oeddynt ar y cae, ond wedi'r gyflafan byddai heddwch yn teyrnasu. Mae llawer wedi ei ysgrifennu amdanaf i a'm prif 'elyn' Brian Roberts (Corbri), a chwaraeai i Llechid Celts. Cyfrifwn ef yn brif elyn gan mai ef oedd yr asgellwr chwith gorau i mi erioed ei wynebu a digwyddai chwarae i un o dimau amatur gorau'r arfordir ar y pryd. Doedd wiw i mi ddangos unrhyw arwydd o ofnusrwydd i hwn. Cofiaf Brian yn rhuthro i'r cae yn Llanllechid un pnawn Sadwrn gan anelu'n syth amdanaf.

'Lle w't ti isio mynd heddiw, i'r C&A ta St David's?' gofynnodd yn fygythiol. (I'r anghyfarwydd, dau ysbyty ym Mangor oedd y rhain!) Roedd rhaid meddwl yn chwim i guddio fy ofn a mentrais,

'Mi a' i i'r C&A ac mi gei di fynd i'r St David's achos i fanno ma nhw'n gyrru babis!'

Roedd yn haws o lawer gen i reoli Brian hefo 'ngheg na'm traed. Ond daeth y ddau ohonom yn gyfeillion agos ac mae'r cyfeillgarwch wedi parhau. Daw Brian, Emrys Owen, capten y tîm gwych hwnnw ac Alan Hampshire, o bosib chwaraewr mwyaf dylanwadol y tîm, draw i Ffordd Padarn yn ysbeidiol. Erbyn hyn maent yn cael eu croesawu i ymuno â chefnogwyr Llanberis, ond flynyddoedd yn ôl mae'n amheus gen i a fyddent wedi cael dod o fewn milltir i'r cae! Ar noson fythgofiadwy ar ddiwedd tymor 1964-65 ar gae Ffordd Padarn ac o flaen torf o wyth gant fe drechodd Llechid y tîm lleol o un gôl i ddim, gan eu hamddifadu o'r *grand slam*. Rwy'n berffaith sicr mai dod i ail-fyw y noson honno y mae'r hogia er i Em dderbyn tywarchen yn daclus ar ochr ei ben wrth iddo godi cwpan y cynghrair yn fuddugol-iaethus!

Un o'r llythyrau cyntaf i'm tad dderbyn fel ysgrifennydd newydd y clwb oedd adroddiad anffafriol dyfarnwr am ei fab ei hun yn dilyn ysgarmes y bu ynddi tra'n chwarae yn Harlech. Bu gwrthdaro eithaf ffyrnig rhyngof a mewnwr chwith Harlech a bu'n rhaid i'r dyfarnwr ein gwahanu a'n rhybuddio. Ychydig a wyddwn ar y pryd mai gelyn y dydd fyddai meddyg parchus Waunfawr rhyw ddiwrnod! Do, bu'r Dr Raymond Williams a minnau yng ngyddfau'n gilydd y diwrnod hwnnw. Nododd y dyfarnwr bopeth a wnaed ac a ddywedwyd ar y pryd. Dim rhyfedd felly fod nodyn wedi ei gynnwys ar yr amlen a dderbyniodd fy nhad – *'Not to be opened by a female.'* Caiff Raymond a minnau dipyn o hwyl yn ail-fyw'r digwyddiad hwnnw ac mae'r tynnu coes yn parhau. Heddiw yng Nghlwb Llenyddol a pharchus Eryri y bydd y ddau ohonom yn cymdeithasu ac ymgomio.

Cofiaf gynrychioli tîm cynghrair Caernarfon yn erbyn tîm y Monwysion ar yr Oval yng Nghaernarfon. Chwip o dîm oedd tîm Sir Fôn a gynhwysai hogia Niwbwrch a blaenwr enwog Aberffraw, Owen John. O bosib mai hwn oedd y blaenwr cryfaf i mi erioed chwarae yn ei erbyn. Ni chaeodd ei geg am y chwarter cyntaf o'r gêm. Roedd ym mhobman yn gweiddi ar hwn a'r llall. Cefais lond bol.

'Hei chdi!' gan na wyddwn ei enw ar y pryd, 'I be' w't ti'n perthyn? I dîm ffwtbol ta blydi côr meibion?' Dechreuodd Owen John chwerthin a bu felly am y chwarter oedd yn weddill o'r hanner cyntaf. Dyna'r unig ffordd i'w arafu! Daeth y ddau ohonom yn gyfeillion, ac felly y parhaodd. Hyfryd oedd cael ei gwmni ar y rhaglen ddogfen a gyflwynais i gwmni teledu Eryri ar hanes 'Y Junior Cup' yn 1997.

Mae'r clwb pêl-droed yn Llanberis wedi bod yn rhan annatod o'r gymdeithas ers dros ganrif bellach. Bu'n llawn mor bwysig â'r neuadd bictiwrs, y neuadd snwcer, y *Whist Drive*, y cwt band, y cynulliad cerddorfaol a chorawl, y cymdeithasau llenyddol a mwy. Yr oedd yr un mor bwysig i mi yn blentyn â'r Ysgol Sul, *Y Band of Hope*, Yr Urdd a'r Aelwyd. Er gwaetha'r ffaith fod i'r gêm naws gythryblus ymdoddodd i mewn i gwmpawd y gymdeithas Gymreig. Yr unig dro mae cofnod iddi wrthdaro oedd yn nechrau'r ganrif, cyfnod Diwygiad 1904. Dengys cofnodion y clwb fod y gefnogaeth i'r gêm yn dechrau gwanhau yn y blynyddoedd ar ôl troad y ganrif. Yn wir, cyfrifid hi'n gêm mor aflan bryd hynny fel yr aeth rhai ati i ddwyn y 'kit' a'r pyst gôl a'u llosgi'n gyhoeddus ar gae Ffordd Padarn.

Byrhoedlog iawn fu'r gwrthdaro ac erbyn yr ugeiniau cynnar roedd y cefnogwyr yn ôl. Clywid y gri, *'Come on the Darans!'* yn aml ar gae Ffordd Padarn. Dewisiodd y cefnogwyr derm Beiblaidd ar eu harwyr. O'r Beibl y daw 'Meibion y Daran' sef disgrifiad o'r Boanerges, Ioan ac Iago meibion Sebedeus. Yn ôl Geiriadur Charles term oedd hwn a roddwyd ar y meibion gan Grist 'oblegid eu gwresogrwydd a'u hyfder, a'r gweithrediadau nerthol trwy eu gweinidogaeth.' Tybed ai mabwysiadu hyn wnaeth y cefnogwyr oherwydd fod eu harwyr yn danbaid, abl a nerthol? I gefnogwyr pybyr y tîm 'Y Darans' ydynt hyd heddiw er gwaetha'r ffaith fod prif noddwyr y clwb, Cwmni Trên yr Wyddfa, yn mynnu fod rheidrwydd arnynt i arddel y *'locomotive'* bondigrybwyll.

Y diweddar annwyl Athro Bedwyr Lewis Jones bia'r gair ola. Roedd yn enillydd 'Y Junior Cup' yn 1953 tra'n chwarae yn y gôl i Amlwch yn erbyn Niwbwrch. Arbedodd gic o'r smotyn yn y gêm honno. Flynyddoedd yn ddiweddarach gwahoddwyd Eurwyn Williams, gôl-geidwad a gynrychiolodd ei wlad fel amatur i fynd draw i'r Brifysgol ym Mangor i gael ei gyfweld gan Bedwyr.

'Dwi'n gweld ar y'ch ffurflen gais chi, Eurwyn, eich bod chi'n ddeilydd 'Y Junior Cup', meddai'r Athro hynaws.

'Ydw,' atebodd y darpar fyfyriwr.

'Da iawn chi. Pwysicach o lawar nag ennill gradd!'

Cytunaf innau'n llwyr â'r Athro!

Cwt Syms Tichars!

Ar ôl gadael coleg Caerdydd yn 1964 cefais fy nerbyn i wasanaethu fel athro cynorthwyol ar brawf gan Awdurdod Addysg yr hen Sir y Fflint. Roedd lle i mi mewn ysgol gynradd fawr yn nhref yr India roc a'r candi-floss – Y Rhyl.

Cyn estyn gair o groeso i mi hyd yn oed, manteisiodd Vincent Timothy, prifathro Ysgol Llywelyn, ar y cyfle i bwysleisio un ffaith bwysig. 'Dwi'n ymfalchïo, Mr Jones, fod pob un aelod o'm staff yn perthyn i'r NUT. Croeso i chi i Ysgol Llywelyn.' Be fedrwn i ddweud? Roedd angerdd a phendantrwydd ei gyfarchiad cyntaf yn awgrymu ei fod yn 'ddyn NUT' mawr. Y broblem oedd fy mod innau wedi treulio fy nrhydedd flwyddyn yn y coleg fel cynrychiolydd UCAC y myfyrwyr!

'Ydi hi'n bosib ymuno â dau undeb?' gofynnais iddo.

'Ydi, ond mi gostith yn ddrud i chi!' atebodd. Ond felly y bu, ac fe ymunais â'r NUT ac UCAC gan nad oeddwn yn dymuno cychwyn fy ngyrfa ar dir sigledig!

Cefais gychwyn da yn Ysgol Llywelyn. Dois i sylweddoli'n fuan iawn fod pennaeth ysgogol a theg wrth y llyw. Roedd egwyddorion addysgol Vincent Timothy yn syml a chadarn. Gwisgai'n drwsiadus a disgwyliai i'w athrawon ddilyn ei esiampl. Mynnai ein bod yn dangos cwrteisi a pharch tuag at ein gilydd bob amser, ac at y plant oedd yn ein gofal. Treuliais bum mlynedd yn yr ysgol ac ni chofiaf i mi gael eiliad o drafferth disgyblaeth, a hynny mewn ysgol o bron i chwe chant o blant. Ni chofiaf ychwaith dderbyn cwyn gan riant. Beth aeth o'i le mewn deugain mlynedd? Duw yn unig a ŵyr!

Cefais y cyfrifoldeb o ddysgu a threfnu chwaraeon drwy'r adran iau ynghyd â dysgu Cymraeg fel ail iaith. Talcen hynod o galed er mai hon oedd ysgol gynradd Ffred Ffransis!

Yr unig anhawster mawr gefais i yn yr ysgol oedd ceisio darbwyllo fy nghyd-athrawon mai tomatos drwg mewn gwesty yn Yr Eidal oedd yn gyfrifol am fy ngwaeledd ar ddechrau tymor yr hydref 1966 yn dilyn fy mis mêl! Bûm yn orweddiog ac egwan am bythefnos! Bu cryn dynnu coes gan fod Carys, a oedd wedi cychwyn ar ei dyletswyddau fel athrawes mewn ysgol gyfagos, yn holliach!

Cawsom fflat bychan a chlyd ym Mhrestatyn. Yn anffodus nid oedd y gymdeithas yn y dref wrth fodd calon dau o Gymry ifanc. Nid wyf yn cofio cyfarch na chael fy nghyfarch gan unrhyw un yn Grosvenor Road am dair blynedd. Ac eithro fy ffrindiau agos, teulu a'm cyd-weithwyr, Huw Williams yr hanesydd ac awdur *Tonau a'u Hawduron* a *Canu'r Bobol* oedd yr unig un a alwodd. Diolch amdano a thrysoraf ei ymweliad. Dim rhyfedd fod y ddau ohonom yn awchu am gael dianc bob penwythnos i Lanberis a Brynsiencyn. Ar ôl treulio bron i ddegawd i ffwrdd roedd y ddau ohonom am 'ddŵad adra'.

Yn 1968 cofiaf gael cyfweliad yn y gobaith o gael fy nerbyn i wasanaethu fel athro yn yr hen Sir Gaernarfon o flaen panel enfawr o gynghorwyr. Roedd yn hwyr yn y prynhawn arnaf yn cael fy nghyfweld a phan ddois i mewn i siambr y Cyngor Sir sylweddolais fod y rhan fwyaf o'r cynghorwyr yn pendwmpian ac ambell un o'r rhai hŷn wedi eu llethu gan flinder ac yn cysgu! Cefais dri chwestiwn i'w hateb, a thraethais cystal ag y gallwn i gynulleidfa oedd yn amlwg yn brin o amynedd ac yn dioddef o lesgedd corfforol a meddyliol. Nid oedd fy ngobeithion yn uchel wrth ymadael â'r siambr, ond fe'm dilynwyd gan yr unig foneddiges oedd yn bresennol yn y cyfweliad.

'Gair byr, Arwel,' meddai. 'Sut fasa chi'n hoffi rhedeg canolfan athrawon yng Nghaernarfon?'

'Wrth fy modd,' meddwn innau heb betruso na sylweddoli'n iawn beth oedd gwir ystyr ac arwyddocâd 'Canolfan Athrawon'. Dychwelyd i'm cynefin oedd yn bwysig. Ymhen yrhawg derbyniais lythyr swyddogol yn fy hysbysu fy mod wedi fy nerbyn i Sir Gaernarfon. Dilynwyd y llythyr gyda chyfarwyddyd i mi fynd i weld Mrs Eluned Ellis Jones, Prif Ymgynghorydd Ysgolion Cynradd ac Iaith y sir i drafod ymhellach y posibilrwydd o redeg Canolfan Athrawon Caernarfon. Ar ôl treulio prynhawn yn gwrando ar Eluned Ellis Jones yn esbonio oblygiadau'r swydd cefais fy nghyfareddu gan ei brwdfrydedd ac fe dderbyniais yr her. Yn fy holl ymwneud â byd addysg ni welais neb mwy ymroddedig a gweithgar na'r ymgynghorydd. Ei hunig gymorth gweinyddol ar y pryd oedd Miss Malan Roberts, a rhwng y ddwy llwyddasant i ymgodymu â gwaith y cymerodd ddwsinau o ymgynghorwyr, ynghyd â byddin o gynorthwywyr i'w wneud yn ddiweddarach!

Symudodd Carys a minnau i gartref fy rhieni yng

nghyfraith, Hugh a Megan Jones, Hafod, Brynsiencyn. Dyma gartref taid Carys, W.J. Jones, Brynfab, cyn-chwarelwr, bardd ac areithiwr o fri a ymgyrchodd mor frwd dros undebaeth ar Ynys Môn ac yn genedlaethol. Cawsai ei adnabod yn nechrau'r ganrif fel bardd un gerdd hynod boblogaidd a gâi ei hadrodd ar hyd a lled y wlad mewn cyngherddau ac eisteddfodau – 'Wil Phillip'. Er fy mod wedi fy nerbyn yn rhwydd gan y teulu roedd un gwahaniaeth mawr rhyngom. Galwai pawb ei gilydd yn 'chi', hyd yn oed Carys ac Elizabeth ei chwaer. Ni wyddwn i ar y pryd fod hyn yn arferiad cwbl naturiol i nifer fawr o deuluoedd ar yr ynys. Traddodiad teuluol ydoedd. Cofiaf Nain Hafod annwyl a thyner yn ceisio fy mherswadio i alw Carys yn 'chi'. Ond ofer fu ei hymdrech er na fynnwn ei siomi hi o bawb. Cofiaf cyn priodi gyfarfod 'Yncl Tud' am y tro cyntaf. Dyma hoff ewythr y teulu a brawd Megan. Trefnwyd i'w gyfarfod ym Miwmares. Daeth i mewn i'r car gan gyfarch pawb yn 'chi'. Yn sydyn daeth car ar gyflymdra rownd cornel un o strydoedd culion y dref a gwaeddodd Tudur gan chwifio ei ddwrn, 'Dos i'r ochor 'na, y rhech botal ddiawl!' Aeth Megan dan y sêt bron a Carys yn rhyw bwffian chwerthin, ond gwyddwn yn y fan a'r lle fod gen i ddarpar ewythr yng nghyfraith oedd ar yr un donfedd â mi! Yn wir daeth y ddau ohonom yn dipyn o lawia'.

Bu fy nheulu yng nghyfraith yn garedig iawn yn gadael i ni rannu eu cartref â nhw hyd nes y byddai ein tŷ newydd yn Llanrug wedi ei gwblhau. Cadwent siop fach ym mhentref Brynsiencyn a elwid 'Half Moon'. Peth dieithr iawn oedd gwyliau i berchnogion siop bryd hynny a chytunodd Carys a minnau i redeg y busnes am wythnos, fel y câi Hugh a Megan seibiant. Dyna'r tro cyntaf a'r tro olaf i mi wneud y ffasiwn beth! Yn ystod y diwrnod cyntaf rhedais allan o fara a hynny cyn i'r cwsmeriaid selog gael cyfle i'w prynu. Cefais fy hun wrth gownter Coparet y pentref yn prynu hanner dwsin o fara!

Yn yr Hafod yn 1969 yr oeddem pan anwyd ein plentyn cyntaf, Dafydd.

Erbyn hyn roeddwn wedi hen ymgynefino â'm dyletswyddau newydd o redeg Canolfan Athrawon yn rhan amser. Mynnodd yr awdurdod, yn erbyn ewyllys Eluned Ellis Jones, fy mod i ddysgu mewn ysgol leol am hanner diwrnod. Cefais fy anfon i wasanaethu yn y boreau i'm hen ysgol, Ysgol Dolbadarn, Llanberis. Er nad oedd pawb yn hapus o'm gweld yn ymuno â'r staff, teimlais serch hynny ryw gynhesrwydd cartrefol yno.

Problem fawr Stanley Owen, fy mhrifathro newydd oedd darbwyllo hogia'r ysgol fy mod yn athro, gan mai 'Arwel, ffwl bac Llanbêr' oeddwn ers sawl blwyddyn iddynt hwy! Byddai'r rhain yng nghae Ffordd Padarn bob Sadwrn yn fy nghefnogi! Cofiaf iddo bwysleisio yn y gwasanaeth boreol cyntaf o'r tymor wrth fy nghyflwyno i'r plant mai 'Mr', ie 'M i s t y r Jones' oedd yr athro newydd. Câi rhai hi'n anodd i dderbyn hyn. Cofiaf fynd at fy nghar yn yr iard yn ystod yr wythnos gyntaf.

'Hei, Arwel,' meddai llais o blith y plant, 'Ma 'mhêl i wedi mynd yn sownd o dan dy gar di!'

'Naci,' meddwn innau'n bwyllog ac awgrymog, 'mae fy mhêl i wedi mynd o dan eich car CHI!'

'Esu, naci o dan dy gar DI ma hi!'

Cyfaddawdu wnaeth Michael Griffiths a'i fêts yn y

diwedd gan fy nghyfarch yn yr ysgol ac wrth gario fy esgidiau i'r cae yn Sadyrnol fel Mistyr Arwel!

Yn ystod y cyfnod yma hefyd yr oedd amser gan athrawon i ymlacio'n addysgol. Ni olygai hyn eu bod yn gwastraffu amser ond yn hytrach ei ddefnyddio yn gadarnhaol i gyfoethogi byd addysg. Bûm yn dyst o hyn yn y Ganolfan Athrawon. Yn Ysgol Dolbadarn cefais y fraint o gydweithio ag athrawes a chyfeilles i gynhyrchu llyfr o ganeuon i blant. Roedd Eirlys Pierce (Williams bryd hynny) a minnau o'r farn fod plant yn dysgu barddoniaeth yn well ac yn ei werthfawrogi'n fwy drwy ei ganu. Aeth y ddau ohonom ati i gyfansoddi caneuon bach syml i rai o gerddi plant hyfrytaf yr iaith. Ffrwyth ein llafur oedd cyhoeddi, gyda chefnogaeth Prifathro yr ysgol a'r Prif Ymgynghorydd, lyfryn bychan yn dwyn y teitl *Ugain o Gerddi i Gyfeiliant Gitâr*. Profodd y cynnwys mor boblogaidd yn ysgolion Cymru fel y penderfynodd Cwmni Recordiau'r Dryw recordio plant yr ysgol yn canu rhai o'r caneuon ar ddisg hir. Yn y cyfnod yma y gwelodd alawon fel 'Titw Tomos Las'; 'Mr. Pwy a Ŵyr' a 'Gweddi Plentyn' olau dydd. Cafodd alaw Eirlys 'Ganwyd Iesu' ei recordio gan Hogia'r Wyddfa, Leah Owen a Trebor Edwards. Cyfnod cynhyrchiol iawn oedd y cyfnod hwnnw. Trist meddwl nad oes 'amser' gan athrawon y dyddiau hyn i gynhyrchu deunydd o'r fath.

Bu cryn arbrofi ym myd drama plant yn yr ysgol hefyd. Câi'r plant gyfle i'w cyfleu eu hunain drwy ystum a gwaith llafar gan arwain at greu eu dramâu eu hunain. Mae'r actores Rhian Cadwaladr yn cydnabod hyd heddiw mai dyma fagwrfa ei byd actio. Cofiaf gael gwahoddiad gan Adran Addysg y Brifysgol ym Mangor i fynd draw i roi sgwrs i'r myfyrwyr ar y testun 'Y Ddrama yn y Dosbarth'. Daeth criw o blant Ysgol Dolbadarn gyda mi. Roedd creu sgwrs ar y pryd yn rhan o'r addysg ac fe ddotiodd y gynulleidfa at ddawn David Griffiths. Nid oedd Dafydd wedi ei fendithio â dawn addysgol, ond am ddawn actio, nid oedd cyffelyb iddo. Roedd mor gartrefol ar lwyfan. Treuliodd ddeng munud da gyda phartner yn creu sgwrs ar y funud. Derbyniodd gymeradwyaeth fyddarol gan y myfyrwyr. Sylwais ar ddeigryn yn cronni yn llygaid ei Brifathro ac meddai wrthyf dan ei wynt, 'Mul Chesterton myn diawl!' Digon o waith fod Dafydd wedi dysgu *'Fools, for I also had my hour; One far, fierce hour and sweet...'* ond roedd yn ddisgrifiad perffaith ohono y diwrnod hwnnw. Orig fechan nas anghofiaf byth. Ni fyddai dawn addysgol Dafydd wedi bod o unrhyw gymorth i godi'r ysgol i frig cynghrair ysgolion heddiw, ond yr hyn sy'n drist ydi'r ffaith na fyddai ei ddawn siarad a'i actio creadigol wedi bod o gymorth chwaith. Un o'r doniau hynny nad ydynt ar restr blaenoriaethau y gyfundrefn addysg fondigrybwyll.

Roedd y Ganolfan Athrawon ar gampws Ysgol Gynradd Maesincla, Caernarfon a dyna lle y dois i adnabod 'hogia dre'! Roedd un ystafell yn llawn o offer mathemateg. Bu sawl un yn sbecian drwy'r llenni, a chofiaf Phyllis Elis, Prifathrawes Ysgol y Babanod ym Maesincla yn cyhoeddi fod y lle wedi ei fedyddio yn 'Cwt Syms Titchars'. Be yn well? Cefais innau yn fy nhro fy medyddio ganddynt. Roedd sawl un wedi fy ngweld ar y teledu.

'Hei, syr,' cyfarchodd un fi, 'dwi'n gw'bod be di'ch enw chi.'

'Sut?'

'Am bo fi di'ch gweld chi ar telifishion, ia!'

'Be ydi fy enw fi?' mentrais ofyn gan ddal fy ngwynt.

'Mr Wyddfa!' A Mr Wyddfa fûm i i sawl un ohonynt tra bûm yno.

Deuai un bachgen ataf yn aml i gael sgwrs ger drws y 'cwt syms' – Kevin. Gweithiai ei fam, Nancy Morgan, yng nghegin yr ysgol. Ychydig a wyddwn i ar y pryd y deuai'r bychan parod ei sgwrs yn fab yng nghyfraith i mi ryw ddydd!

Daeth fy nghyfnod yn Ysgol Dolbadarn i ben ymhen rhyw dair blynedd gan fy mod wedi derbyn dyletswydd ychwanegol i drefnu cyrsiau plant Coleg Glynllifon ar y cyd â Mrs Eluned Ellis Jones. Gwaith caled ond pleserus serch hynny. Profodd Plas Glynllifon, ynghyd â'i aceri o erddi hyfryd a'i goedwigoedd trwchus i fod yn fan delfrydol i gynnal y cyrsiau wythnosol hyn. Manteisiodd miloedd o blant yr hen Sir Gaernarfon a Gwynedd ar y profiadau a'r cyfleusterau a gynigiai'r hen blasty. Mwynhaodd nifer fawr o athrawon eu profiadau yno hefyd. Golygai fod ar ddyletswydd drwy'r dydd yn dysgu ac yna yn diddori'r plant drwy'r gyda'r nos hyd amser gwely. Fel y cofiai llawer, doedd y dyletswyddau ddim yn gorffen am ddeg o'r gloch y nos. Mynnai rhai plant wneud yn fawr o'u harhosiad yng Nglynllifon! Doedd cerdded coridorau'r hen blas am ddau o'r gloch y bore yn ceisio distewi preswylwyr ambell stafell ddim yn eithriad nac yn ddieithr i'r rhai oedd ar ddyletswydd.

Bûm ar ddyletswydd sawl tro fy hun yno a gwn pa mor

rhwystredig oedd cael eich deffro ganol nos i ddistewi criw o blant anystywallt oedd wrth eu bodd yn cael penrhyddid o gartref a hynny yn aml iawn am y tro cyntaf. Ond roedd rhaid cysuro'r rhai hiraethus yn ogystal. Pwy ddeudodd fod athrawon yn ei chael hi'n braf?

Ond roedd yn gyfnod braf i fod yn athro, a dyna pam o bosib fod athrawon yn fwy parod i wirfoddoli bryd hynny. Dyma gyfnod ewyllys da yn y proffesiwn, boed hynny ar gyrsiau neu ar gaeau chwaraeon ar foreau Sadwrn, ond rwy'n gwbl argyhoeddedig hefyd mai dyma gyfnod mwyaf cynhyrchiol y proffesiwn. Tyrrai'r rhan fwyaf o arthrawon i ganolfannau i gydweithio ar gyrsiau i greu a chynhyrchu deunyddiau addysgiadol. Dyma gyfnod creu sawl cynllun neu brosiect gan gynnwys y pwysicaf a'r mwyaf pellgyrhaeddol i ni yma yng Nghymru – Cynllun y Porth. Gwefr oedd cael bod yn rhan o'r holl fwrlwm addysgol bryd hynny.

Yr Hogia

Mae'n debyg mai yn ystod gwyliau haf 1964 y cychwynnodd 'gyrfa' Hogia'r Wyddfa o ddifrif. Er bod Elwyn, Myrddin a minnau wedi bod yn gyfeillion ers dyddiau ysgol, ac wedi canu mewn partïon a chorau gyda'n gilydd, bu'n rhaid disgwyl hyd adeg ein trip i'r Almaen cyn gwneud ein hymddangosiad cyntaf ar lwyfan fel triawd. Penderfynodd y tri ohonom, ynghyd â'n cyfaill Tegid o Waunfawr, ymuno â thrip Caelloi, Pwllheli i Koblenz, Gorllewin yr Almaen. Roedd y bws yn orlawn o Gymry a dechreuodd y canu cyn cyrraedd Dover! Yn ein plith, ac yn amlwg yn mwynhau'r cyfan yr oedd Aelod Seneddol Sir Gaernarfon, Goronwy Roberts a'i deulu. Roedd yn ysgrifennu colofn wythnosol i'r *Cymro* ar y pryd a bu mynych gyfeirio at yr 'hogia o Lanberis' yn ei erthyglau.

Ymunodd Dafydd, mab yr Aelod Seneddol â'r pedwar ohonom ac aethom i grwydro strydoedd Koblenz! Cawsom ein hunain mewn *Weingarten* anferth a chael bwrdd yn ymyl y llwyfan. Roedd band yno yn chwarae caneuon poblogaidd y cyfnod ynghyd â rhai o ganeuon gwerin y wlad. Ymunodd y pump ohonom yn y rhialtwch a'r canu. Ond yn ddisymwth daeth un o'r gweinyddion atom gan ein hannog i fynd ar y llwyfan i befformio.

'Fedra i ddim canu!' meddai Dafydd mewn panig.

'Na finna!' meddai Tegid mewn mwy o banig.

'Dim ots,' meddai Elwyn dan ei wynt, 'meimiwch!'

Lapiodd Elwyn, Myrddin a minnau o amgylch y meicroffôn gan ganu pennill cyntaf 'Myfanwy' – deirgwaith! Doedd neb yn y dorf enfawr yn gyfarwydd â'r geiriau ac ni welais neb yn sychu deigryn hiraethus, ond yn rhyfedd iawn fe apeliodd yr harmoni clos. Cafwyd encôr yn syth – ond gwrthod wnaethom ni oherwydd fod ein *repertoire* mor drybeilig o gyfyngedig ar y pryd. Gan fod ein harhosiad yn Koblenz dros ddwy noson, cytunodd y criw ohonom i ddod yn ôl y noson ganlynol ar yr amod eu bod yn cadw bwrdd inni. A dyna wnaed, gan addo y byddai ein *repertoire* yn fwy estynedig ac amrywiol.

Drannoeth daeth y gweddill o'r teithwyr i'n canlyn. Ac yno o flaen torf o tua tair mil o dramorwyr y canodd 'Triawd yr Wyddfa' sawl cân yn ddigyfeiliant. Llifodd y gwin Almaenig y noson honno. Deuai'r gweision â photel ar ôl potel ar ein bwrdd ac fe gymerodd pawb yn ganiataol mai cydnabyddiaeth am ein cyfraniad cerddorol oedd hyn. Tipyn o sioc i'r system ac i'r boced oedd derbyn y bil yn oriau mân y bore! Tipyn mwy o sioc oedd y ffaith i mi godi drannoeth gyda fy llygad dde yn ddu ac wedi cau ar ôl codwm ar risiau'r gwesty. Oedd, roedd y gwin a'r canu wedi mynd i'm pen!

Yng Ngwesty'r Padarn Lake, Llanberis y cawsom ein gwahoddiad swyddogol cyntaf i ganu, a hynny yng nghinio blynyddol y Blaid Lafur. Roedd Mrs Goronwy Roberts yn bresennol a chan ei bod ar fwrdd y cwmni teledu TWW ysgrifennodd lythyr i'n cyflwyno fel grŵp o leiswyr newydd. Daeth llythyr yn ôl yn ein gwahodd i anfon tâp. Tâp? Y broblem fawr oedd darganfod rhywun yn Llanberis bryd hynny oedd yn berchen recordydd tâp! Ar ôl holi a stilio am ddyddiau cafwyd ar ddeall mai'r unig berson yn Llanberis oedd yn berchen ar beiriant o'r fath, a hwnnw o safon, oedd fferyllydd hynaws a chymwynasgar y pentref, Ieuan Ellis Jones. Cytunodd 'Jôs' heb oedi i'n recordio, a chan ei fod yn gerddor o safon ei hun bu ei sylwadau a'i awgrymiadau o gymorth mawr i ni tra'n paratoi'r tâp. Anfonwyd y cynnyrch i'r cwmni, ac ymhen yrhawg fe'n gwahoddwyd i fynd i lawr i Gaerdydd i gael 'gwrandawiad'. Daeth Barry Thomas, gitarydd cymwys iawn o'r pentref draw hefo ni i gyfeilio. Yno i'n cyfarfod ac i wrando yr oedd Esme Lewis, Cyfarwyddwraig Cerdd o safon ac Owen Griffiths, Cynhyrchydd dymunol a chyfeillgar, a brodor o Frynsiencyn, Ynys Môn. Yno, hefyd, wrth y piano yr oedd Len Morris, gŵr sarrug yr olwg, yn llond ei groen ac yn sugno anferth o sigâr! Fyddai hi ddim tu draw i resymoldeb dychymyg i'w gymharu o ran pryd a gwedd i Winston Churchill!

'What's your first song?' gofynnodd Len Morris.

'We'll try 'The Carnival Is Over!' meddwn innau wrtho, gan deimlo ym mêr fy esgyrn o edrych ar ei ystum fod y carnifal drosodd cyn cychwyn! Rhoddodd gyfeiliant piano i ni, cyfeiliant llawn a phroffesiynol nad oeddem wedi ei brofi o'r blaen.

'Next!' meddai, ac fe gyflwynasom *'Jimmy Brown'*, *'Blowing in the Wind'* a *'Plaisir D'amour'* iddo. Y cwbl yn Saesneg! Yna bu distawrwydd llethol am rai eiliadau. Tynnodd y sigâr o'i geg.

'You're too bloody anaemic!' ebychodd rhwng pesych-

iadau. Yna distawrwydd drachefn. Er na wyddwn beth i'w ddweud, teimlais, serch hynny, ei fod yn disgwyl am ymateb. Yna mentrais.

'Sgiws me, can you tell us what "anaemic" is?'

Trodd ei gefn atom i esgus aildanio ei sigâr, ond rwy'n gwbl sicr hyd heddiw fod gwên lydan ar ei wyneb ac nad oedd y pwffian a glywais yn bwffian sigâr!

Yn dilyn ein perfformiad *anaemic* mae'n rhaid ein bod wedi plesio'r hen foi ac fe gawsom gynnig ymddangos yn wythnosol ar y rhaglen boblogaidd honno 'Tyrd i Ganu'. Ni fyddai'n agor y rhaglen bob wythnos gyda 'O, Siani, tyrd i ganu, tyrd i ganu, Siani fwyn…' Byddai Esme Lewis yn rhoi trefniadau o ganeuon gwerin i ni eu canu o wythnos i wythnos. Datblygodd ein hyder yn sydyn gyda band o gerddorion proffesiynol y tu cefn i ni. Yr unig siom o'n safbwynt ni oedd y ffaith nad oedd lle i Barry.

Agorodd y rhaglen sawl drws i ni. Teimlad y tri ohonom ar y pryd oedd fod y rhaglen wedi dod fymryn yn rhy gynnar, cyn ein bod mewn gwirionedd wedi sefydlu ein hunain. Roeddem yn enw cyfarwydd heb ganeuon y gallai cynulleidfa gysylltu â ni. Doeddan ni ddim hyd yn oed wedi cael cynnig gwneud record! Roedd angen gwneud rhywbeth, a hynny ar fyrder. Ynghanol bwrlwm canu y chwedegau cawsom ein hunain yn ddiddanwyr ar groesffordd, heb wybod yn union pa gyfeiriad i'w gymryd. Er ein bod eisoes wedi ymddangos ar deledu gwyddem yr un pryd na fyddai hynny ynddo'i hun yn sicrhau llwyddiant. Yn wir doeddan ni ddim gwell, ac nid gwaeth, o ran hynny, na'r degau o grwpiau canu a fodolai yn ystod y cyfnod cyffrous hwnnw. Fel yr awgrymai un o'n caneuon, roedd hi'n *'Blowing in the Wind'* arnom ar gychwyn ein gyrfa, a phetaem yn dilyn yr un trywydd yna byddai'r *'Carnival'* drosodd o fewn dim! Roedd angen i ni gyflwyno rhywbeth oedd yn wahanol ac, o wneud y 'rhywbeth gwahanol' hwnnw yn dda a derbyniol i gynulleidfa, yna byddai gennym fformiwla llwyddiant! Beth oedd y trywydd hwnnw oedd yn mynd i'n gwneud yn wahanol i grwpiau oedd wedi profi llwyddiant eisoes, grwpiau o'r gorffennol fel Triawd y Coleg, Hogia Llandygái a Hogia Bryngwran? Ac yna llwyddiant diweddarach grwpiau y byddai'n rhaid i ni gystadlu â hwy fel Hogia'r Deulyn, Y Pelydrau, Triban, Y Diliau, Y Perlau, Perlau Taf, Yr Henesseys, Tebot Piws, Sidan, Bara Menyn a llawer mwy. Roedd grwpiau yn codi fel madarch ar hyd a lled Cymru! Gwyddai Elwyn a Myrddin fy mod i yn ymddiddori ers dyddiau ysgol a choleg mewn barddoniaeth. Nid oeddwn fardd, er y rhoddwn fy llaw ddehau i fod yn un! Ond gwyddwn sut i werthfawrogi barddoniaeth. Clywai'r ddau fi'n adrodd ambell gerdd neu englyn ar fy nghof hyd at syrffed ar adegau.

'Pam nad ei di ati i osod rheina ar gân?' cofiaf Myrddin yn fy siarsio.

'Fedra i ddim gosod nodyn ar bapur,' brysiais i'w atgoffa.

'Cana nhw ar dâp,' awgrymodd, 'ac fe osodith yr Hen Êl a finna'r harmoni.'

Ac felly, yn ddigon syml a chyntefig, gyda'r recordydd tâp wrth law yn gymorth ac yn beiriant oedd yn darogan gwawr oes y dechnoleg newydd, y cychwynnodd ein siwrnai ar hyd llwybr y gobeithiem fyddai'n profi'n wahanol i lwybrau grwpiau eraill a ganai ar y pryd.

Roedd y tri ohonom yn awchu am sylw a llwyddiant, ond roedd un broblem yn aros. Homar o broblem a dweud y gwir! Doedd neb yn dymuno ein recordio, er ein bod yn brysur yn diddanu yn ein milltir sgwâr ac yn 'sêr teledu'! Doedd gan Qualiton na Teldisc ddim diddordeb ynom, ac nid oedd Joe Jones, Cwmni Cambrian, yn fodlon mentro. Ond daeth Dennis Rees i'r adwy, a diolch amdano. Roedd yn awyddus fel cyfarwyddwr Recordiau'r Dryw i recordio 'rhywbeth gwreiddiol, Cymreig a fyddai'n newydd a ffres ac yn adlewyrchiad o ganu ysgafn y cyfnod'. Hoffai ein syniad, ac felly y bu.

Dechreuais innau ar 'y busnas cyfansoddi'! Er bod tua hanner cant o ganeuon Hogia'r Wyddfa erbyn hyn yn cael eu priodoli i mi, gwrthodaf yn lân â chydnabod fy mod yn gyfansoddwr. Ni ddysgais erioed y grefft o gofnodi alawon drwy ddull y sol-ffa na'r hen nodiant. Ond gwyddwn, ym mêr fy esgyrn, wrth anwylo telyneg neu faled, a threiddio'n ddwfn i ddyfnderoedd ei gwneuthuriad fy mod yn darganfod miwsig. Clywais 'sŵn' surni gwrthryfelgar yn nhonnau gwyllt 'Aberdaron', 'sŵn' anobaith oedd sŵn 'Gwanwyn' T. Rowland Hughes i mi; roedd 'sŵn' wylofain, hiraethus, annisgwyl ym mhennill olaf 'Baled y Llanc Ifanc o Lŷn', ac roedd gan 'Tylluanod' Llwyncoed eu 'sŵn' eu hunain. Cerddoriaeth redi mêd ydi'r cerddi mawr i gyd. Peidied neb â cheisio fy narbwyllo i'r gwrthwyneb. Darganfyddwr oeddwn, nid cyfansoddwr.

Yr alaw gyntaf i mi ei darganfod oedd yn nhelyneg y diweddar Goronwy Prys Jones, 'Gŵr yr Ogof', a chyn-Gyfarwyddwr Addysg Ynys Môn. Dois o hyd iddi yn

Awen Môn, llyfryn yng nghyfres Llyfrau'r Dryw, fel mae'n digwydd, yn dwyn y teitl syml 'Olwen'. Cerdd goffa ydyw am Olwen Hughes o Gaergybi a fu farw yn gynamserol iawn o'r diciâu. Clywais sŵn ing y golled ynddi a daeth yr alaw, er mor syml ydoedd, i'r wyneb. Ymdynghedais ar y pryd pe byddwn yn cael merch rhyw ddydd y byddwn yn ei henwi'n Olwen, ac addewais hynny i deulu Olwen y gerdd. Cedwais at yr addewid hwnnw ar y 16eg o Ionawr 1971 pan anwyd Olwen Meredydd.

Yn fuan wedyn darganfyddais alaw yng ngeiriau Crwys, 'Caru Cymru'. Cyfansoddodd Elwyn alaw i hen eiriau Ceiriog, 'Bugail Aberdyfi' a lluniodd Rol Williams, Waunfawr eiriau Cymraeg i *'Blowing in the Wind'* a *'We Shall Not Be Moved'*. Rhyw chwarae'n saff oeddem gyda'r cyfieithiadau gan fod dylanwad canu Eingl-Americanaidd yn syrffedus o drwm ar ieuenctid Cymru fel ag y mae heddiw, gwaetha'r modd. Ond roedd gennym ddigon o ganeuon a'r rheiny wedi eu dysgu'n ddigon caboledig i'w cynnwys ar ddisc.

Ychydig cyn achlysur recordio ein disc cyntaf ymunodd Vivian Williams â ni. Trigai Vivs drws nesaf i Myrddin yn Stryd y Dŵr, Llanberis. Roedd wedi mwydro'i ben â'r gitâr! Ei gyngerdd cyntaf oedd yn Neuadd y Dref Cricieth yng ngwanwyn 1968. Ymddangosodd ar y llwyfan gydag un llaw mewn cadachau trwchus. Sefyllfa anffodus i gitarydd! Cael a chael wnaeth o i gyrraedd y neuadd gan ei fod wedi treulio hanner y diwrnod hwnnw yn yr ysbyty ym Mangor yn pwytho rhannau o'i fysedd. Llithrodd *drill* tros ei fysedd, ond yn fwy poenus, suddo iddynt a'u rhwygo. Daeth cyfnod 'Triawd yr Wyddfa' i ben y noson honno.

Felly, aeth 'Hogia'r Wyddfa' draw i hen Neuadd y Penrhyn, Bangor yng Ngorffennaf 1968 i wneud y record gyntaf fel y byddai allan cyn Eisteddfod Y Barri. Ond siom oedd y broses recordio. Peiriannau cyntefig iawn ddaeth Dennis Rees a Dafydd Evans hefo nhw y diwrnod hwnnw. Bron na ddeudwn y byddai recordio yn nhŷ 'Jôs Chemist' wedi bod yn fwy addas! Roedd safon y sain ar y record honno yn adlewyrchu safon y cynhyrchu. A bod yn deg, roedd ein brwdfrydedd ninnau hefyd wedi goresgyn hynny o broffesiynoldeb a berthynai i ni. Bu Dafydd am awr yn ceisio darganfod o ble y deuai'r sŵn tincial estronol ar y recordiad cyntaf er mwyn ei ddileu. Gollyngdod i bawb oedd darganfod mai Elwyn oedd yn chwarae hefo'i arian yn ei boced tra'n canu! Ond ar ddiwedd y dydd roedd gan Hogia'r Wyddfa record! Er na lwyddodd i gynhyrfu fawr neb, llwyddodd yn rhyfeddol i gyrraedd y trydydd safle yn siart *Y Cymro*, tu ôl i Mary Hopkins a Tony ac Aloma! Roedd rhywrai yn rhywle yn prynu ein recordiau!

Erbyn Tachwedd yr un flwyddyn roedd record arall o'n heiddo ar y farchnad – 'Y Tylluanod'. Ymhelaethaf yma gan fod y record hon wedi bod yn allweddol yn llwyddiant Hogia'r Wyddfa. Fe'm denwyd at y 'delyneg natur' fawr yma am sawl rheswm. Robert Williams Parry oedd fy hoff fardd; treuliodd gyfnod fel athro Saesneg yn fy hen ysgol ramadeg yn nechrau'r ganrif; yno tra'n lletya ym Mryn Derw, Brynrefail y lluniodd Awdl yr Haf, ac yno hefyd tra'n oedi ar noson olau ar y 'bont yn wag sy'n croesi'r dŵr difwstwr ym Mhen Llyn' y clywodd hwtian oer tylluanod Llwyncoed, Cwm-y-glo. Clywais y 'sŵn' fy hun a theimlais yr ias yng nghalon bardd oedd yn ofni'r nos yn fwy na dim. Gwyddwn na fyddai'r alaw ei hun yn cynhyrfu neb yn unman a mentrais yn fy haerllugrwydd yn fwy na'm doethineb i ychwanegu y 'Tw-whit, tw-hw' bondigrybwyll yna rhwng y penillion. Erbyn hyn hefyd yr oedd aelod arall i Hogia'r Wyddfa – Richard Huw Morris o Gaeathro. Fe'i gwahoddwyd i osod cefndir piano i'r record. Dyma un o gyfeilyddion gorau'r fro ar y pryd, ond yr hyn a'i gosodai ar wahân oedd y ffaith fod ganddo'r ddawn i ymateb i'r awyrgylch a greai cerdd dda a hefyd i'r 'stori tu ôl i'r gân'.

Pan glywais y cynnyrch gorffenedig am y tro cyntaf fe'm trawyd â phangfeydd o euogrwydd. A oeddwn wedi mynd gam yn rhy bell? Beth fyddai Williams Parry ei hun wedi ei ddweud? Ni fu'n rhaid i mi aros yn hir am yr ateb. Ar derfyn cyngerdd yn y Stiwt yn Rhosllannerchrugog daeth boneddiges i'm cyfarfod ar y corridor tu cefn i'r neuadd.

'Arwel, ga i gyflwyno fy hun i chi?' meddai.

'Ar bob cyfri,' meddwn innau, heb ddisgwyl y sioc oedd i ddilyn.

'Myfanwy ydw i.'

'O, ia!'

'Myfanwy Williams Parry!'

Pan glywais y cyfenw mi fferrodd fy ngwaed, teimlwn bigau mân yn esgyn hyd at fy ngwegil. Doedd bosib fy mod yn siarad â gweddw Bardd yr Haf? Daliais fy anadl.

'Mi fyddai Bob wedi gwirioni clywed y Tylluanod!' ychwanegodd gan wasgu fy llaw yn dynnach. O'r eiliad sanctaidd honno sylweddolais nad gimic i werthu recordiau fyddai ein dyletswydd fel grŵp o hyn allan, ond cyfrwng i wasanaethu a diwallu cenedl oedd yn awchu i glywed yr iaith ar ei gorau.

Grŵp ein milltir sgwâr oeddem cyn rhyddhau'r 'Tylluanod'. Ond yn sydyn dechreuodd gohebiaeth ein cyrraedd o bellafoedd Cymru yn ein gwahodd i ddiddori. Cofiaf yn dda dderbyn llythyr o Rydlewis yn Sir Aberteifi, a phendroni lle ar wyneb daear Gwalia oedd y fan honno. Dyna ein galwad gyntaf tu allan i'n cynefin, a dilynodd myrdd.

Cofiaf yn dda chwarae i Lanberis yn rownd derfynol Cwpan Amatur Gogledd Cymru yn erbyn Tref Dinbych ar faes Parc Eirias, Bae Colwyn ar derfyn tymor 1967-68. Digwyddais faglu un o'u harwyr yn gynnar yn y gêm! Yn anffodus cyflawnais yr anfadwaith trwsgwl union o flaen cefnogwyr 'y dref'a dechreuodd y bygythiadau. Roedd y rhan fwyaf am fy anfon yn ddiseremoni dros fy mhen a'm clustiau i deyrnas y gŵr drwg ei hun, tra haerai eraill mai o'r fangre honno y deuthum – a hynny'n ddi-dad! Ond symudodd un cymeriad boldew, bochgoch yn nes ataf gan bwyntio bys fel sosej i'm cyfeiriad, a chlywaf ei lais yn taranu y funud hon, 'Cim bwyll, y Gwdihw ddiawl!' Syfrdan y safodd yntau! Doedd bosib fod hwn yn fy adnabod? Roedd tref Dinbych yn llawer rhy bell o'm cynefin. Cofiaf frysio yn ôl i Lanberis ar derfyn y gêm i ddathlu ein buddugoliaeth o dair gôl i ddim, i ddrachtio o'r cwpan ac i drosglwyddo'r wybodaeth syfrdanol i Elwyn a Myrddin fod pobl 'Dinbach' wedi gwirioni hefo Hogia'r Wyddfa! Daeth yn ddydd pwyso a mesur fy nyfodol – daeth yn ddydd i mi ddewis rhwng fy nhraed a'm laryncs.

Saethodd y record i frig y siartiau gan lusgo 'Caru Cymru' yn ei sgil. Cyhoeddodd Huw Evans yn *Y Cymro* – 'Cystal â dim ers dyddiau Triawd y Coleg.' Clod os bu un erioed. Fe'n gwobrwywyd gan Gwmni'r Dryw drwy gyflwyno disc arian i ni am 'werthiant sylweddol iawn'. Dyma'r record gydnabyddiaeth gyntaf erioed i gael ei chyflwyno yng Nghymru.

I goroni'r cyfan, yn dilyn cyngerdd yng nghyffiniau Llanymddyfri daeth Joe Jones, perchennog cwmni recordiau Cambrian a pherchennog tir ar lan Afon Tywi ataf. 'Arwel bach,' meddai, 'mae croeso i ti unrhyw adeg fynd i lawr ar fy nhir i bysgota Tywi!' Ysgwn i pam?

Y Blynyddoedd Lloerig

Yn dilyn rhyddhau 'Y Tylluanod' fe newidiodd byd Hogia'r Wyddfa'n gyfan gwbl. Fe esgorwyd ar gyfnod eithriadol o brysur, cyfnod nad oedd modd i ni ei reoli. Roedd galwadau am ein gwasanaeth yn dod o bob rhan o Gymru a thu hwnt. Elwyn fyddai'r cysylltwr ar y dechrau, ond aeth y cyfan yn drech nag o, ac fe drosglwyddwyd y gwaith i Carys. Bu hithau am gyfnod, tra'n magu Dafydd, yn llythyru a threfnu ar ein rhan. Nid oedd modd cyflogi asiant! Ehangodd poblogrwydd Hogia'r Wyddfa yn sydyn o fod yn 'grŵp y filltir sgwâr' i fod yn grŵp cenedlaethol gyda phroffil uchel iawn. Yn wir sefydlwyd Clwb Ffrindiau Hogia'r Wyddfa gan Barbara Davies o Landegfan. Cefais fy hun yn trafaelio miloedd o filltiroedd mewn cyfnod byr, yn ymddangos yn rheolaidd ar raglenni teledu megis Sgubor Lawen a Disc a Dawn, a chael gwahoddiad i gyflwyno ein rhaglenni ein hunain. Rhaid cofio fod y pump ohonom yn dal swyddi parhaol yn ystod y dydd a chan fod y ffi perfformio mor bitw nid oedd modd mynd yn broffesiynol.

Bu'r car yn gyfrwng pwysig i Hogia'r Wyddfa. Nid yn unig yr oedd yn gyfrwng i'n hebrwng o le i le ond roedd hefyd yn fangre i drafod eitemau, dysgu caneuon, dweud jôcs (ambell un yn ddigon gweddus i'w dweud ar lwyfan!), llunio sgetsys, cyfeillachu a ffraeo weithiau.

Dyfeisiwyd ambell gêm i'n cadw'n ddiddig ar deithiau hirfaith, rhai ohonynt yn gemau geiriol eithaf dyrys tra byddai eraill yn ymylu ar fod yn elfennol iawn ac yn annhebygol o gael eu cynnwys ym maes llafur Ysgol Feithrin hyd yn oed! Dysgodd y pedwar ohonom y gyfrinach o siarad drwy gyfrwng y *back-slang*! Gallem gyfathrebu â'n gilydd mewn cwmni o Gymry hyd yn oed heb i undyn byw ein deall! Gallai Vivian ganu ambell gân drwy'r cyfrwng cymhleth. Byddai'n diddanu pawb â'i ddehongliad rhyfeddol ond ansoniarus o Bysus Bach y Wlad –

> 'I-Ni allwn-a eidio-be otio-do oeliwch-co i-ni,
> At-a ysus-by ach-ba y-y ad-wla'!

Y gwreiddiol wrth gwrs yw dwy linell agoriadol cerdd Rol Williams –

> 'Ni allwn beidio dotio, coeliwch ni
> At fysus bach y wlad!'

Gweithiwch o allan – mae'n hwyl! Byddai Hywel Gwynfryn a'r diweddar Charles Williams a'i fab Idris yn gallu gwneud hynny – yn ara deg! Ond bu'n gyfrwng i fwydro pen sawl un gan gynnwys Dewi Pws. Tipyn o gamp!

Cofiaf fedyddio Vivs yn 'Arch-facslangiwr' Cymru am nad oedd obaith iddo fod yn Archdderwydd! Doedd geiriau'r caneuon ddim mor bwysig iddo bryd hynny. Safai'r ddau ohonom un noson braf uwchlaw traeth rhamantus Tre-saith yng Ngheredigion.

'Meddylia, Vivs, fod Cynan wedi sefyll yn fan 'ma,' meddwn wrtho mewn rhyw oslef farddonllyd er mwyn ceisio creu awyrgylch, 'ac wedi ei gyfareddu hefo'r olygfa gymaint fel y canodd – "Beth sydd i'w weled yn Nhresaith ym min yr hwyr?"'

Ymestynnodd Vivs am ei ffags, 'Wel, a deud y gwir wrthat ti, Jôs, wela i uffar o ddim byd ond *sand*!'

Dydi pawb ddim yn gwirioni 'run fath – a diolch am hynny.

Ond roedd pethau'n gallu mynd dros ben llestri go iawn yn y car ar brydiau. Fy nhwrn i oedd bod wrth y llyw un noson ar ôl canu yng Nglwb Golff Rhosneigr, Ynys Môn a doedd wiw cyffwrdd diferyn. Roedd y tri arall, Elwyn, Myrddin, a Vivs wedi bod am gyfnod go faith yng nghwmni'r 'hen Joni Walker' yn ceisio ymlacio ar ôl teirawr dda o ddiddanu! Yn syth ar ôl cyrraedd y car cychwynnodd Vivs drafodaeth na ellir ei disgrifio yn drafodaeth ddofn academaidd na hyd yn oed call ond roedd y cwestiwn agoriadol yn ogleisiol, 'Os ydi cŵn yn cwna pan ddaw'r awydd, be ma cathod yn ei wneud?'

'Catha – siŵr dduw!' oedd eglurhad tafod-dew 'Rhen Êl o'r cefn. A dyna gychwyn ar restru degau o anifeiliaid ynghyd â'u harferion rhywiol! Daeth esboniadau rhyfedda o'r cefn, yn amrywio o 'eliffanta' i 'cangarŵa' ac o 'pelicana' i 'cocatŵa' a hynny hyd at syrffed i'r unig un sobor yn y car! Ond wrth groesi Pont y Borth yn oriau mân y bore daeth y perl o enau Vivs eto. 'Be' ma' *minnows* yn neud ta?'

'Be?' meddwn inna'n ddiamynedd erbyn hyn.

'Minnosota!'

Am ryw reswm gogleisiodd yr ateb fi a dechreuais chwerthin yn afreolus. Powliai'r dagrau o'm llygaid, cefais gipolwg ar drwyn car plismon ar lôn Treborth ac am reswm anesboniadwy arall penderfynais anwybyddu y gylchfan ger yr 'Antelope'. Ymhen hanner milltir roedd golau glas yn fflachio y tu ôl i mi. Sobrodd pawb! Ymhen eiliad roedd Sais ifanc o blismon ger fy ffenestr yn llowcio nwyon amhersawr 'ôl-sesh' i'w ysgyfaint cyn fy nghyfarch gyda'i *'Good morning, sir, can I ask you a simple question?'* Gwyddwn fy mod yn berffaith sobor ond y broblem oedd ceisio ei ddarbwyllo pam y bu i mi anwybyddu'r gylchfan. Ni fu'n rhaid i mi wneud hynny. Daeth llais arall o'r tywyllwch, 'Dew, Hogia'r Wyddfa.' Ymddangosodd y sarjant.

'Do you know who they are?' gofynnodd i'w gydymaith. Ni ddaeth ateb, roedd yr olwg ddryslyd ar ei wyneb yn ddigon a diflannodd i'r nos. Ar ôl adrodd stori'r cyngerdd ac esbonio i'r sarjant fod gyrrwr Hogia'r Wyddfa bob amser yn sobor, ac ymddiheuro mai blinder oedd yn gyfrifol am yr amryfusedd ger y gylchfan, fe'n rhyddhawyd. Ond fel roedd y car ar fin ailgychwyn am adre' daeth cnoc ar y ffenestr – y sarjant unwaith eto. Gwthiodd ddarn o bapur i mi gan ychwanegu, 'Fasa chi ddim yn meindio seinio hwn i'r genod 'cw?' Pleser a gollyngdod oedd cael gwneud hynny!

Daeth aelod o'r heddlu i'm hachub yn Llanrhaeadr-ym-Mochnant un noson hefyd. Roeddwn wedi gadael goriad y car yn fy 'siwt canu'. Gan mai Myrddin fyddai Meistr y Gwisgoedd bryd hynny taflodd y siwtiau i'w gar ei hun gan gychwyn yn chwys domen i gyfeiriad Llanbedr Pont Steffan lle trigai ei gariad – Rosalind. I gyfeiriad Llanberis yr oeddwn i Elwyn a Vivs am fynd tae gennym allwedd i gychwyn y fan. Yn anffodus roedd hwnnw ar ei ffordd i Lanbed ers hanner awr ym mhoced fy siwt. Daeth plismon y pentref atom a chyda gwên lydan ar ei wyneb gofynnodd a oedd gan un ohonom bisin tair ceiniog. Roedd un ar gael – dim ond un! Aeth o dan y bonat a gosododd y darn pres yn daclus rhwng dwy ffiws, ac ar ôl gwthio'r fan fe daniodd yr injian.

'Os arhosith y pisin tair yn ei le mi fyddwch yn iawn!' oedd ei gyfarchiad cyn i ni gychwyn dros unigeddau'r Berwyn.

'Fel yna ma' rhen lafna 'ma yn dwyn ceir y dyddia yma', ychwanegodd, 'ond peidiwch â deud wrth neb mai fi ddeudodd.' Aeth pob twll a thro yn y ffordd at fy nghalon y noson honno – ond diolch i'r heddwas a'r pisin tair fe gyrhaeddwyd adref yn ddiogel.

Er yr holl drafaelio, unwaith yn unig y cawsom ddamwain a diolch i'r Gwaredwr am hynny. Fi oedd wrth y llyw y noson honno hefyd. Roeddem wedi bod yn cadw noson yn Llanuwchllyn, ni ac Idris Charles. Byddai Idris yn arwain cryn dipyn o'n nosweithiau llawen a daethom yn gyfeillion agos. Roedd yn noson hynod o aeafol ac eira ffres wedi disgyn tra oeddem yn diddanu. Penderfynwyd mynd yn ôl, yn gam neu'n gymwys, drwy ardal Cwm Tirmynach ac ymuno â'r A5 ger Cerrigydrudion. Teithiai Elwyn, Myrddin a minnau yn y car cyntaf gydag Idris a Vivs yn dilyn yn yr hen MG bach.

Ar ôl dau stop bach, un i ymweld â Bet a Gwyn Davies yn Y Bala, a'r llall i daflu peli eira at ein gilydd rywle tua Tai'r Felin, wrth ddod i lawr y rhiw a arweiniai at yr A5 yn ddigon gofalus aeth fy nghar i sglefr nad oedd modd ei reoli. Plymiodd i mewn i'r gwrych gan stopio ym môn coeden dderw ac aeth popeth yn dywyll a distaw am funud neu ddau. Yna clywais rywun yn griddfan y tu allan! Agorais fy nrws ac ymwthiais allan. Ymhen eiliad roeddwn yn llithro yn afreolus unwaith eto i lawr llethr serth i'r cae islaw. Cymerodd funudau i ni ddod o hyd i'n gilydd. Mae'n rhaid ein bod wedi colli rheolaeth o'n synhwyrau am gyfnod gan nad oes gennyf gof hyd heddiw sut y ffeindiais fy ffordd yn ôl at y car. Nid oedd Myrddin yn gallu dirnad sut y bu iddo ddod ato'i hun yn gorwedd ar y ffordd, mwy nag oedd gan Elwyn unrhyw syniad lle roedd pan ddeffrôdd o drymgwsg yn dal i eistedd yn y sedd ôl gydag anferth o lwmp ar ei ben! Clywsom leisiau yn dod o gyfeiriad gwaelod y rhiw. Idris a Vivs. Roedd sŵn panig yn y lleisiau, roedd y ddau wedi gweld ein car ym môn y goeden ond wedi methu â stopio gan mor llithrig oedd y ffordd. Doedd dim amser i'w wastraffu gan na wyddem pa mor ddrwg oedd ein hanafiadau. Fe'n gwthiwyd i gefn yr MG gan anelu am Gerrigydrudion i hysbysu'r heddlu o'r ddamwain. Roedd y plismon allan ond fe adawsom y manylion gyda'i wraig. Aeth Idris â ni i'r uned ddamweiniau yn yr hen Ysbyty C&A ym Mangor.

'Be ddiawl 'da chi wedi bod yn neud yn y'ch oed a'ch amsar? 'Da chi 'di newid dim ers pan oeddach chi'n yr ysgol!' Dyna gyfarchiad y *Sister* ar ddyletswydd i ni. Digwyddai June gydoesi â ni yn Ysgol Brynrefail. Fûm i rioed mor falch o weld hen ffrind!

Ar ôl i'r meddygon ein trwsio a'n twtio drwy oriau mân y bore fe'n rhyddhawyd i fynd adref am seibiant. Ond erbyn naw o'r gloch yr un bore bu'n rhaid inni ei heglu hi am Glwb Penisarwaun ar gyfer ymarferiadau rhaglen deledu a fyddai'n cael ei recordio y noswaith honno! Defnyddiwyd trwch go dda o golur i guddio'r creithiau oedd ar fy wyneb, parhai Elwyn i fod mewn arall fyd ac am y recordiad yn unig y caniatawyd i Myrddin dynnu ei goler feddygol. Ef a ddioddefodd fwyaf gan iddo gracio fertebra a chleisio pont yr ysgwydd. Roedd pob nodyn uchel yn boenus iddo y noson honno!

Bu plismon Abergynolwyn yn dipyn o dramgwydd i mi. Roedd gennym sgets yn cogio olrhain dechrau Hogia'r Wyddfa. Byddai Elwyn, Myrddin a Vivs ar y llwyfan yn rhyw geisio canu – ond yn aflwyddiannus. Byddai angen un llais arall i gwblhau'r triawd lleisiol. 'Ysgwn i a fyddai rhywun yn y gynulleidfa yn fodlon ymuno â ni?' fyddai awgrym Elwyn i Myrddin. Dyna'r rheswm pam y byddwn i yn dod i mewn o gefn y neuadd wedi fy ngwisgo mewn dillad trempyn. Roedd yn dipyn o ddychryn i'r gynulleidfa pan fyddwn yn gweiddi o'r cefn mewn atebiad i gais Elwyn am wirfoddolwr. Y noson arbennig yma roedd neuadd Abergynolwyn dan ei sang. Roedd torf fawr y tu allan i'r neuadd ac yn y cyntedd. Roedd angen i mi wthio fy ffordd i mewn, ac mi fentrais. O fewn llathen i'r drws gafaelodd rhywun yn fy sgrepan. Plismon y pentref. Fe'm llusgwyd allan. Ceisiais esbonio iddo.

'Mae'n rhaid i mi gael mynd i mewn, dwi'n un o Hogia'r Wyddfa!'

'Wyt mae'n siŵr,' atebodd, 'a *Dixon of Dock Green* ydw inna hefyd – o'ma!'

Dipyn o sioc i Elwyn a Myrddin oedd fy ngweld yn cyrraedd y llwyfan o'r ochr am y tro cyntaf erioed a hynny ar ôl methu'r ciw!

Ond hwyl diniwed oedd hyn i gyd ynghanol y cyfnod

mwyaf lloerig yn fy mywyd. O edrych yn ôl gallaf ymfalchïo yn llwyddiant Hogia'r Wyddfa, ond ar y llaw arall daw ambell foment yn ôl i'r cof sy'n peri i mi hyd yn oed heddiw ffromi a chywilyddio.

Daw hanner cyntaf 1969 â'i atgofion sur yn ôl. Dyma flwyddyn yr arwisgo wrth gwrs. Fel hogyn ifanc oedd wedi ei ddwyn i fyny ar aelwyd gwbl Gymreig ac mewn ardal sosialaidd iawn nid oedd yr achlysur wedi fy nghynhyrfu fawr. Ers dyddiau coleg roeddwn yn genedlaetholwr ond nid yn ddigon pybyr ac egnïol i fynd allan o'm ffordd i brotestio. Dyma pam y derbyniais, ynghyd â'r pedwar aelod arall, wahoddiad i ddiddanu ym Mhlas Glynllifon noson yr arwisgo, a hynny o flaen y dorf fwyaf crachaidd, di-hid ac anghwrtais a welais erioed. Roedd rhai yn y dorf yn eilunod y Cymry ar ôl manteisio ar lwyfannau breision Llundain. Beiaf fy hun erbyn hyn am gytuno i fynd i'r fangre uffernol i daflu perlau'r iaith Gymraeg dim ond i'w sathru dan draed y moch. Ond daw'r achlysur yn ôl i'r cof yn llawer rhy aml i brocio cydwybod ac i'm dilyn yn hunllefus. Ni chenais 'Safwn yn y Bwlch' erioed gyda chymaint o arddeliad. Ond doedd neb yn gwrando! Os oedd gennyf fy amheuon am genedlaetholdeb cynt fe'u hyrddiwyd i'r pedwar gwynt y noson honno. Erbyn Tachwedd yr un flwyddyn fe newidiodd pethau: fe anwyd Dafydd ein plentyn cyntaf ac aeth 'pantomeim yr arwisgo' i ebargofiant! Tybed a fyddai gan y Cymro bychan penddu yma fwy i'w gynnig i'w genedl na'r giwed a ymgasglodd yng Nglynllifon y noson honno?

Yn rhyfedd iawn yn 1971 daeth gwahoddiad i Hogia'r Wyddfa droedio un o lwyfannau enwocaf Llundain os nad y byd – yr Albert Hall. Roedd Cymry Llundain am ein cael i ddathlu gŵyl ein nawddsant. Dipyn callach dathliad na sefydlu Sais yn 'dywysog Cymru' a hynny yng Nghaernarfon! Bu'n rhaid cychwyn am brifddinas Lloegr yn gynnar iawn fore Sadwrn gan fod Hogia'r Wyddfa wedi derbyn gwahoddiad gan drigolion Rhyd-ddu i'w diddanu ar y nos Wener. Sôn am wrth-gyferbyniad. Roedd tua hanner cant wedi eu gwasgu i mewn i un o'r neuaddau lleiaf i ni berfformio ynddynt erioed ar y nos Wener, ac wyth mil wedi llenwi pob sedd yn y neuadd fwyaf i ni berfformio ynddi ar y nos Sadwrn! Roedd ein stafell newid yn Neuadd Albert yn fwy na neuadd Rhyd-ddu! Ond does dim gwobr i'w gael am ddyfalu pa un o'r ddwy neuadd yr oeddem fwyaf cartrefol ynddi.

Teithiodd llond dau fŷs o gefnogwyr o ardal Llanberis i lawr i Lundain y penwythnos hwnnw. Daeth criw o'n ffrindiau o Landysul draw i'r cyngerdd yn ogystal. Treuliwyd y prynhawn yn crwydro Soho. Meddiannwyd un clwb dinoethi gennym ac yno y buom yn ceisio ymlacio a thynnu ar y diddanwyr. Llanwyd y lle â miri Cymreig gydag acenion Ceredigion yn gymysg ac acenion Arfon. Anodd gwybod erbyn y diwedd pwy oedd yn diddori pwy!

Daw llu o atgofion am neuaddau ar hyd a lled y wlad. Bychain oeddynt ar y cyfan gyda'r cyfleusterau'n elfennol iawn yn y rhan fwyaf ohonynt. Cael yr artistiaid i ymddangos oedd yn bwysig, a hynny mor rhad ag oedd modd. Beth oedd ots am feics, goleuadau llachar na hyd yn oed piano a honno mewn tiwn? Llenwi'r lle a gwneud elw oedd y nod. Credaf hyd heddiw na chafodd artistiaid fy nghyfnod i y chwarae teg a haeddent. Diolch am agwedd trefnu ychydig mwy proffesiynol erbyn hyn.

Cofiaf gyrraedd un neuadd i lawr yn y de a'r biano wedi ei chloi. Doedd dim posib' ei hagor gan fod y gofalwr wedi mynd ar ei wyliau! Eisteddodd Richard yn y gwesty yn darllen papur drwy'r gyda'r nos. Neidiodd nodau allan o biano arall wrth i Richard chwarae bariau cyntaf 'Aberdaron'. Yn neuadd Aberdaron ei hun fe'n bombardiwyd gan wenoliaid oedd yn nythu yn nenfwd y llwyfan. Golygfa ddoniol oedd honno wrth i'r tri ohonom blygu yn ein hanner ar ganol cân bob tro y dôi'r peilotiaid Camicasi pluog amdanom! I lawr y ffordd yn neuadd to sinc Sarn Mellteyrn bu'n rhaid i ni adael y llwyfan yn gyfan gwbl yn ystod storm o genllysg – chlywai neb ni! Yn neuadd Llanddarog bu'n rhaid i ni ganu yng ngolau canhwyllau a lampau paraffin gan fod storm wedi chwythu'r ffiwsys. Profiadau amheuthun, ac a fyddai wedi bod o fudd i ambell grŵp ac artist yn y cyfnod hwnnw a oedd wedi defnyddio'r cyfryngau torfol yn unig fel cyfrwng i hysbysebu eu bodolaeth!

Erbyn 1972 roedd y gofynion am ein gwasanaeth a'r byrdwn ar ein bywydau personol wedi mynd yn llwyr allan o reolaeth. Roedd ein dyddiadur yn dyst o'r galwadau lluosog a'r straen arteithiol a fyddai'n gysylltiedig â nhw. Am dri mis cyn cyhoeddi'r 'ymddeoliad' sydyn llwyddais i gael tair nos Sul gartref yng nghwmni fy nheulu. Profiad hunllefus arall sydd wedi fy nilyn fel cysgod ar hyd y blynyddoedd. Roedd Dafydd ac Olwen yn prysur golli eu hadnabyddiaeth o'u tad a gosodais fy mywyd priodasol dan straen. Gwas y genedl oeddwn yn hytrach na gŵr a thad. Ym mis

Mawrth 1972 gwnaed y cyhoeddiad fod Hogia'r Wyddfa yn rhoi'r ffidil yn y to ymhen blwyddyn. Fe wnaethom ystyried cwtogi'r galwadau ond fe fyddai derbyn rhai a gwrthod eraill yn anodd iawn. Rhaid oedd rhoi'r gorau iddi'n gyfan gwbl neu ddim.

Roedd yr ymateb i'n cyhoeddiad yn anhygoel. Roedd pawb ym mhobman yn dymuno cael un cyngerdd cyn cau pen y mwdwl. Roedd Cymry Llundain hyd yn oed am ffarwelio â ni ac fe dderbyniasom eu gwahoddiad unwaith eto i ganu yn yr Albert Hall ar Ddydd Gŵyl Ddewi 1973. Digwyddodd rhywbeth rhyfedd iawn yn y neuadd enwog y noson honno. Fe gawsom encôr! Ond roedd trefnyddion y cyngerdd wedi rhybuddio pawb i beidio ag ymateb gan fod treulio eiliad dros amser llogi'r neuadd yn golygu mil o bunnau o ddirwy! Ar ddiwedd 'Safwn yn y Bwlch' fe dorrodd bonllefau o gymeradwyaeth allan, parhaodd am ddau funud cyfan. Erbyn hyn roeddem yn ôl yn ein stafell newid yn crynu at ein sodlau. Daeth cnoc ar y drws ac fe ymddangosodd John Thomas, un o drefnyddion y llwyfan a chefnogwr brwd o Hogia'r Wyddfa gyda gwên foddhaus ar ei wyneb.

'Ma'r *Big Chief* am i chi fynd yn ôl i gymryd bow!'

Wrth inni gerdded i fyny'r ramp i wynebu'r wyth mil ymchwyddodd y gymeradwyaeth eto, clywsom ein cefnogwyr o Lanbêr yn gweiddi yn rhywle yng nghrombil y lle.

'Bow, wef ac o'ma, hogia!' meddwn dan fy ngwynt wrth y pedwar arall.

Dyblodd y gymeradwyaeth wrth i ni gefnu ar ein cynulleidfa. Ond rheol yw rheol ac roedd yn rhaid ufuddhau. Wrth i ni gyrraedd gwaelod y ramp clywsom y trefnydd yn gweiddi ar y *'walkie -talkie'*.

'Tell the buggers to go back, and tell them to sing this time!'

'Roedd e bownd o ddigwydd rhyw ddiwrnod,' meddai John wrthym gyda dagrau balchder yn ei lygaid. 'Ewch yn ôl, bois, a mwynhewch bob munud ohono fe!'

Y rhai cyntaf i'm cyfarch ar ddiwedd y cyngerdd oedd Carys, Elizabeth ei chwaer, Dafydd ac Olwen.

'Wel,' meddwn wrth y ddau fach, 'be' oedda chi'n feddwl o Dad?'

Dim ymateb, er mor falch oeddynt o'm gweld.

'Fawr ddim,' meddai Carys, 'fe gysgon nhw drwy'r cyfan!'

Roedd dau achlysur arall yn ein hwynebu cyn terfynu. Un oedd rhaglen deledu o'r Majestic yng Nghaernarfon – 'Hwyl i Chi Hogia', yn cael ei chynhyrchu a'i chyfarwyddo gan ein hen gyfaill Rhydderch Jones ac yn cael ei chyflwyno gan gyfaill a chyd-artist – Huw Jones. Roedd y lle yn orlawn o gefnogwyr go iawn.

Ond cymdogion, perthnasau a chyfeillion oedd wedi dod ynghyd i lenwi Capel Coch, Llanberis ar nos Wener 9 Mawrth, 1973 ar gyfer y perfformiad olaf un. Daeth y cyfeillion o bob rhan o Gymru. Achlysur emosiynol iawn oedd hwn i ni gan ein bod yn cau pen y mwdwl ymysg ein pobl ni'n hunain. Ymysg llu o artistiaid yr oedd Parti Preswylfa, yr un parti ag y cawsom y fraint fawr o gychwyn ein gyrfa gydag o. Clowyd y cyngerdd gyda 'Hen Bentra Bach Llanbêr'. Ar derfyn y noson darllenwyd un telegram gyda'r geiriau apelgar, 'Gwnewch *come-back* yn fuan iawn – Ryan a Ronnie'.

Tybed?

Camp 'Ta Rhemp?

'Does ddim rhaid i chi gyfiawnhau yr hyn wnaeth Hogia'r Wyddfa,' fyddai sylw sawl un yn dilyn fy sgwrs ar 'Y Stori Tu Ôl I'r Gân'. Tybed? Oherwydd ein hymwneud â barddoniaeth orau'n cenedl, roeddem, yn fwy nag unrhyw ddiddanwr arall, ar dir i gael ein beirniadu, a hynny yn llym iawn ar brydiau. Roedd digon o 'feirniaid' i'w cael yn ein cyfnod ni, rhai ohonynt yn fodlon datgan yn gyhoedddus eu hanfodlonrwydd, tra llechai eraill yng nghysgodion eu henwau ffug, neu arddel eu llid yn ein cefnau. Doeddan ni'n ymyrryd â cheinion llên ein cenedl; doeddan ni'n sangu ar dir sanctaiddd? Doedd hyn ddim at ddant pawb, a finnau oedd y cyntaf i sylweddoli hynny. Nid damwain a hap oedd canu Hogia'r Wyddfa. Dewiswyd y cerddi'n ofalus, treiddiwyd i'w dyfnderoedd ac ymdriniwyd â hwy yn sensitif a syml. Fe'u rhagbaratowyd yn ofalus mewn ymgynghoriad â'r bardd neu ei deulu. Derbyniem feirniadaeth deg ac adeiladol â breichiau agored, wfftiem at ragfarnau di-sail ac eiddigeddus. Felly, gan fod 'beirniaid' yn bod a'r rheiny mor amrywiol, purion ydyw i minnau gael y llwyfan i gyfiawnhau fy ochr innau.

Erys un digwyddiad yn fyw yn y cof o'r 'dyddiau lloerig'. Yn 1970 cawsom wahoddiad gan Wilbert Lloyd Roberts i gymryd rhan yn rhaglen Cwmni Theatr Cymru i gofio Cynan. Gwyddai Wilbert fod Cynan wedi trefnu i'm cyfarfod yn ei gartref ym Mhorthaethwy. Trefnwyd y cwbl trwy ei chwaer, 'yr eneth fach ddi-nam', a oedd, yn ôl un o'i gerddi hiraethus, 'yn wylo ar lan y môr' – yr annwyl Ceri Roberts. Yn anffodus derbyniais y newydd fod Cynan wedi ei gipio i'r ysbyty ac y byddai'n rhaid gohirio'r ymweliad. Tristwch mwy i'm bron oedd clywed y newyddion ei fod wedi colli'r frwydr. Rhyw gymysgedd o syndod a balchder oedd derbyn neges gan Y Fonesig Menna ymhen amser yn gofyn i mi fynd draw i'w gweld. Yn ei chartref uwch y Fenai yn eistedd yn un o gadeiriau eisteddfodol y bardd y derbyniais y nodyn gan Y Fonesig. Yn ôl Menna, roedd Cynan wedi gadael nodyn ar y silff ben tân cyn ymadael am yr ysbyty. Cynhwysai restr o gerddi yr hoffai'r bardd eu trafod a'u trin â mi. Trysoraf y nodyn gan ei fod yn llawysgrifen y bardd, a hefyd, gan mai hwn yw'r unig gofnod sydd gennyf o'm cyswllt anuniongyrchol ag o. Daeth galwad gan Wilbert Lloyd Roberts yn gofyn a fyddai Hogia'r Wyddfa'n gallu cyfrannu i'r rhaglen 'Cofio Cynan'. Roedd angen tair cân wreiddiol, a hynny o fewn pythefnos! Ymneilltuais fel meudwy i barlwr ffrynt Hafod, Brynsiencyn lle y trigem ar y pryd gan wneud ymddangosiadau ysbeidiol yn y gegin i fwyta neu ar fy ffordd i'r lle chwech. Penderfynais mai 'Hwiangerddi', 'Tresaith' ac 'Aberdaron' fyddai'r tair cerdd. Tair cerdd hollol wahanol. Yn ei gerdd ryfel, 'Hwiangerddi' darganfyddais alaw hiraethus yn adlewyrchu teimladau'r bardd ar faes y gad wrth i hen gerddi gwlad Llŷn gorddi yn y cof.

'Hwiangerddi tyner, araf,
Hanner-lleddf ganeuon hen,
Megis sibrwd un a garaf
Rhwng ochenaid serch a gwên.

O! na ddeuai chwa i'm suo,
O Garn Fadryn ddistaw, bell,
Fel na chlywn y gynnau'n rhuo,
Ond gwrando am gân y dyddiau gwell.'

Yn wahanol i Vivs fe welodd Cynan fwy na thywod yn Nhre-saith! Fe welodd 'yr eigion euog... yn troi a throsi mewn hunllef faith' a chlywed 'cri gwylan unig â'i bron dan graith' a theimlodd galon 'alarus â'i hiraeth maith'. Cerdd ydyw sy'n llawn o sentiment personol a cheisiais innau ei gyfleu mor syml ag oedd modd. Ond cofiaf Ruth Price, Cynhyrchydd Disc a Dawn, a boneddiges y mae gennyf barch mawr iddi yn fy 'waldio' am greu'r ffasiwn gân!

'Wyt ti'n gw'bod yn iawn fy mod yn ffan mawr o ganeuon Hogia'r Wyddfa,' meddai wrthyf, 'ond beth ar wyneb y ddaear ddaeth dros dy ben di yn Tre-saith?' Sylweddolais mai barn ydoedd ac nid beirniadaeth ac y byddai sawl cân arall o'm heiddo yn cael eu cloriannu yn yr un modd. Roedd yn rhaid i mi orfod dysgu byw â sylwadau o'r fath.

Datgelodd Gwyn Erfyl ei amheuon am Aberdaron. Roedd Gwyn yn gyfarwydd iawn â'm caneuon gan iddo gynhyrchu a chyfarwyddo rhaglen deledu awr ar Hogia'r Wyddfa a ymddangosodd ar ddydd Nadolig. Parchwn ei sylwadau bob amser. Tybed a oedd alaw 'Aberdaron' yn rhy ffyrnig? O'i darllen drosodd a throsodd ac o wybod ei chefndir ni chefais i unrhyw deimlad arall ond surni ynddi. Adleisio 'hen wrthryfel' yr oedd y bardd yn Aberdaron, gan godi hen grachen o'i ddyddiau fel bardd ifanc modern a mentrus. Pwy oedd hwn i feiddio sôn am 'jazz band' a byrddau chwarae siawns, a 'gwragedd yn byw ar gibau moch' mewn pryddest eisteddfodol? Adlewyrchu rhagfarnau'r cyfnod yr oedd y beirniaid ond fe lynodd yng nghof Cynan am flynyddoedd ac fe chwydodd ei deimladau allan ym mhedwar pennill Aberdaron. Syfrdanwyd pawb yn ymarfer cyntaf 'Cofio Cynan' pan ganasom Aberdaron, ac fe alwodd Wilbert am 'doriad i gael ein gwynt atom' 'Uffar o gân!' oedd sylw ein cyfaill a'n cyd-berfformiwr Stuart Jones. Er i ni deithio Cymru gyda'r rhaglen ni ddaeth y wefr fawr i'n rhan tan y noson olaf yn Neuadd y Dref Pwllheli pan fethodd y gynulleidfa ag atal rhag cymeradwyo 'Aberdaron'. Dyma ni yn nhref enedigol y bardd, gyda'r dorf yn ferw, y dagrau'n cronni yn y llygaid a gwn hyd heddiw fod Cynan yn y dorf a gwên foddhaus ar ei wyneb!

Mynegodd Iorwerth Peate ei bryderon ynglŷn â Radio Cymru a'r hyn yr oeddem ni yn ei wneud. Meddai yn *Y Faner*, 'Eithr nid yw Radio Cymru yn fawr gwell. Boddir bron pob darllediad gan recordiau, recordiau o hyd. A'r fath recordiau. A siarad o'm rhan fy hun, nid wyf am wrando, er enghraifft, ar osodiadau tila o 'Tylluanod', 'Creigiau Aberdaron' a'r 'Llanc Ifanc o Lŷn' a'r rheiny, eto fyth, wedi'u mwrdro gan 'fampio' diystyr y cyfeiliant piano. Does dim sy'n fwy arteithiol na cham-drin barddoniaeth.' Yn ddistaw bach roedd barn fel yna yn brifo, ond nid hanner cymaint â gweld yr un dyfyniad un mlynedd ar hugain yn ddiweddarach yn cael ei gynnwys yn y llyfryn i ddathlu pen-blwydd Radio Cymru. Ai dyna unig gyfraniad Hogia'r Wyddfa i'r cyfrwng dros y blynyddoedd? Sgersli bilîf, Mr Golygydd!

Daeth sylwadau Iorwerth Peate ag un peth adre'n glir i

ni, ein bod yn sangu ar dir sanctaidd a bod llawer mwy, ond llai huawdl, yn cytuno ag o. Pwyll oedd pia hi! Ond fel y 'manna o'r Nefoedd' gynt daeth beirdd a phrifeirdd i'n cefnogi ac i gymeradwyo ein hymdrechion. Y Cyn-Archdderwydd Tilsli oedd y cyntaf i'n cyfarch drwy ddiolch i ni mewn englyn adeg Eisteddfod y Fflint 1969.

'Greddfol i Hogia'r Wyddfa – yw llywio
Llawer cynulleidfa.
Heno daeth o'u doniau da,
Dirfawr fwynhad i dyrfa.'

Roedd apêl y caneuon yn eang iawn. Nid y beirdd a charwyr llên yn unig oedd yn mentro i roi eu barn arnynt. Cofiaf o fewn rhyw fis ar ôl i'r gân 'Gwanwyn' T. Rowland Hughes gael ei rhyddhau i ni dderbyn gwahoddiad gan Idris Charles i ymddangos yn y Majestic yng Nghaernarfon i gyfrannu i'w raglen boblogaidd 'Sêr Cymru'. Wrth geisio ymwthio drwy'r dorf oedd wedi ymgynnull ger drws y sinema y nos Sul arbennig honno, clywais lais cyfarwydd iawn yn galw arnaf. Ni ddychmygais am eiliad y byddai 'hwn' yn y dorf. Ei gynefin o fyddai tafarn, siop bwci a chae ffwtbol! Ei gais diffuant iawn i mi y noson honno, a hynny yn nhafodiaith unigryw y co' dre oedd, 'Cofia di ganu'r gân na, ia, am y co' na o Lanbêr sy'n giami!' Dyna ei ffordd naturiol o o ddisgrifio cynnwys cerdd brudd T. Rowland Hughes:

'Mi wellaf pan ddaw'r gwanwyn:
Bu'r gaeaf 'ma'n un mor hir.
A oes 'na argoel eto
Fod gwennol yn y tir?
Mae hi'n anodd mendio dim fel hyn
A phen yr Wyddfa i gyd yn wyn...'

Gwyddwn fod hwn yn gyfrwng, er mor 'dila' y swniai rhai caneuon i rai, i ddod â barddoniaeth orau'r iaith i glyw'r anghyfarwydd. Ychwanegwyd cerddi o safon i'n rhestr a thyfodd honno o wythnos i wythnos ac o fis i fis. Cawsom anogaeth a chefnogaeth gan sawl bardd. Datgelodd Syr T. H. Parry-Williams ei falchder mewn llythyr am ein bod wedi dewis 'Y Ferch ar y Cei yn Rio'. Bu'r Fonesig Amy Parry-Williams yn bennaf gyfrifol am ein record hir o ganeuon gwerin 'Dewch Gymry Glân i Wrando ar Ein Cân'. Dotiai y Cyn-Archdderwydd Bryn Williams (Patagonia) at y ffaith fod hogia Llanbêr (pentre agos iawn at ei galon, gan iddo weinidogaethu yno) wedi gwneud defnydd o'i eiriau i 'Gwauncwmbrwynog'. Cerdd yw hon am fedydd un o'm ffrindiau ysgol – Gwilym Charles Williams, Llwyn Celyn. Daeth y Cyn-Archdderwydd W.R.P. George i'r stiwdio recordio yn Llandwrog i wrando arnom yn recordio ei eiriau i alaw Eirlys Pierce, 'Ganwyd Iesu'n Nyddiau Herod'. Dyletswydd arnaf oedd cynnwys un o gerddi y Cyn-Archdderwydd Gwyndaf, fy hen athro Ysgrythur, ac fe gafodd ei blesio'n arw gan ddehongliad ei gyn-ddisgyblion o 'Mari Linôr'. Cefais ganiatâd Waldo Williams i gynnwys 'Cofio' ar ein rhestr ac yntau ar ei wely angau. Fy nghyn-athrawes cynradd Miss Megan Humphries, a ffrind agos i Waldo a drosglwyddodd fy nghais i'r bardd mawr tra'n ei warchod. Gan na allai Waldo ateb, gofynnodd Megan Humphries iddo wasgu ei llaw os cytunai â chais Hogia'r Wyddfa. Yng ngŵydd y Chwaer Bosco gwasgodd ei llaw yn bendant iawn a dyna'r ymateb cadarnhaol pwysicaf i mi ei dderbyn. Yn anffodus ni chlywodd Waldo'r cyfanwaith. Daeth y diweddar annwyl Abiah Roderick yn ffrind agos iawn i mi ar ôl fy ymdriniaeth o'i gerdd enwog 'Tecel'. Pleser oedd cael cwmni Maude ac yntau ar ein haelwyd yn Llanrug. Roedd Y Prifardd Selwyn Griffith a minnau yn cydwylio'r gêm ryfedd honno rhwng Lloegr a'r Ariannin pan gyhuddwyd Maradona o ddefnyddio'i law i sgorio'r gôl fuddugol. Gôl a fu'n ddraenen yn ystlys y Saeson am flynyddoedd gan gyhuddo'r Bod Mawr ei Hun o'i gynorthwyo!

'Mae'r achlysur yn haeddu cerdd,' meddai'r Prifardd.

'Mwy na hynny,' meddai'r canwr, 'mae'n haeddu cân!'

Ymhen deuddydd roedd Hogia'r Wyddfa'n canu clodydd 'Maradona'. Roedd Elvy MacDonald yn awyddus i ni anfon y tâp i'r chwaraewr gorau yn y byd – ond atal wnaethom rhag ofn ei fod yn un o'r creaduriaid croes hynny a feddyliai ein bod yn ymelwa.

Un tro yn unig y llosgais fy nwylo gyda'r cerddi. Roedd pwysau arnom un mis Awst i gynnwys pedair cân ar record fer a ddeuai allan erbyn Nadolig 1969. Doedd gennym ddim ond tair! 'Hen Bentra Bach Llanbêr' y geiriau gan yr annwyl ddiweddar John Morris, Aberdaron; 'Does Dim ar Ôl' gan Rol Williams, gŵr a gyfrannodd doreth o eiriau, nid yn unig i Hogia'r Wyddfa ond i amryw o artistiaid eraill a geiriau cymwynaswr arall Glyn Roberts, 'Mae'r Llais yn Galw'. Dyma luniwr 'Safwn yn y Bwlch' wrth gwrs. Dyna'r tair ond roedd angen un arall a hynny ar fyrder.

'Beth am "Llanc Ifanc o Lŷn", Jôs?' gofynnodd Myrddin, 'mi w't ti wedi bygwth honna ers tro!' A'i 'bygwth' hi wnes i a darganfod alaw hynod o syml ynddi. Fe'i dysgwyd hi mewn wythnos ac yna ei recordio.

Dridiau cyn i'r record gael ei dosbarthu o Landybïe i bob siop recordiau drwy Gymru fe ganodd y ffôn.

'Arwel Jones?' holodd y llais.

'Ia,'

'Ydio'n wir eich bod wedi cyfansoddi alaw i "Baled y Llanc Ifanc o Lŷn"?'

'Ydi,'

'Ydio'n wir eich bod chi fel grŵp wedi ei recordio hi?'

'Ydi,' a bu bron i mi ag ychwanegu y byddai ar werth yn y siopau ymhen tridiau.

'Fi ydi ysgutor ewyllys William Jones, Tremadog, bardd y gerdd. Pwy roddodd ganiatâd i chi?' Ac yn y fan a'r lle mi sylweddolais fy mod, oherwydd y brys, wedi torri'r rheol euraid o ofyn caniatâd! Sylweddolwn oblygiadau ei ddatganiad – roedd miloedd o recordiau yn y storfa yn Llandybïe yn barod i'w dosbarthu, Cwmni Recordiau'r Dryw wedi buddsoddi miloedd o bunnau yn ei chynhyrchu, a'r gŵr yma hefo'r hawl i'w hatal rhag cyrraedd y siopau! Cefais ei ganiatâd i gysylltu â'n cyfarwyddwr recordio. Gŵr busnes hyderus oedd Dennis Rees, gŵr y gallwn ymddiried ynddo doed a ddêl. Pan glywodd fy neges, fe glywais dinc o banig yn ei lais a hynny am y tro cyntaf erioed. Ond busnes ydi busnes ac ymhen amser daeth Dennis yn ôl ar y ffôn gyda'r genadwri fod popeth yn iawn gan ychwanegu, 'Paid byth â gwneud hynna eto, Jôs!'

Llwyddasom i wneud deg o recordiau byrion a dwy record hir i Gwmni'r Dryw. Derbyniasom record arian a record aur am werthiant sylweddol iawn ganddynt. Ond ni chyhoeddwyd erioed y nifer. Bu ein perthynas â Dennis Rees yn un hapus a didramgwydd ond nid gyda'r cwmni. Dennis Rees heb os roddodd y cyfle i Hogia'r Wyddfa – elwa yn unig wnaeth ei gwmni. Ni arwyddwyd cytundeb erioed rhyngom a'r cwmni ac erbyn 1973 roedd ein cyswllt â nhw drosodd. Ni chollodd neb gwsg na deigryn.

Fe'm hurddwyd yng Ngorsedd y Beirdd yn Eisteddfod Rhuthun 1973 yn anfoddog braidd. Teimlwn ar y pryd y dylsai'r pump ohonom fod wedi cael cynnig yr anrhydedd. Onid oedd y Beatles wedi eu hurddo i gyd ar eu pats eu hunain? Gwaith tîm oedd gwaith Hogia'r Wyddfa. Ond nid felly y bu, a chytunodd y pedwar aelod arall mai gweithred hollol ddibwrpas fyddai gwrthod. Yn ychwanegol, drwy wrthod, plygu i'r 'amheuwyr' y byddem. Fe'm derbyniwyd i'r Orsedd fel Arwel Hogia'r Wyddfa.

Ymhen blwyddyn ymddangosodd y gerdd a ganlyn yn llyfr y Cyn-Archdderwydd Emrys Deudraeth, *Lleu*, cerdd a gyflwynodd i mi mewn llythyr beth amser ynghynt.

> 'Chwi oedd yr ateb i glindarddach arwynebol
> Y canu pop, a'r acen poen
> A hudodd Gymru druan, –
> Rhaid i hon wyro a dynwared!
>
> Yn sgîl astrus siglo estron
> Aeth nodd o'n heniaith, yn llediaith llwyd
> Yn fforest y sgrîn disgynnodd, a chrino'n
> Fain ar lwyfannau, –
> Gwywo a marw yng nghoedwig y meic.
>
> I sŵn heb awen rhoesoch gusan bywyd,
> A thrwy haul a chawod eich athrylith
> Yn ein tir gwyw mor hardd yr egina eto'r Gymraeg, –

Dail gwyrdd o eiriau'n
Ffrwydro drwy eich di-ail gerddoriaeth.

Hogiau y ddawn hwyliog a ddenodd
Ein plant i fyd rhamant trwy'r gitâr, a iaith
Yn hawlio byw, o sbwriel y bocs;
A goglais yr hen i wenu
A chwaneg o hiwmor iach
Yn Gymraeg.

Mae sŵn concwest protestwyr
Yn nhinc yr afiaith,
Ac yn donic i'r ifanc
Heddiw mae awen ein beirdd mwyaf
Ac angerdd eu cerdd yn gyffro'n eich cân.

Hogyn Mam a Dad!
Yr unig blentyn ac wedi ei ddifetha'n lân. Tybed?

Toedd o'n ddigon o sioe yn deirblwydd oed!

Y ddwy ddylanwad.
Mam a Nan Nan.

Griffith Jones Minffordd, Llanrug a'i briod Mary – Nain a Taid Llanrug.

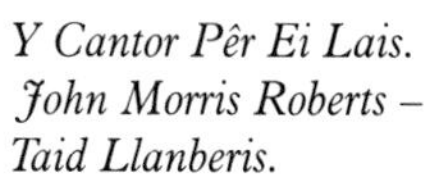

Y Cantor Pêr Ei Lais. John Morris Roberts – Taid Llanberis.

Catherine Roberts ei briod – Nain Llanbêr – yn llenwi drws Gwenallt.

Un o fysys bach y wlad. Fy Nhad yw'r un sy'n pwyso ar flaen y 'bonat'. Huw Rogers yw'r bysiwr arall.

Madam Katie Jones – Mam! Yn y cefn o'r chwith: John Dethick; William Huxley Thomas (Organydd); T. W. Owen (Cyflwynydd). Blaen: Richie Thomas, Penmachno; Zöe Cresswell; Mam; Aled Owen (Arweinydd Côr Cymysg Llanberis).

Yr hen dyddyn mynydd annwyl – Tŷ Uchaf, Ceunant, lle treuliais oriau difyr a dagreuol hiraethus.

Anti Jini ac Yncl Harry.

John Tŷ Uchaf (fy nghefnder) a'i briod Margaret.

Athrawon Ysgol Dolbadarn, Llanberis yn y pumdegau cynnar. Y cefn o'r chwith: Leslie Jones; Miss Griffiths; Miss Burgess (Y Cynghorydd Pat Larsen); Miss Enid Roberts; Emlyn Jones (Llanberis). Blaen o'r chwith: Miss Megan Humphries; Miss Morfydd Evans; R. E. Jones (Prifathro); Miss Bessie Roberts; Miss Edwards.

Llanberis Colts canol y pumdegau. Yn sefyll o'r chwith: 'Hogyn Dic Moto'; Keith Roberts; Dafydd Davies; Gareth Hughes; Eifion Roberts; Alan Jones. Penlinio o'r chwith: Myrddin Owen (Hogia'r Wyddfa); Cecil Jones; Trevor Edwards (Y Cynghorydd Sir Lleol); Stanley Roberts; Griffith Eurwyn Hughes (Guto Bach).

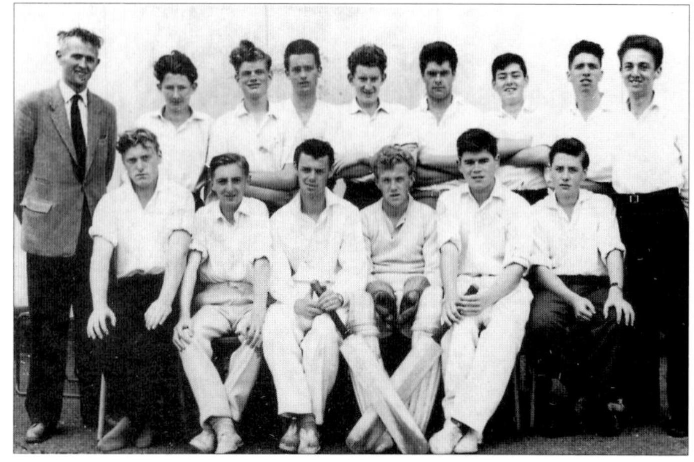

Y Cricedwr. Tîm Ysgol Brynrefail yn niwedd y pumdegau. Cefn o'r chwith: Aelwyn Pritchard (Athro); Colin Butler; Heddwyn Evans; Gareth Jones; Alwyn Williams; Huw G. Roberts; Reg Griffiths; Cecil Jones; Bleddyn Roberts. Blaen o'r chwith: Keith Mc Cann; Hogyn Dic Moto; Ivor Pritchard; Eryl Hughes; Eurwyn Evans; Islwyn Roberts.

Y Rhedwr. Derbyn Y Brysgyll Bondigrybwyll gan Syr Michael Duff Asheton Smith, ar achlysur gemau'r gymanwlad yng Nghymru.

Un o dimau'r Darans/Llanberis yn y chwedegau. Rhes gefn o'r chwith: Ars!; Mike Love; Malcolm Denham; Ifan J. Owen; Arfon Roberts; Bruce Edwards; Arwyn Roberts (Ar). Yn penlinio o'r chwith: Arwyn Roberts; Brian Edwards; Richie Jones; Bernard Parry; Gwyn Edwards a Stanley Griffiths (Y Doctor Dŵr!).

Arwyr y gorffennol. Sefyll o'r chwith: Emlyn Davies (4/50 'au); Eifion Jones (90 'au – prifathro Ysgol Brynrefail); T. J. Roberts (golgeidwad 4/50 'au); Wyn Davies (60'au cynnar – a fu'n chwarae hefyd i Deiniolen, Caernarfon, Wrecsam, Bolton, Manchester City, Manchester United, Newcastle a Chymru!); Willie Wynne (arwr y 30 'au); Y Prifardd Selwyn Griffith (golgeidwad 50 'au); D. H. Williams (Dafydd Annie Dora, arwr 30'au); Yn penlinio o'r chwith: Ken James Jones (50'au); Ars! (60 'au); Ifan J. Owen (golgeidwad 60 'au).

Yr hogia (cyn bod Hogia'r Wyddfa) yn yr Ardd Win yn Koblenz yr Almaen. Yn y llun hefyd mae Dafydd Goronwy Roberts a chefn Tegid Hughes.

Yr hogia barfog, hirwallt gyda Pharti Preswylfa. O'r chwith: Elwyn; Evan Wilson Hughes; Fy Nhad; Ceinwen Jones (Mam Elwyn); Mam; Idwal Roberts (cyfeilydd); Annie Wilson; Doris Griffith; Dafydd Davies; Irfon Ellis; Arwel a Myrddin.

Disgynyddion teulu Minffordd. Nan Nan yn ôl ei harfer yn ddolen gyswllt rhwng y cefndryd 'boliog'! O'r chwith: Cledwyn; Arwel; Nan Nan; Bert a Selwyn. Roedd fy nghyfnither Gwyneth yn ei chartref yn Jersey pan dynnwyd y llun.

Cwmni Drama Llanberis.
Yn sefyll o'r chwith: Iris Watts; Gwilym Rees Parry; Gwilym Charles Williams; Katie Williams; Iwan Lloyd Williams a'r Parchedig John Owen. Yn eistedd o'r chwith: Fi a'r ll'godan fawr; Matilda Pritchard; Ann Parry; Iwan Lloyd Roberts; Elwyn W. Jones (Hogia'r Wyddfa).

Gŵr Carys.

O'r dde i'r chwith: Megan fy Mam yng nghyfraith gyda'i Mam (Nain Hafod), ei gŵr Huw Meredydd a'i brawd Tudur.

Dafydd ac Olwen.

Cath Carys – Tomos Robaits, brenin y sŵ ym Mhant Hywel.

Cychwyn Eco'r Wyddfa. Gyda'r tri arall a sefydlodd y papur un noson yn Nhafarn Penbont Llanrug. O'r chwith: John Roberts; Selwyn Williams ac Ifan Parry.

Arfon Haines Davies yn rhannu ei win hefo'r hogia ar y rhaglen Penblwydd Hapus!

Geraint Lloyd Owen a minnau yn derbyn Brysgyll y Cymro yng nghystadleuaeth Ymryson Areithio Colegau Cymru yn 1963. Yn y llun y mae Sam Jones (Cynhyrchydd); Mrs Rachel Jones; Euryn Ogwen a Derec Llwyd Morgan.

Côr y Tad: Côr Meibion Crosville, Caernarfon yn 1939.
Mam yw'r unawdydd sy'n eistedd ar yr aswy i'm Tad. Gweithwyr Cwmni Bysus Crosville oedd y mwyafrif. Gweithiai fy Nhad yno fel rheolwr y garej.

Côr y Mab: Côr Meibion Dyffryn Peris yn 1998.
Y Côr y cytunais i'w arwain am chwe wythnos. Fe barhaodd y swydd am chwe blynedd! Hefina Jones yw'r gyfeilyddes.

Hogia'r Wyddfa.

Hogia a Hogan yr Wyddfa. Annette Bryn Parri a'i mab Bedwyr yn Amgueddfa Chwarel Dinorwig, yn ymlacio cyn cyngerdd.

Ymlacio ar ôl sgïo caled yn Courchevel, Ffrainc gyda ffrindiau oes a chyd-deithwyr: Ian ac Eirlys Pierce. Noder mai dŵr sydd yn y jwg! Gwaith sychedig iawn ydi'r sgïo 'ma

"Ac yntau fel pennaeth mwyn ymysg..." Ei deulu: Lloydie (Yr Henadur Ann Lloyd Jones); Carys; Dafydd; Elizabeth (chwaer yn nghyfraith); Nancy (mam Kevin); Kevin; Olwen; John Hunt (gŵr Elizabeth a chyn-bencampwr 'bowls' Prydain a chapten tîm 'Cyrlio' Cymru).

Dafydd a'i gymar Erin o bobtu i Olwen a Kevin, ar ddiwrnod eu priodas

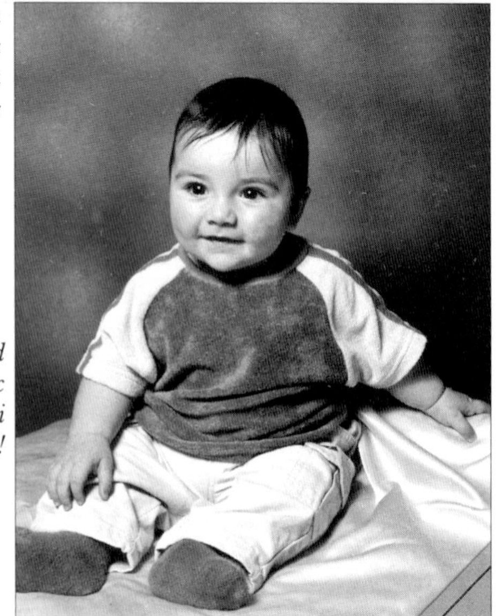

Tomos Meredydd Morgan yn chwe mis ac yn gannwyll llygaid ei Daid!

Normalrwydd

'Fedri di ddim tywallt chwart i bot peint,' fyddai cyngor Mam i mi ac, er y byddai Carys yn fy atgoffa o'i geiriau'n aml, trio fyddwn i! Gwelai Carys fy mod yn gorlwytho fy mywyd ac yn fy ngwthio fy hun tu draw i ffiniau rhesymoldeb ac y byddai rhywbeth yn siŵr o roi ryw ddiwrnod. Llosgai'r gannwyll o'r ddau ben. Pan ddaeth y teithio lloerig a'r mynych alwadau i ben daeth yn eglur fod y cyfan wedi gadael ei ôl arnaf. Fe'm llethwyd â phob mathau o anhwylderau corfforol a meddyliol. Yn syml iawn, ni allwn ymdopi â bywyd normal. Adyn ar gyfeiliorn oeddwn. Roedd y rhuthr a'r cynnwrf yn parhau i lifo'n wyllt drwy fy ngwythiennau. Roedd angen i mi arafu, ond wrth ymdrechu i wneud hynny cawn fy hun yn dioddef yn enbyd o benysgafndod a arweiniodd ymhen amser at iselder ysbryd. Yn y cyflwr truenus hwn fe'm teimlwn fy hun fel y gŵr hwnnw 'ar ddyfroedd hunlle'n methu cyrraedd glan'. Fe'm cawn fy hun yn mygu mewn torf, yn brin o sgwrs ac yn ysu i ymneilltuo i'r cefndir a bodloni ar feudwyaeth. Cyflwr oedd yn hollol groes i'r graen ac yn groes i'm greddf. Sefyllfa enbydus a minnau ddim ond ar drothwy fy neng mlwydd ar hugain. Ai dyna bris enwogrwydd?

Drwy ymdrechion fy meddyg Dr Dan Hughes, fy nheulu a'm ffrindiau aed ati i geisio adfer fy hyder a dod â rhywfaint o normalrwydd yn ôl i'm bywyd. Bu'n frwydr galed ond un lwyddiannus. Ymhen amser roeddwn yn barod i wynebu bywyd unwaith eto ynghyd â'i holl dreialon a'i anawsterau – ond y tro hwn yn llawer mwy gofalus!

Fy mlaenoriaeth oedd magu teulu. Roedd 'Gwên y Wawr', Glanffynnon, Llanrug yn fan delfrydol i wneud hynny. Roedd y stad dai newydd ar gyrion pentref Cymreig, byrlymus gyda chanran fawr o deuluoedd ifanc yn trigo yno. O'i amgylch yr oedd tir gwyllt a chorsiog. Man delfrydol i sbarduno dychymyg plant ac i ysgogi eu chwilfrydedd. Treuliodd Dafydd ac Olwen eu blynyddoedd cynnar yn darganfod rhyfeddodau natur ar lannau Afon Fach Minffordd. Sawl tro y bûm yn ceisio 'magu' neu adfer ambell fadfall, penbwl neu 'sgodyn bach. Sawl tro y bûm yn pendroni a chwilota am enw i ambell flodyn gwyllt a ddygwyd o Gors Cae Rhos.

Meddiannwyd yr ardd a'r tŷ gan anifeiliaid anwes. Bu Twmi'r gwningen yn trigo yn y gegin am wythnos gan iddo gyrraedd mor ddisymwth, cyn i ni gael cyfle i adeiladu cwt. Bu sawl Lowri Lygoden Wen acw gan mai byrhoedlog oedd eu bywydau. Cofiaf ddod ag un adref o'r siop anifeiliaid ym Mangor mewn bocs. Dihangodd o'i chaethglud gardbord a gwnaeth yn fawr o'i rhyddid rywle yn y car. Stopiais y car yn arhosfan Tŷ Mawr heb sylweddoli fod pâr ifanc yn bodio. Daeth y ferch at y car gan agor y drws.

'Could you please give us a lift to Caern... Wa...a...a!' Ymddangosodd Lowri o'i chuddfan gan redeg mewn cylch ar y sedd flaen. Rhedodd y ferch yn ôl i freichiau ei chymar mewn sterics llwyr. Nid oeddwn am aros i esbonio. Cyrhaeddodd Lowri ei chartref newydd yn

eistedd yn ddel ar sedd flaen y car dan rwbio blaen ei thrwyn!

Trigai 'Danial Dŵr' fel brenin yn yr ardd. Crwban oedd Danial a ddarganfuwyd gan Dafydd a'i Daid Bryn ar draeth Dwyran, Ynys Môn. Ar ôl ymholi'n aflwyddiannus yn y cyffiniau am ei berchnogion dygwyd ef i Lanrug. Bu'r hen greadur hamddenol ei gerddediad, ond awchus ei stumog yn gwmni a ffrind mynwesol i'r plant. Oedd, roedd 'Gwên y Wawr' yn ymdebygu i sŵ ar brydiau a honno'n cynyddu!

Roedd ceffylau wedi mynd â bryd y plant a'u mam. Gan fod tir a stablau ar gael i'w llogi ar fferm Tyddyn Mawr, Llanrug ychwanegwyd creadur carlamus o'r enw Dougal at y teulu. Aethpwyd ag ef i fyny i ochrau Cefn Du i'w 'drio allan'. Penderfynais mai doeth o beth fyddai i mi fel penteulu fentro'n gyntaf ar ei gefn rhag ofn fod gwylltineb yn rhan o'i natur. Codais fy hun i'r cyfrwy yn null fy arwr mawr John Wayne ac am eiliadau teimlwn ryw falchder yn fy meddiannu. Dyma fi o'r diwedd ar gefn fy ngheffyl fy hun! Pharhaodd y balchder fawr. Mewn un symudiad sydyn, slei, crymanodd ei gefn ac yna gyda holl nerth ei goesau ôl saethodd ei din i'r awyr gan fy nhaflu innau i'r un cyfeiriad. Bûm yn hofran yno am eiliad cyn i rym disgyrchiant fy nhynnu i'r ddaear. Mewn tusw o rug y gorweddwn yn edrych ar y creadur cynllwyngar yn carlamu hyd unigeddau Cefn Du tra rowliai gweddill y teulu ar y llawr yn chwerthin yn afreolus! 'Pa fodd y cwymp y cewri.' Fu gen i fawr i'w ddweud wrth geffylau wedyn, ond fe gafodd Dafydd, Olwen a Carys flynyddoedd o fwynhad yn eu marchogaeth.

Yn wir, ceffylau fu'n gyfrifol am inni symud o Lanrug. Roedd angen mwy o dir a stablau arnom. Gwerthwyd 'Gwên y Wawr' mor sydyn gan ein gadael heb do uwch ein pennau, a hynny ddyddiau ar ôl y Nadolig. Yn ffodus, llwyddasom i rentu mans capel Bethel a chofiaf Carys yn dod â'n dodrefnyn cyntaf drwy ei ddrws – y goeden Nadolig a honno'n drwm gan addurniadau! Dyma'r tŷ mwyaf, a'r oeraf i mi fyw ynddo erioed. Awn i'r gwely yn nhrymder y gaeaf mewn hen gôt uchaf. Diolchaf hyd heddiw i swyddogion y capel am y lloches dros dro!

Ym Mhenisarwaun y daethom o hyd i'r man delfrydol i gadw ceffylau. Hen dyddyn wedi ei adnewyddu a'i ailenwi yn 'Springfields'! Buan y cafodd ei enw gwreiddiol yn ôl, sef Pant Hywel, er iddo yng nghwrs amser gael ei enwi'n Cae Dicwm Bach. Roedd saith acer o dir yn perthyn iddo ynghyd â stabl hir, flêr. Cynyddodd y 'teulu'. 'Dyfod ac yna ffarwelio' oedd hanes rhai ohonynt tra mynnai eraill gartref sefydlog. Daeth y domen dail yn gyrchfan boblogaidd iawn i arddwyr y fro. Yn wir bu'r gwrtaith mor llwyddiannus nes cyflyru un bardd o arddwr, fy nghyfaill Iolo Huws-Roberts o Waunfawr i ddiolch i mi ac i'r 'penolau ceffylog' ar ffurf englynion.

'I arddwr, mae'n dad irddail – a llesol
I'r llysiau ei frownsail;
Nefoedd o din anifail,
A gwawr wen yw'r domen dail.

Ei safon rydd bridd suful – i gynnau
Eginyn o'i helbul –
Îr-g - - u fendia'r gwachul
Biau march – gwell na baw mul.

O feddyg-pridd rhyfeddol, – o diwniwr
Ein doniau garddwrol -
Dewin yw a daena o'i ôl
Obaith o dwll-din ebol.'

Ymhlith cyfranwyr y domen dail wyrthiol yr oedd Eboni. Daeth yn ffefryn gan bawb oherwydd ei natur hamddenol, garedig. Ond ar gwrs neidio neu draws gwlad yr oedd yn hollol wahanol. Bolltiai fel mellten o'r cychwyn gan ddangos dewrder a chythreuldeb. Enillodd sawl cystadleuaeth gyda Dafydd neu Olwen ar ei gefn a hynny yn erbyn ceffylau llawer mwy. Roedd diwrnod cystadlu yn achlysur mawr yn tŷ ni. Byddai Carys a'r plant yn codi'n blygeiniol i baratoi yn ofalus. Llwytho'r drol ac yna teithio, weithiau i bellafoedd gwlad er mwyn cyrraedd man cystadlu. Yna mwynhau hyd fachlud haul. Minnau, ar ôl fy mhrofiad anffodus ar ochr Cefn Du yn bodloni ar sbecian ac edmygu o hirbell. Ar ôl ei ymddeoliad o gystadlu bu Eboni'n crwydro'n hapus a hamddenol hyd y caeau nes y daeth y dydd trist hwnnw i ni gael ein gorfodi i'w 'roi i lawr'. Galwyd y llecyn lle'i claddwyd yn 'Cae Eboni' a dyna hefyd yr enw a roddwyd ar ein cartref newydd yn ddiweddarach.

Ond mae un creadur ym Mhant Hywel yn mynnu'r holl sylw. Ef yw brenin y stad! Tomos Robaits y gath! Fe'i ganwyd i Grwndi ac yn din nyth egwan a simsan. Bu ond y dim i ni ei golli. Fe'i magwyd yn dyner iawn gan ei fam mewn bocs yng nghynhesrwydd aelwyd Pant Hywel am wythnosau. Daeth drwy'r heldrin a thyfodd yn homar o gath a fynnai gwmni pobl. Mynnai ei le ar yr aelwyd a cherddai'n awdurdodol o un glin i'r llall ac o un ysgwydd i'r llall. Mae'n rhan annatod o'r teulu bellach a chaiff ei adnabod yn genedlaethol fel 'cath Dafydd Du'!

Daeth Pant Hywel yn gyrchfan i griw o gantorion talentog fel y bu Gwên y Wawr o'i flaen. Deuai rhai o gantorion gorau'r fro acw i ymarfer. Fel athrawes yn Ysgol Brynrefail daeth Carys yn rhyw fath o asiant answyddogol i grŵp o enethod hynod dalentog – Gwlith. Genethod ysgol oedd Siân Gibson, Rhian Owen, Nia Jones, Lynne Jones, Iola Llywelyn Griffiths a Ruth Lennon ar y pryd a theimlai'r Prifathro fod angen athrawes i'w tywys o amgylch ac i fod yn gyfrifol am eu diogelwch. Edrychent ar Carys fel ffrind yn fwy nag athrawes a pharhaodd cysylltiad y genod â hi ar ôl iddynt ymadael o'r ysgol. Ffurfiwyd y triawd cerdd dant llwyddiannus – Triawd Cynefin. Ym Mhant Hywel y byddent yn ymarfer a byddai gwrando ar leisiau Lynne, Marina a Siân Gibson yn ymdoddi i'w gilydd yn wefr i'w thrysori.

Byddai Siân Gibson a Rhian Owen yn dod draw i ymarfer cyn eisteddfodau. Daeth y ddwy, maes o law, yn gantorion proffesiynol uchel eu parch. Ar brynhawnddydd poeth o haf gyda drysau a ffenestri Pant Hywel yn agored led y pen treiddiai llais Rhian Owen yn beraidd ar draws y caeau. Digwyddwn fod yn trafod gwerthu ceffyl gyda dau Sais.

'That's beautiful singing,' meddai'r wraig.

'Yes,' meddwn innau.

'Is it your daughter?' gofynnodd drachefn.

'Ym... Yes!' meddwn wedyn gan droi fy nghefn rhag dangos unrhyw arwydd o euogrwydd.

Wrth ddynesu am y tŷ roedd Siân wrthi'n ymarfer.

'Oh! That's a different voice – and still beautiful,' oedd sylw'r dieithryn.

'Yes,' meddwn innau, *'she's my other daughter!'* Aeth balchder yn drech na mi bryd hynny.

Chymera i ddim o'r clod yn gyfan gwbl am lwyddiant John Eifion pan gipiodd yr unawd agored yn Eisteddfod Aberystwyth 1992, ond ym Mhant Hywel yr oedd y noson cynt yn blasu'r 'Grugiar Enwog' a dŵr. Tystia'r tenor llwyddiannus hyd heddiw fod rhinwedd cerddorol anarferol yn nŵr Pant Hywel!

'Hysbys y dengys y dyn o ba radd y bo'i wreiddyn,' meddai Tudur Aled. Er nad yw Dafydd a minnau o'r un natur, yn rhyfedd iawn, fe'm dilynodd i yn ei ddiddordebau. Mae Olwen yn ymdebygu mwy i'w thad ond yn dilyn diddordebau ei mam. Daw pêl-droed a physgota yn uchel ar restr diddordebau Dafydd a daw marchogaeth a cherddoriaeth offerynnol yn uchel ar restr diddordebau Olwen. Dysgodd Dafydd chwarae'r gitâr yn well na'i dad a dysgodd Olwen chwarae'r fiola fymryn yn well na'i mam. Bu'r ddwy yn aelodau o gerddorfa ieuaenctid Cymru yn eu tro ond aeth Olwen un cam ymhellach drwy ddod yn brif offerynwraig yr adran fiola. Bu 'ram jamio' mynych ar ein haelwyd ni! Ar ôl graddio, does ryfedd i'r ddau gael eu denu i fyd adloniant. Daeth Dafydd yn un o gyflwynwyr Radio Cymru ac Olwen yn gyd-gynhyrchydd y rhaglen boblogaidd 'Noson Lawen'. Yn aml iawn fe'm clywaf fy hun yn eu cyfarch drwy ddefnyddio'r hen diwn honno a glywais innau flynyddoedd yn gynharach, 'Fedrwch chi ddim tywallt chwart i bot peint'! Y gwahaniaeth yw fy mod i wedi profi chwerwder cynnwys y chwart unwaith ac nid wyf yn dymuno i'm plant wneud hynny. Gofal pia hi.

Saif Cae Eboni ein tŷ unllawr newydd ar fryncyn yn edrych i lawr dros wely Afon Saint a gwastadeddau Cwm-y-glo, ac yn edrych i fyny Dyffryn Peris. Mae'r olygfa oddi yno yn anhygoel, ac fe newidia'r lliwiau cefndirol o ddydd i ddydd. Cynlluniwyd hwn gan Carys fel y byddai ei mam yn gallu ymuno â ni pan ddymunai wneud hynny. Ychydig wyddem ar y pryd y byddai'n ymuno'n llawer cynt na'r disgwyl, a hynny i dreulio'i misoedd olaf. Welais i erioed neb yn dod i delerau â gwaeledd mor ffyrnig ag y gwnaeth Megan, ac rwy'n berffaith sicr mai ei ffydd ddiysgog a'i cynhaliodd i frwydro mor ddewr. Yn wir parhâi i fynd i Nosweithau Llawen a chyngherddau, ymddiddorai yng ngweithgareddau Dafydd ac Olwen, ac âi i weld a chefnogi ei mab yng nghyfraith, John Hunt, yn cystadlu mewn gornestau bowlio. Bu John yn Bencampwr Prydain yn 1979 a pharha i chwarae'r gêm i safon uchel. Bu hefyd yn gapten tîm 'Cyrlio' dynion Cymru am flynyddoedd gydag Elizabeth yn gapten tîm y merched. Ymfalchïai Megan yn eu llwyddiant. Er y llesgedd affwysol a'r boen gwenai drwy'r cwbl. Yn aml, gwelais ffrindiau yn gadael yn bendrist, a hithau'n byrlymu o sirioldeb ac yn peri i ni feddwl ei bod yn llawn bywyd. Credaf hyd heddiw ei bod wedi gallu rheoli'r diwedd. Gwyddai'n iawn fod ei dyddiau'n dirwyn i ben. Gofynnodd am gael gweld ei ffrind mynwesol, Yr Henadur Ann Lloyd Jones, cyn-Faer Ynys Môn, gyda Megan yn ei chefnogi a'i chynorthwyo fel Maeres. Gwyddwn mai hwn fyddai cyfarfod olaf Megan a Lloydie. Ychydig ddyddiau wedyn gydag Olwen gartref, fe gyrhaeddodd Elizabeth a John yn ddirybudd, ac fel tae hi wedi synhwyro rhywsut fod y teulu mor gyflawn ag y gallai fod fe welodd ei chyfle, ac ymollyngodd ym mreichiau'r genod. Gwyddwn innau fy mod wedi colli mam yng nghyfraith a oedd hefyd yn ffrind.

Yr Headmonster!

O gofio'r wers a ddysgais flynyddoedd ynghynt ar derfyn y 'blynyddoedd lloerig', penderfynais nad ymneilltuo'n gyfan gwbl i'r gornel oedd yr ateb. Gosodais nod i mi fy hun yn fy mhroffesiwn. Mwynhawn ddysgu plant ac edrychwn ar bob tymor fel cyfnod o brofiad gwerthfawr yn y broses o addysgu. Fy uchelgais wrth gwrs oedd rhedeg fy ysgol fy hun, a daeth y cyfle i roddi fy nhroed ar y ris isaf drwy gael fy mhenodi dros dro yn ddirprwy brifathro yn Ysgol Pen-bryn, Bethesda. Sylweddolwn y gallai fy mhenodiad arwain at greu anghydfod o fewn yr ysgol gan fod aelodau eraill ar staff Pen-bryn yn ddigon cymwys i ysgwyddo beichiau'r swydd. Ond nid felly y bu, a chefais y croeso gorau posib gan athrawon hynod gwrtais a chyfeillgar yn cael eu harwain gan Dafydd Jones, prifathro distaw, diymhongar a galluog.

Yn y cyfnod hwn roedd gan athrawon amser i gyfrannu i agweddau eraill o fywyd cymdeithasol eu broydd. Yn Nyffryn Peris roedd angen dybryd am bapur bro. Cofiaf gydgerdded â rhai o'm cyfeillion i Pen-bont, un o dafarndai'r pentref, ar ôl cyfarfod eithaf maith a thrwm yn yr Institiwt yn Llanrug un noson o hydref yn 1975. Testun sgwrs Ifan Parry, Ceunant; John Roberts, Bedw Gwynion; Selwyn Williams, Cartref a minnau y noson honno oedd twf y Papurau Bro a pha mor ddymunol fyddai cael un yn Nyffryn Peris. Erbyn cyrraedd y dafarn roedd y pedwar ohonom wedi dod i'r casgliad mai gweithredu fyddai'n cam nesaf yn hytrach na siarad. Penderfynwyd galw ynghyd nifer o drigolion y dyffryn i gyfarfod yn Ysgol Brynrefail, Llanrug gyda'r bwriad o sefydlu Papur Bro. Dyna wnaed a chafwyd cefnogaeth deilwng a brwdfrydig. Erbyn Chwefror 1976 roedd rhifyn cyntaf *Eco'r Wyddfa* wedi cael ei ddosbarthu i bron bob tŷ ym mhlwyfi Llanrug, Llanberis a Llanddeiniolen. Fe'm dewiswyd yn Olygydd er nad oedd gen i syniad sut i gyflawni'r dyletswyddau. Gofynnwyd i Norman Williams, golygydd papur bro cyntaf Cymru, *Y Dinesydd*, fy nghynorthwyo gan ei fod yn trigo erbyn hyn yn Waunfawr. Cytunodd Norman i wneud hynny dros dro. Roedd Selwyn Williams wedi tynnu rhestr allan o holl strydoedd, stadau a thai oedd yn yr ardal. Cytunodd John Roberts i fod yn swyddog hysbysebion, swydd a gadwodd hyd y dydd hwn! Daeth Dafydd Evans, Penisarwaun yn olygydd y dudalen Chwaraeon. Gwnâi Ifan Parry'n sicr fod lluniau ynddo o fis i fis. Casglwyd newyddion pentrefi gan Y Parchedig John Owen, Leslie Larsen, Geraint Elis (sy'n parhau i wneud y dyletswydd ym Methel) a'r diweddar Bob Williams, Deiniolen. Criw bychan ond gweithgar ac yn benderfynol o weld y fenter yn llwyddo. A llwyddo wnaeth yr Eco gyda'i gylchrediad oddeutu dwy fil a hanner ac yn gwerthu bryd hynny am 8 geiniog! Gwasg Gwynedd oedd yr argraffwyr a threuliwyd nosweithiau difyr yn gosod a phlygu'r papur yn yr hen ysgol yn Nant Peris o flaen tanllwyth o dân wedi ei baratoi gan Perisfab. Gwnâi'n sicr fod yr Eco yn cyrraedd pob tŷ yn Nant cyn i'r inc sychu! Er bod brwdfrydedd pobl fel Perisfab yn heintus, tristwch i mi oedd cael eraill yn ei gollfarnu ac yn mynnu mai papur un blaid wleidyddol ydoedd ac yn dymuno gweld ei dranc mor fuan ag oedd modd. Mwy o dristwch efallai oedd ymateb llugoer y trigolion hynny a fyddai wedi gallu cyfrannu'n ymarferol o'r cychwyn ond am resymau tu hwnt i ddirnadaeth wedi ymneilltuo ac ymwrthod. Ond o nerth i nerth yr aeth *Eco'r Wyddfa* gyda llawer mwy yn gwirfoddoli i gynorthwyo. Nid llwyfan i'r 'ceffylau blaen' ac aelodau o 'siop siarad' fu *Eco'r Wyddfa* ond cyfraniad gan frogarwyr diffuant oedd yn mynnu y byddai i Ddyffryn Peris ei lais ei hun a hwnnw'n atseinio i'r dyfodol. Llawenydd digamsyniol i mi oedd cael bod yn bresennol yn nathliad y ddau ganfed rhifyn o'r Eco yn yr Euro-DPC ar Fai 18, 1994 a chlywed englyn y Prifardd Ieuan Wyn yn cyfarch y papur ar gyrraedd ei ben-blwydd yn ddeunaw oed.

> 'Gobaith yr iaith fu'r maeth iawn, – ei geiriau
> Fu'r fagwraeth gyflawn,
> A heddiw mor amryddawn
> Yw'r plentyn yn llencyn llawn.'

Braf ydyw gallu cyhoeddi fod y llencyn 'yma o hyd' a hynny 'ar waetha' pawb a phopeth', a does fawr o sôn erbyn hyn am ei dranc!

Fe'm penodwyd yn brifathro Ysgol Y Gaerwen, Ynys Môn ym mis Medi 1977 i olynu Ednyfed Howells. Fe'm cyfarchwyd gan dri chyn-brifathro yr ysgol – Mr Howells, yna ei ragflaenydd Mr Owen ac yna ei ragflaenydd yntau J.W. Griffith. Sefyllfa anarferol oedd cael pedwar prifathro yr un ysgol dan yr un to. Derbyniais groeso cynnes iawn gan drigolion Y Gaerwen ac ar ôl cychwyn digon anodd, oherwydd surni siomedigaeth aelod allweddol o'm staff yn yr ysgol setlais i lawr i wynebu'r her a gynigiai fy swydd newydd. Roedd fy nghyfaill a'm cymydog, prifathro Ysgol Gynradd Llanfair-pwll, y llenor Ifor Wyn Williams, wedi fy rhybuddio y cymerai beth amser i mi gael fy nerbyn gan fy nghyd-weithwyr am nad oeddwn o Fôn! A digon oeraidd fyddai'r croeso yng nghyfarfodydd prifathrawon am amser. Byrhoedlog fu'r tyndra a buan y cefais fy nerbyn fel un o Brifathrawon Ynys Môn.

Hen adeilad oedd Ysgol Y Gaerwen, yn dywyll a thrymaidd oddi mewn, ac yn achosi mynych ymweliadau gan Glerc y Gwaith ac adeiladwyr. Byddai'r hen adeilad yn hafan glyd i lygod bach, a gwnâi ambell un o natur fwy mentrus ymddangosiad yn y dosbarthiadau gan greu difyrrwch pur i'r plant. Cofiaf un yn setlo i lawr ar fy nesg! Ers sawl blwyddyn bu'r Gaerwen ar restr aros am adeilad newydd. Yn wir, roedd y safle a'r cynlluniau yn barod. Ychydig ddyddiau cyn etholiad cyffredinol dechrau'r wythdegau derbyniais alwad ffôn yn hwyr yn y nos gan y Cynghorydd John Lasarus Williams, a oedd hefyd yn un o lywodraethwyr yr ysgol. Ei neges i mi oedd fod y Llywodraeth Lafur ar fin cael ei threchu a'u bod yn y broses o wagio coffrau'r Trysorlys. Byddai Môn yn debygol o dderbyn arian ychwanegol ac y byddai rhan ohono yn cael ei glustnodi ar gyfer adeiladu ysgol newydd.

'Er bod yna dair ysgol arall o dy flaen ar y rhestr aros, gwna dy gais rŵan, y funud yma. Ma' dy gynllunia' di'n barod, dydi'r lleill ddim!' oedd ei gyngor i mi. Y noson honno ysgrifennais y cais a galw'r llywodraethwyr ynghyd. O fewn y flwyddyn roedd yr adeiladwyr yn dechrau codi ysgol newydd yn Y Gaerwen. Monwysyn i'r carn, a gwleidydd a gweledigaeth gadarn ganddo oedd John L. Byddai wedi gwneud Aelod Seneddol gwych i'r ynys petai'r cyfle wedi disgyn i'w ran. Bûm yn ffodus o'i gael yn gefn i mi yn Y Gaerwen.

Cawsom ddiwrnod o 'wyliau ychwanegol' gan y Cyngor Sir i fudo. Daeth y plant hŷn i mewn i gynorthwyo. Syndod i bawb felly oedd ymddangosiad Arolygwr Ei Mawrhydi ger drws yr hen ysgol. Nid oedd y Bonwr Jâms Nicholas yn ymwybodol ei bod yn ddiwrnod mudo yn Y Gaerwen. Bryd hynny byddai arolygwyr yn ymddangos yn ddirybudd. Trefn a ddylsai fod wedi parhau hyd heddiw yn hytrach na'r ffârs arolygu presennol. Dilynodd Jâms Nicholas fi yn ôl a blaen am ran helaeth o'r bore gan gario ambell becyn dan ei gesail. Ddysgodd o fawr am drefniadaeth Ysgol Y Gaerwen y diwrnod hwnnw ond fe ddysgodd beth wmbredd am fudo!

Roedd gan y Cyngor Cefn Gwlad gystadleuaeth yn y cyfnod hwnnw i ddarganfod y pentref mwyaf gweithgar a byrlymus ar yr ynys. Penderfynodd trigolion diwyd Y Gaerwen gystadlu. Lluniwyd rhaglen nodwedd ryfeddol o amgylch John Williams, hynafgwr difyr ei sgwrs ac arbenigwr ar hanes y fro. Cafwyd eitemau gan blant yr ysgol, unigolion talentog y pentref a hyd yn oed sgets yn cynnwys prifathro'r pentref a dau weinidog yr Efengyl! Llwyddodd Y Parch Arthur O. Roberts a finnau i ddal wyneb syth tra'n cydactio ag un o'r cymeriadau mwyaf hoffus a naturiol ddoniol y cefais y fraint o'i gyfarfod – Y Parch Tom Griffith. Roedd bron pawb o drigolion Y

Gaerwen yn y 'Bwrlwm Bro'. Daeth y pentref i'r brig a bu dathlu mawr.

Yng nghanol y bwrlwm yma y penderfynais geisio am brifathrawiaeth arall. Gyda thristwch llwyr y torrais y newydd i Raymond Evans, Cadeirydd y Llywodraethwyr, a gŵr arall a fu'n gefn mawr i mi. Roedd Cadfan, Beti, Gwenda, Gracie a Marion fy nghyd-athrawon gweithgar a Carol, fy ysgrifenyddes ffyddlon wedi amau y byddwn yn cael fy nhemtio i gynnig. Roedd Ysgol Bontnewydd ger Caernarfon angen prifathro ac fe deimlais am y tro cyntaf ers chwe blynedd fy ngwreiddiau'n tynnu. Roedd y Bontnewydd yn apelio oherwydd fy mod yn adnabod Aled Roberts, y prifathro a'i staff ers fy nyddiau fel warden y Ganolfan Athrawon yng Nghaernarfon. Gwyddwn fod i'r ysgol enw da, ac y byddai'n denu prifathrawon profiadol i ymgeisio. Eto cawn fy nhynnu – yn Y Gaerwen yr oedd fy nghalon ond roedd fy ngwreiddiau'n llawer rhy ddwfn ym mhridd Arfon. Roedd y demtasiwn yn ormod a rhoddais gynnig arni gan ryw led obeithio na fyddwn yn cyrraedd y rhestr fer! Ond ei chyrraedd wnes i ynghyd â thri o gyfeillion agos i mi, Alun Roberts, un o'm ffrindiau bore oes, Geraint Lloyd Owen, cyfaill coleg a chyd-areithiwr a John Hywyn, cyfaill a bardd a edmygwn yn fawr. Rhyw ddeuddydd cyn y cyfweliad fe'n trawyd fel teulu gan drasiedi. Daeth y newydd fel bollt o rywle fod Harry Tŷ Uchaf, fy hoff ewythr, wedi terfnynu ei fywyd ei hun. Ni allwn ddirnad y peth, a'm blaenoriaeth ynghyd â'i wyr Raymond o'r eiliad honno oedd ceisio cysuro a chynnal fy modryb. Aeth y cyfweliad yn llwyr o'm cof. Ni fuaswn wedi cyrraedd Siambr y Cyngor Sir oni bai i Carys fy atgoffa. Does gen i ddim cof o'r cyfweliad chwaith – roedd pethau llawer pwysicach ar fy meddwl. Ond fy enw i a alwyd i mewn gan y clerc. Cynigiwyd y swydd i mi ac fe'i derbyniais. Ar y panel dewis yr oedd y Cynghorydd John L. Williams, edrychais arno wrth ymadael, roedd elfen o siom yn ei lygaid, ond gwyddwn yr un pryd ei fod ef yn anad neb yn ymwybodol o ddyhead dyn i ddychwel at ei wreiddiau. Diflannais i lawr un o strydoedd cefn Caernarfon i chwilio am loches yn y Cei i edrych yn hiraethus ar Fôn ac i gyfeiriad Y Gaerwen gyda'm meddwl yn hollol ddryslyd. Nid oeddwn hyd yn oed wedi sylweddoli fod y tri ymgeisydd arall wedi aros ar ôl i'm llongyfarch.

Y cyntaf i godi'r ffôn i'm llongyfarch oedd Olwen Llywelyn fy nirprwy newydd. Ychydig a wyddai Olwen ar y pryd pa mor gysurlon oedd ei geiriau. Gwyddwn fod gennyf fynydd i'w ddringo yn y Bontnewydd oherwydd fy mod yn dilyn un o'r prifathrawon cynradd mwyaf profiadol ac uchaf ei barch yng Ngwynedd – R. Aled Roberts. Cofiwn eiriau sawl prifathro yn datgan ei bod yn haws codi safonau ysgol wantan na chynnal a chadw safonau ysgol solet, gref. Buan iawn y deuwn dan lach pe bawn yn methu yn y Bontnewydd. Roedd hon yn ardal llawer mwy dosbarth canol, a sylweddolwn fod sawl llygad barcud yn craffu arnaf. Gwyddwn fod sawl un yn y dalgylch yn siomedig mai fi a gafodd y swydd, a sylweddolwn fod gen i fynydd i'w ddringo. Roedd angen mymryn o gryfderau fy nghyn-brifathrawon arnaf: trefnusrwydd Vincent Timothy, Y Rhyl; cwrteisi a doethineb Dafydd Jones, Pen-bryn a dawn Stanley Owen, Llanberis i drin aelodau ei staff fel cyfaill ac fel mentor ar lefel broffesiynol. Ceisiais efelychu rhinweddau'r gwyrda hyn gan geisio gosod fy stamp fy hun yr un pryd ar yr ysgol. Ond roedd problem enfawr yn fy wynebu yno. Roedd niferoedd y plant yn gostwng. Golygai hynny golli athrawon. O flwyddyn i flwyddyn aeth y niferoedd i lawr ac o flwyddyn i flwyddyn bu'n rhaid i mi ddewis pwy oedd i fynd.

Er yr holl dreialon bu fy mlynyddoedd cyntaf yn y Bontnewydd yn rhai hapus. Cefais gydweithrediad llwyr y staff. Ceisiais gynnal a chadw'r bywiogrwydd a'r creadigrwydd oedd yn nodweddu athrawon yr ysgol. Rhoesant oriau o waith ychwanegol i mewn, a hynny'n wirfoddol. Ewyllys da oedd hyn i gyd, nid gorfodaeth. Ond yn ddisymwth, daeth y dyddiau tywyll. Penderfynodd Thatcher a'i chriw y byddai cystwyo athrawon yn gyfrwng i ennill pleidleisiau. Cofiaf ddyddiau'r diflasu'n glir. Gwelais athrawon cydwybodol yn fy ysgol fy hun yn gwegian dan bwysau cwricwlwm a oedd wedi ei greu gan wleidyddion yn hytrach nag addysgwyr. Chafodd athrawon mo'r cyfle i ddweud eu dweud. Gwyddwn fod ei gynnwys yn gwbl groes i'r graen, a gwyddwn hefyd ei fod yn drymlwythog ac yn amhosibl i'w weithredu. Mae'n hysbys bellach fod y drafft cyntaf wedi methu'n llwyr. Rhyddhad i Emily Huws, yr awdures plant doreithiog, a minnau oedd cael 'madael â'i gynnwys un prynhawn gwyntog yn nhomen ysbwriel Mynydd Cilgwyn! Mynnai Thatcher a'i ribidires o weinidogion addysg cynffonllyd ei fod yn gwricwlwm ymarferol a theg, ac fe wyddwn i a phob un o'm cyd-weithwyr mai cosb ydoedd am i ni fel proffesiwn feiddio dilyn cyfarwyddiadau'n hundebau i streicio flynyddoedd ynghynt. Cas beth y bioden oedd undebaeth fel y gŵyr pawb erbyn hyn.

Mewn un cwrs ym Mhlas Menai daeth yn eglur iawn i mi fod fy swydd yn mynd i newid. Ar ôl tri diwrnod o ddosbarthu cyfarwyddiadau newydd a dadleuol y weinyddiaeth addysg a thanlinellu newidiadau ysgubol, mi sylweddolais nad oedd y gair 'plentyn' wedi ei ynganu. Gŵr busnes fyddwn o hyn allan yn hytrach nag addysgwr. Gwyddwn yn syth fod fy nyddiau fel prifathro wedi eu rhifo. Nid oeddwn am aros i felltithio, gwrthryfela a suro. Roedd addysg plentyn yn llawer rhy bwysig i gael person felly wrth y llyw. 'Haws golau cannwyll na melltithio'r tywyllwch', meddai'r hen ddihareb a phenderfynais ymddeol yn gynnar.

Roedd gen i flynyddoedd hapus iawn i edrych yn ôl arnynt fel athro a phrifathro. Nid joban o waith naw tan bump oedd fy ngwaith i. Dyletswydd moesol a braint oedd bod yn rhannol gyfrifol am ddatblygiad cynnar cannoedd o blant, pob un yn wahanol, pob un gyda'i rinweddau yn ogystal â'i wendidau, pob un o gefndir cartref gwahanol a phob un yn ôl 'Trefn' Y Creawdwr yn gymeriad bach unigryw.

Bodlonaf erbyn hyn ar gofio'r hwyl a'r dyddiau hapus. Cofiaf Lona Rowlands yn dychwelyd i ysgol Bontnewydd gyda gwên foddhaus ar ei hwyneb ar ôl bod â'i phlant saith oed i lawr i Eglwys Llanfaglan i weld bedd enwog yr hen fôr-leidr. Roedd yn gyfle gwych hefyd i'r plant ddarllen rhai o'r cerrig beddau. Yn sydyn daeth bloedd o gongl y fynwent, 'Mrs. Rowlands! Ma' 'na garrag yn fama hefo 'sgwennu Susnag arni hi!'

'Ysgwn i pam?' gofynnodd Lona.

Daeth bloedd o gyfeiriad arall, 'Wn i, Miss, ar gyfar fisitors ma' hi!'

Cofiaf ofyn rhyw dro i'r dosbarth, 'Oes 'na rywun wedi gweld Garry o gwmpas? Dydio ddim wedi bod yn yr ysgol ers bron i bythefnos?'

'Wn i lle mae o, Mr Jones,' atebodd Carwyn. 'Mae o a'i fam a'i dad wedi mynd "i broad"!'

Cefais fy nghyflwyno unwaith yn y modd mwyaf rhyfeddol. Digwyddwn sefyll ger drws yr ysgol fel roedd y plant lleiaf yn mynd adref. Rhedodd un i freichiau ei fam ac yna sylwodd fy mod wrth y drws. 'Mam, 'dach chi'n gw'bod pwy 'di hwnna?'

'Nacdw wir, deud ti wrtha i pwy ydi o.'

'Wel hwnna ydi'n "headmonster" i!'

'Gan y gwirion y ceir y gwir' meddai'r hen air, ac ymhen blwyddyn roedd yr hen 'headmonster' wedi ei heglu hi, gan adael yr ysgol yn nwylo sicr a gofalus Eirian Pritchard ei ddirprwy.

Ail Wynt

Rhoddodd yr ymddeoliad yn 1973 gyfle gogoneddus i mi gael seibiant. Am ryw dair blynedd credwn na fyddwn yn troedio llwyfan byth eto. Yn wir deuthum i dderbyn hynny, er gwaetha'r ffaith i ni gytuno i recordio y record hir 'Teifi' i gwmni Dafydd Iwan a Huw Jones. Cyhoeddwyd hon yn 1974 a bu ei recordio yn brofiad rhyfeddol. Nid oedd stiwdio Sain yng Ngwernafalau, Llandwrog yn barod ac aeth Huw Jones â ni ynghyd â Gwyndaf Roberts (Ar Log) ar y gitâr fas i lawr i'r 'Tangerine Studios' yn East Ham, Llundain. Ar ganol recordio yr hen alaw werin bruddglwyfus honno, 'Yr Eneth Glaf' a ninnau wedi mynd dan groen y gân, bron yn powlio dagrau galar, gwelem Huw Jones yn glana chwerthin yn stafell y peiriannydd. Gwahoddwyd ni'n syth i wrando ar y datganiad. Dyma be glywsom ni – y lleisiau'n atsain yn ddigon clir a pheraidd, 'Y mae'r haf yn hir yn dyfod...' ac yna fel rhyw eco iasoer yn y pellter rhyw lais cras, Cocnïaidd yn cyhoedddi, *'Two fat ladies - eight and eight - eighty eight.'* Yna ychydig mwy o'r 'Eneth Glaf' – 'Dweud o hyd y mae nghyfeillion...' *'Six and six - clicidi clic - sixty six!'* – ac yn y blaen ac yn y blaen hyd ddiwedd y datganiad. Torrodd pawb allan i chwerthin yn afreolus. Os bu sŵn bisâr erioed, hwn ydoedd. Cymysgiad oedd yma o alaw werin Gymreig hyfryd gyda rhesiad o rifau Bingo wedi treiddio i'w hymasgaroedd. Roedd y stiwdio wedi ei lleoli drws nesaf i neuadd bingo fawr, a daethai llais aflafar galwr y gêm fwyaf hurt a greodd dyn erioed drwodd gan gymysgu yng nghrombil y peiriannau recordio soffistigedig. Rhowch imi'r hen ffordd Gymreig o fyw – a recordio hefyd! Arafwyd y sesiwn recordio ac aeth yn oriau mân bore Llun arnom yn cwblhau'r cymysgu ac ymlwybro'n ôl am Euston. Cofiaf hwylio i mewn i'm dosbarth tua 11.30 y bore gan annog y plant i gadw'n ddistaw a mynd ymlaen â'u darllen! Gosodais fy mhen yng nghrud fy nwylo a chau fy llygaid – ond parhawn i glywed y cyfuniad rhyfeddol o'r 'Eneth Glaf', y ddwy ddynes dew a'r clicidi clic! Rhyddhawyd 'Teifi' ac aeth yn syth i ben y siartiau. Bingo! Doedd bosib fod y llwyddiant yma am ein denu'n ôl?

Daliai'r gwahoddiadau i lifo i mewn. Doedd pobl, rhywsut, ddim am ein gadael i ddiflannu i ddifancoll. Rhyddhaodd Sain ddwy record hir o ganeuon gorau Hogia'r Wyddfa a bu'r rheiny yn llwyddiant ysgubol i'r cwmni. Yn 1976 fe'n perswadiwyd i gasglu 'nghyd nifer o ganeuon traddodiadol Cymru a'u cynnwys ar record hir. Gyda chymorth y ddiweddar Fonesig Amy Parry-Williams i ddethol y caneuon fe lwyddasom i recordio tair cân werin ar ddeg. Dyma'r record hir werin gyntaf i'w chyhoeddi, a bu hon eto yn llwyddiant. Fe'i dilynwyd gan ddwy record hir arall a thâp llwyddiannus, 'Taro Deuddeg', 'Difyrru'r Amser' a 'Maradona'. Cyflwynwyd record aur i ni unwaith yn rhagor. Mae'n syndod meddwl fod Hogia'r Wyddfa wedi recordio dros gant o ganeuon i ddau gwmni recordio. O'r nifer sylweddol yma mae dros hanner yr alawon yn 'frethyn cartref'. Ni pia nhw a neb arall.

Pan gyhoeddodd Cwmni Sain gyfansymiau eu recordiau mwyaf poblogaidd erioed yn 1993 roedd pedair o recordiau Hogia'r Wyddfa yn y rhestr o bump ar hugain uchaf. Doedd dim grŵp arall ar y rhestr, a dim ond Aled Jones a Trebor Edwards oedd wedi gwerthu mwy. O gyplysu hyn â'r ffaith ein bod wedi gwerthu mwy o recordiau i gwmni'r Dryw a fyddai'n ormodiaith dweud mai Hogia'r Wyddfa werthodd y nifer fwyaf o recordiau erioed fel grŵp Cymraeg?

Ac eto, er ein bod wedi torri'n cwys ein hunain ym myd canu poblogaidd y chwedegau a rhan o'r saithdegau, ni chawsom erioed ein cydnabod fel grŵp arloesol na dylanwadol. O bosib nad oedd cynnwys ein caneuon yn ddigon gwladgarol gan adlewyrchu ymdeimlad gwleidyddol y cyfnod. Roeddem hefyd wedi bodloni ar ddilyn canu mwy traddodiadol ein cenedl yn hytrach na mentro i feysydd mwy arbrofol a modern. Dyma gyfnod artistiaid mwy mentrus fel Hergest, Delwyn Siôn, Ac Eraill, Tecwyn Ifan, Mynediad Am Ddim, Emyr Huws Jones, Geraint Jarman, Heather Jones, Endaf Emlyn, Meic Stevens, Brân, Shwn ac i goroni'r cyfan – Edward H. Dafis. Dyma'r grŵp mwyaf arloesol fu erioed yng Nghymru a bu ei ddylanwad yn bellgyrhaeddol. Roeddynt yn fodern Gymreig. Ystyriaf Celt yn yr un categori heddiw. Maent yn apelio at drwch y Cymry cyfoes ac yn gwbl Gymreig eu naws. Cofiaf ddarllen beirniadaeth hallt Bethan Miles yn *Y Faner* yn dilyn rhyddhau ein record 'Difyrru'r Amser' yn 1979, 'Bu mwy o newid ar gopa'r Wyddfa dros y blynyddoedd nag ar arddull yr Hogia'. Ond sylweddolai ar yr un pryd fod canu Hogia'r Wyddfa'n apelio'n fawr at gynulleidfaoedd a daeth â'i hadolygiad i ben yn ogleisiol o arwyddocaol:

> 'Aros mae'r mynyddau mawr
> Rhuo trostynt mae y gwynt...'

Cyn yr adolygiad yna roedd Hogia'r Wyddfa'n ôl yn canu ar lwyfannau Cymru unwaith eto, ac er bod sawl sylw sinigaidd wedi ei wneud yn y wasg a'r cyfryngau deuai dyfyniad olaf Bethan Miles yn ôl i'm gogleisio. Ia, rhuo 'trostynt' oedd y gwynt!

Ond mwy gogleisiol fyth oedd yr englyn hwn o eiddo arch-englynwr dychanol Cymru – Einion Evans, dan y teitl 'Hogia'r (?) Wyddfa'.

> 'Deuant allan fel diddanwyr – heddiw
> 'rôl heneiddio'n eglur.
> Er y gowt a phob rhyw gur
> swynol yw'r hen bensiynwyr.'

Ruth Price, BBC fu'n bennaf gyfrifol am ein denu'n ôl drwy gynnig rhaglen deledu i ni. Yna fe berswadiodd Ken James Jones, cadeirydd pwyllgor carnifal Llanberis ni i ganu ar lwyfan unwaith yn rhagor yn 1979. Doedd dim modd gwrthod Ken ac fe ganasom yno y noson honno ynghyd â Chôr Telyn Teilo a J.O. Roberts yn arwain. Llifai'r cyffro unwaith eto drwy'r gwythiennau, ond ar yr un pryd gwyddai'r pump ohonom na fyddem yn meiddio dilyn trywydd y 'blynyddoedd lloerig'.

Cytunwyd i droedio'n ofalus iawn drwy berfformio dim mwy nag unwaith y mis, derbyn ambell raglen deledu a radio ac efallai recordio record pe deuai'r galw.

Yn 1992 penderfynodd Richard roi'r gorau i gyfeilio i

ni. Nid oedd modd i ni barhau heb gyfeilydd a daeth dydd pwyso a mesur i'n rhan unwaith eto. Roedd Richard wedi profi ei hun yn gyfeilydd cefndir diguro ac yn cael ei werthfawrogi gan gynulleidfaoedd ar hyd a lled y wlad a thramor. Sut ar wyneb y ddaear oedd modd i rywun ei ddilyn a chadw yr un naws? Dim ond cyfeilydd o'r radd flaenaf allai addasu techneg i gyfleu'r naws. Roedd un yn bodoli, wedi ei magu ar yr aelwyd fwyaf cerddorol yn Nyffryn Peris ac yn trigo o fewn tafliad carreg i ni. Anette Bryn Parry. Y cwestiwn mawr oedd a fyddai cyfeilydd o'i statws a'i safon hi, gyda galwadau dirifedi am ei gwasanaeth yn fodlon cyfeilio i ni? Ei hateb oedd, 'G'naf siŵr iawn – mi ges i fy nwyn i fyny ar records Hogia'r Wyddfa a Tony ac Aloma! Roedd Mam yn yr un dosbarth ysgol â Myrddin!' A dyna'n rhoi ni yn ein lle yn syth. Ymdoddodd i mewn fel tae hi wedi bod yn cyfeilio i ni 'rioed ond, yn bwysicach, daeth yn fêt!

Efallai mai yma y dylswn oedi am ychydig i bwyso a mesur dylanwad ffrindiau ar Hogia'r Wyddfa ac arna i'n bersonol. Braint oedd cael rhannu llwyfan â rhai ohonynt, a braint hefyd oedd dod i adnabod eraill. Ychydig iawn o ddylanwad gafodd y canu Eingl-Americanaidd arna i. Mwynhawn wrando ar artistiaid mawr y cyfnod megis yr Everly Brothers, Roy Orbison, Johnny Cash, Joan Baez, Bob Dylan a'r brenin ei hun Elvis Presley ac yn ddiweddarach y Beatles. Ond ddois i erioed dan eu dylanwad, ac yn sicr nid oes gen i gof i mi fwydro fy mhen ag unrhyw un ohonyn nhw. Roedd yn well gen i wrando ar arwyr yr hen Noson Lawen ar y radio. Byddwn wrth fy modd yn gwrando ar Sgiffl Llandygái, Hogia Bryngwran, Aled a Reg a Sassie Rees.

Ac os cafodd yna grŵp erioed ddylanwad arna i ac ar ganu Hogia'r Wyddfa, Triawd y Coleg oedd hwnnw. Roedd harmoni clos Robin, Merêd, Cledwyn, ac Islwyn Ffowc Elis ynghynt, yn apelio'n fawr ac er na sylweddolwn ar y pryd – yn ddylanwadol. Pedwar gwron y mae gennyf gymaint o barch tuag atynt.

Roedd cyflwynwyr y cyfnod yn arwyr mawr i mi. Ond mae dau gawr yn sefyll allan. Richard Hughes, Y Co' Bach oedd un. Roedd sgriptiau Gruffudd Parry yn ddeifiol o ddoniol ac amseru Richard Hughes mor effeithiol. Cefais y fraint o gwmni Richard Hughes ar fy aelwyd a chofiaf feddwl bryd hynny sut ar wyneb daear y gallai 'super star' fod mor ddymunol. Gŵr bonheddig oedd Richard wrth reddf a hanai o gyfnod pan oedd parchu cyd-ddyn yn bwysig. Y cawr arall wrth gwrs oedd yr anhygoel Charles Williams. Treuliais flynyddoedd yn rhannu llwyfan ag o gan wylio'n ofalus bob symudiad ac ystum a wnâi, a gwrando ar bob stori o'i eiddo. Ni fu ac ni fydd eto neb tebyg iddo. Briw i'm bron ydi clywed rhai'n cymharu'r tad a'r mab. 'Ddaw o byth i 'sgidia ei dad!' yw'r farn. Na ddaw siŵr, ddaw 'na neb – ond ddaw 'na neb i 'sgidia Idris chwaith. Dau ddigrifwr o'r radd flaenaf oeddynt, a dau wahanol eu cyflwyniadau – ond dau o frid! Bu'r ddau yn gyfeillion triw i Hogia'r Wyddfa. Daeth fflyd o arweinyddion talentog ar eu holau yn cynnwys y diweddar Glyn Pensarn, Glan Davies, Idris Davies, Glynceiriog, Hywel Gwynfryn, Stewart Jones, J.O. Roberts, Dai Jones Llanilar, Ifan J.C.B, Dilwyn Edwards, Alun James, Ifan Gruffudd, John Ogwen, Gari Williams a mwy. Gwerthfawrogaf dalentau'r arweinydd-ion ifanc yn ogystal, rhai fel Nigel Owens, Dilwyn

Pierce, Dilwyn Morgan, Gareth Owens, Alwyn Siôn a Glyn Owens a mwy. Gwaith anodd iawn ydyw arwain Noson Lawen a gwn o brofiad y gall arweinydd gwan ddinistrio'r naws.

Roedd proffesiynoldeb Ryan a Ronnie yn rhywbeth gwahanol a newydd i ni, ond profiad oedd cael cydweithio â'r ddau. Cofiaf yn dda rannu llwyfan â hwy yn Llanrwst. Methodd Richard â dod i gyfeilio i ni a bu'n rhaid bodloni ar gyfeiliant gitâr yn unig. Aeth popeth yn eithaf rhwydd hyd y gân olaf, 'Safwn yn y Bwlch'. Roedd angen llenwi'r cefndir yn hon, roedd angen y grymuster hwnnw na allai gitâr ar ei phen ei hun ei gyfleu. Neidiodd Ryan ar y llwyfan gan wrando ar gyweirnod y gitâr ac yna heb ymarfer o gwbl aeth at y piano a gosod ei gefndir ei hun i'r gân. Tynnwyd y lle i lawr a bu'n rhaid ei hailganu. Talent brin iawn oedd talent Ryan. Ond Ronnie oedd y cymysgwr gorau o'r ddau. Hoffai Ronnie gwmni ei gyd-artistiaid. Cofiaf Ronnie Williams yn datgan ar y teledu unwaith pan ofynnwyd iddo ddisgrifio mewn un frawddeg beth a olygai canu ysgafn gwir Gymreig ei naws iddo fo. Atebodd, 'Hogia'r Wyddfa yn canu "Baled y Llanc Ifanc o Lŷn".' Drwy ymddangos ar eu rhaglenni hwy y daethom i adnabod artistiaid mwy proffesiynol eu hagwedd megis Alun Williams, Bryn Williams, Benny Litchfield, Ted Boyce, Margaret Williams, Iris Williams, Max Boyce, Yr Hennesys, Heather Jones, Geraint Jarman, Meic Stevens a mwy.

Daeth rhai o'n cyd-artistiaid yn gyfeillion agos i ni dros y blynyddoedd. O ran trefnu cyngherddau byddai'r cyfuniad o grŵp, deuawd ac unawdydd yn apelio. Dyna pam fod ein perthynas ag Emyr ac Elwyn a Tony ac

Aloma yn un mor glos. Cofiaf rannu llwyfan ag Emyr ac Elwyn rhywle yn Nyffryn Conwy pan oedd Elwyn ni yn sâl. Aeth Myrddin, Dic, Vivs a minnau draw i geisio addasu a chyflwyno ambell gân.

'Beth am sgets neu ddwy?' gofynnodd Emyr (Gari Williams yn ddiweddarach).

'Dim gobaith heb yr Hen Êl,' meddwn innau.

'Gwranda, Jôs,' meddai'r bychan, 'dwi wedi gweld y blydi sgetsys 'ma gymaint, dwi'n gw'bod rhan pawb. Awê!' Roedd Gari mor ddawnus, pe byddai'n nos arno gallai ffendio'i ffordd i oleuni'r dydd. Gwyddem bryd hynny fod talent fawr ar fin ei darganfod. Fel Ryan, disgleiriodd yn fendigedig o lachar, ond darfu megis seren wib, ac yntau hefo cymaint mwy i'w gynnig.

'Wnei di arwain yn Theatr Tywysog Cymru, Bae Colwyn?' gofynnodd Elwyn ei frawd annwyl a ffyddlon i mi. 'Dwi dy angen yno fel hen fêt – noson y teulu i goffáu Gari fydd hon. Cadwa hi'n ysgafn, dim dagra, dim sentiment.' Ufuddhau heb feddwl ddwywaith wnes i, ond gorchwyl anodd, bobol bach. Rwy'n gwbl argyhoeddedig hyd y dydd hwn fod yna 'dywysog' go iawn yn y theatr y noson honno, 'tywysog diddanwyr Cymru' a hwnnw'n sefyll wrth fy ochr ar y llwyfan ac yn cynnal fy mreichiau.

Tony ac Aloma a'n cyflwynodd i Landysul am y tro cyntaf. Byddai'r ddeuawd annwyl a ni yn cynnal cymaint o nosweithiau â'n gilydd ymhob cwr o Gymru fel y daethom yn bennaf cyfeillion. Doedd fawr o ots ymhle y byddem yn diddanu, byddem yn anelu yn ôl i westy'r Porth yn Llandysul. Yno ar aelwyd glyd y ddiweddar Esme Jones a'i merch Andrea y byddem yn cymdeithasu ac ymlacio ymysg ein gilydd, ac ymysg trigolion y pentref. Deuai artistiaid eraill i aros yno yn eu tro, artistiaid fel Max Boyce, Yr Henessys, Hogia Llandygái, Iris Williams a llawer mwy. Yn wir, yn hytrach nag aros yng Nghaerdydd ar ôl rhaglenni byw fel Disc a Dawn byddem yn anelu yn syth am loches Llandysul, ddwyawr dda i ffwrdd. Bryd hynny deuai cyfarwyddwr Disc a Dawn i fyny hefo ni – yr anghymharol Rhydderch Jones. Hoffai gwmni Hogia'r Wyddfa. Hoffai Hogia'r Wyddfa ei gwmni yntau. Hogia o'r un anian oeddem, hogia broydd y chwareli. O fewn y gymdeithas glos yma a grewyd yn Nyffryn Teifi, lle y mowldiwyd diwylliant cefn gwlad Sir Aberteifi a diwylliant broydd y chwareli, y teimlai Rhydderch a ninnau mor gartrefol. Yno y byddai'r athrylith yn agor llifddorau ei gof, ei dalent a'i ddychymyg. Hwn, ynghyd â'i ffrind mynwesol Gwenlyn Parry oedd crewyr 'Fo a Fe'. Eisteddem yno'n gwrando'n gegrwth arno yn adrodd oddi ar gof awdl 'Y Glowr' a 'Cwm Carnedd' air am air cyn troi i'r iaith fain a chwydu allan dalpiau o weithiau ei arwr mawr Dylan Thomas. Cofiaf am byth ei ddisgrifiad o'r hen daid wedi colli ei grebwyll ar Bont Caerfyrddin, ac yn chwilio am ei gynefin a'i orffwysfan olaf. Rhydderch, nid yn annhebyg o ran pryd a gwedd i'w arwr, ac yn sicr gyda'r gallu i'w ddynwared, yn llefaru geiriau'r hen daid, *'I am going to Llangadog to be burried. The ground there is more comfy – and there's more room to stretch the feet!'* Ac yna mewn goslef orfoleddus, gan bwysleisio bob gair yn y frawddeg glo. *'And Granpa stood on Carmarthen Bridge like a prophet, who had no doubt!'* Yn ddieithriad, pan fyddwn yn gyrru trwy Gorris byddwn yn edrych draw am Aberllefenni a'r fynwent lle gorwedd yr athrylith o ffrind bellach gan gyfeirio, 'Sud w'ti, Rhydd? W'ti'n ddigon cyfforddus, yr hen fêt?' Na, nid sentiment, dim ond yr awydd gan hen hogia i ddal eu gafael ar orffennol oedd mor ogoneddus o gyfoethog.

Bu ein perthynas â'r wasg yn un eithaf hapus a didramgwydd ar y cyfan. Weithiau'n unig y byddai beirniadaeth ohonom yn ymddangos, a hynny yn y cylchgronau a phapurau Cymraeg hynny a apeliai at y dosbarth canol. Bu'r wasg Seisnig yn wirioneddol garedig wrthym. Bu colofn ddyddiol ddylanwadol Arthur Williams ar dudalen flaen y *Daily Post* yn gyfrwng i dreblu poblogrwydd Hogia'r Wyddfa. Byddai Arthur Williams yn barod bob amser i'n clodfori am ei fod yn fodlon gwrando. Parhaodd y cysylltiad gyda Gerald Williams a Iorwerth Roberts.

Yn y Porth y dois i adnabod Thomas Howell Thomas hefyd. Postmon, pysgotwr a thalp o werinwr diwylliedig. Tom Howell ydoedd i'w ffrindiau yn Llandysul – ond 'Twm Post' i Hogia'r Wyddfa! Cynrychiolai Twm y cyfan o'r hyn sy'n dda mewn cymdeithas. Roedd yn hyddysg yn niwylliant ei genedl, ac ymhyfrydai yn y ffaith mai beirdd ei ardal ef oedd Sarnicol, Dewi Emrys, T. Llew Jones, Dic a Donald. Ond Tydfor oedd ei arwr. Gallai adrodd talpiau o'u cerddi ar ei gof. Ond dyma'r gŵr a dreuliodd benwythnosau yn ein tywys i fannau dieithr ac anghysbell ym mherfeddion siroedd Aberteifi, Penfro a Chaerfyrddin. Roedd ef, Jennie a'r bechgyn yn falch o'n gweld bob amser a byddai'r tecell ar y tân yn ffrwtian bob tro y deuem i mewn. Er nid felly y bu hi ar y dechrau pan ddaeth Twm adref un noson a dweud wrth Jennie ei fod am ddilyn Hogia'r Wyddfa i Sir Benfro. Nid oedd Jennie'n hapus.

'Be sydd, Jennie? Sa ti di clywed am Hogie'r Wyddfa?' gofynnodd iddi.

'Sa i'n credu mod i,' atebodd Jennie, ac yna'n betrusgar ychwanegodd, 'Does bosib eu bod nhw ar ddrygs, Tom!' Ciliodd y pryderon yn fuan a bu croeso twymgalon ar aelwyd Pleasant View. Roedd Twm yn un o'r pysgotwyr gorau ar afon Teifi. Treuliodd Myrddin a minnau sawl orig yn ei gwmni i lawr yn Rhyd-fach neu 'lan' ym Maesycrugiau. Yno y daethom i adnabod ein gilydd fel brodyr. Bu marwolaeth gynamserol Twm yn ergyd i bob un ohonom. Roeddwn i lawr gydag ef yn Llandysul y penwythnos cyn ei farw ac aeth y ddau ohonom at yr afon. Ei eiriau olaf cyn ymadael â'i glannau oedd, 'Edrych arni, Jôs, ma' hi'n felyn i gyd ac yn salw fel finne!' Byrdwn trwm oedd cario ei weddillion i'r fynwent fechan ym Mangor Teifi. Edrychwn i lawr i'r dyffryn islaw lle llifai ei hoff afon a chlywn ei lais yn y gwynt yn adrodd diweddglo ei hoff gerdd:

> 'Os byddi dy hunan wrth bwll Gilfach Wen
> Un noson, a chlywed sŵn rîl wrth lein den,
> Nac ofna, myfi fydd yn llithro drwy'r gro
> O Erddi Paradwys i Deifi am dro.'

Pwy fasa'n meddwl y byddwn yn dychwelyd i'r un fan ymhen ychydig flynyddoedd i gyflawni'r un gymwynas a rhoddi Jennie annwyl a charedig yn yr un orffwysfan. Fe'i trawyd i lawr gan gar, a hynny o fewn ychydig lathenni i'w chartref. A daeth fy nghysylltiad agos â

Llandysul i ben, er bod gennyf lawer o ffrindiau yno o hyd. Ond fe dorrwyd y ddolen gyswllt.

Ond mi fydd y cofio yn felys bob amser, fel yn wir y bydd y cofio am gyfeillion mewn mannau eraill o Gymru – mannau fel Minera, ger Coedpoeth, lle roedd cartref Dr. Gareth Williams a Mavis, cwpwl a agorodd ddrws eu cartref i ni ynghyd â chynhesrwydd eu haelwyd; y clwb rygbi yn Abergwaun, y Sargeants Inn, Eglwyswrw, y Skinners a'r Cŵps yn Aberystwyth, Dolbrodmaeth yn Ninas Mawddwy, Glanrafon Talgarreg, Ian a Morwena a'u cyfeillion a'r 'home brew' enwog, criw y pasiantau ym Mhwllheli a ffrindiau clos ardal Ro-wen. Yn Ro-wen y daethom i adnabod Tudur. Dyma ŵr rhyfeddol. Gŵr y bûm wrth erchwyn ei wely ar ôl iddo gael ei daro i lawr ar un o draffyrdd Gogledd Lloegr wrth iddo ddisgyn o gaban ei lori. Derbyniais alwad ffôn gan ei frawd yn erfyn arnaf fynd i'w weld, gan fod y meddygon yn un o ysbytai Manceinion wedi ei hysbysu fod Tudur rhwng trymgwsg ac effro yn galw am ryw 'Awyl'! Sylweddolodd y teulu yn syth mai galw amdana i yr oedd yr hen ffrind. Byddai'n chwarae tapiau Hogia'r Wyddfa yn ei lori, ac mae'n debyg mai un o'r rhain a glywodd ddiwethaf cyn ei ddamwain erchyll. Gall ganu pob un o ganeuon Hogia'r Wyddfa air am air, a mwy, gall harmoneiddio'n rhwydd gydag Elwyn a Myrddin. Aeth Carys a minnau yn syth heb oedi i'r ysbyty, ac yno y buom yn ceisio am oriau i'w gadw'n effro, gan geisio ei ddarbwyllo fod popeth yn iawn, ac y byddai ymhen yrhawg yn ôl yn canu'r caneuon a hoffai. Dyna'r tro cyntaf i mi ganu caneuon Hogia'r Wyddfa fel unawd a hynny yng nghwmni Tudur. Ac yntau'n holliach erbyn hyn daw ef a'i gyfaill 'Guy' Roberts o amgylch gyda ni i'n cynorthwyo gyda'r system sain – offer mae gen i ofn ein bod yn dibynnu fwyfwy arno y dyddiau hyn! Offer y byddem yn wfftio ato ers talwm!

Yn ystod haf 2000 bu farw Richard. Daeth y newydd trist i'n sylw mor sydyn a dirybudd, er ein bod yn ymwybodol nad oedd ei iechyd yr hyn y dylai fod. Gorchwyl anodd oedd ei hebrwng i'w orffwysfan olaf ym mynwent Pentir brynhawn Gwener, 16 o Orffennaf, gyda'r llu atgofion o'r dyddiau da yn croni yn y cof. Casglodd torf fawr yng Nghapel Seilo, Caernarfon i dalu teyrnged haeddiannol i ŵr gwylaidd a fu'n gyfeilydd cefndir unigryw, yn gyfansoddwr alawon cofiadwy, yn organydd hyderus ac yn athro annwyl. Dyn y cefndir oedd Dic – ni fynnai byth sylw iddo'i hun – ond tra cenir ei anthem fawr, 'Safwn yn y Bwlch', fe gofir am Richard Huw Morris.

Dydi'r Hen Fyd Ma'n Fychan

GOGLEDD AMERICA 1971

Daeth galwadau o dramor am ein gwasanaeth. Gwiriondeb fyddai eu gwrthod er y byddwn i'n dioddef yn enbyd. Byddai 'hiraeth' yn fy llethu bob tro yr awn ar daith. Cefais y profiad yma ar daith 1971 i Ogledd America. Er bod Carys gyda mi bu'n rhaid gadael Dafydd ac Olwen gartref yng ngofal y neiniau a'r teidiau ac Elizabeth, chwaer Carys. Gwyddem y caent y gofal gorau, ond roedd Mericia mor bell i ffwrdd!

Gwahoddwyd ni gan Barti'r Ffynnon o Sir y Fflint, dan arweiniad Morfudd Maesaleg i ymuno â hwy ar eu taith i ymweld â gefeilldref tref y Fflint – Fenton yn nhalaith Michigan. Trodd allan i fod yn daith brysur ond hwyliog iawn. Dechreuodd y miri ym maes awyr John F. Kennedy, Efrog Newydd. Roedd y pump ohonom wedi llenwi'n cesys â recordiau er mwyn eu gwerthu yn y cyngherddau. Fe stopiwyd Myrddin gan un o swyddogion y tollau. *'Open your case, sir,'* gorchmynnodd yn awdurdodol. Collodd 'brandi am ddim' yr awyren ei effaith yn syth a gwelwodd Myrddin.

'Be ddeuda'i wrtho fo, Jôs?' holodd dan ei wynt.

'Deud wrtho fo fod gin ti ddwsina' o berthnasa' wedi 'mudo i 'Mericia flynyddoedd yn ôl, ac mai presanta iddyn nhw a'u teuluoedd ydyn nhw!' Roedd effaith y brandi yn parhau arna i yn amlwg!

Gwenodd y swyddog pan welodd gynnwys y ces a mentrodd Myrddin, *'You can have one if you let me go through!'* Hyd heddiw, mae'n debyg fod gan un o swyddogion y tollau yn Efrog Newydd record o Hogia'r Wyddfa yn canu 'Tylluanod'!

Yn y maes awyr y daethom wyneb yn wyneb â Napp ein gyrrwr bŷs am y pythefnos. Dyn anferth, croenddu, heb flewyn ar ei ben ac yn dipyn o gymêr. Ysgwn i sut y byddai'r hen Negro balch o'i wreiddiau yn cymysgu hefo criw o Geltiaid balch o'u gwreiddiau? Eisteddai Elwyn wrth ei ochr ar y daith o'r maes awyr, ac wrth basio mynwent anferthol ei maint ar gyrion Efrog Newydd mentrodd ddweud wrtho, *'They must die here often?'*

'No, only once!' oedd ateb y gyrrwr ac yna torrodd allan i wenu gan ddangos rhes o ddannedd claerwyn. Roedd y bartneriaeth wedi ei tharo yn y fan a'r lle rhwng yr hen Napp a Hogia'r Wyddfa. Deuai i bobman hefo ni a byddai'n rhyw bwffian chwerthin wrth ein clywed yn parablu yn Gymraeg.

'Ty'd yn dy flaen, y diawl tew!' fyddai'n gorchymyn parhaus iddo, a hynny yn y modd mwyaf cellweirus.

'You guys sure sound funny!' fyddai ei ymateb. Nid tan y diwrnod olaf y mentrais gyfieithu iddo!

Bu sawl tro trwstan ar y daith honno. Un noson mewn gwesty moethus ceisiodd Owen Huw Roberts ac Alice Williams gyflwyno dawns werin ar y gwely, ac yn waeth, gwnaent hynny i gyfeiliant Vivs ar y gitâr a lleisiau cefndir Hogia'r Wyddfa yn canu 'Croen y Ddafad Felen'! Ond daeth y cyfuniad yna'n realiti ar lawr 'precinct' anferth yn Buffalo, ar lan Llyn Erie. Tyrrodd cannoedd i mewn i wylio a gwrando. Bu dawns y glocsen Owen Huw Roberts yn llwyddiannus iawn.

Yn Cornell, cartref y brifysgol enwog, bu'n rhaid i'r hogia fynd am dafarn i ddisychedu gan mor boeth oedd hi yno. Aeth Vivs i godi'r rownd. *'Five pints, please!'* oedd ei gais i'r tafarnwr.

'Glasses or pitchers?'

'Pitchers.'

Cyrhaeddodd y gŵr hefo pum jwg yn cynnwys saith peint yr un o Utica Lager!

O na bawn wedi cael saith peint fy hun y prynhawn hwnnw yn West Virginia cyn cymryd rhan ar y rhaglen deledu *'Friends from Abroad'*. Rhaglen fyw wythnosol oedd hon ac roedd Morien Phillips am gyflwyno Parti'r Ffynnon, Owen Huw Roberts a Hogia'r Wyddfa arni. Roedd golwg hollol ddidaro ar y criw ffilmio a dangosent lawer mwy o ddiddordeb mewn gêm ffwtbol Americanaidd ar deledu arall nag ynom ni.

'Gee whiz! I can't pronounce these guys. Can you introduce the programme? It's only a voice over?' gofynnodd rhyw ddyn i mi. Cytunais, gan fod y cyflwyniad ar ddu a gwyn heb ddisgwyl y sioc oedd i ddilyn. Arweiniodd fi i ryw flwch yn y gornel, a chyn fy nghau i mewn tarodd bapur o'm blaen. *'Just read this when you see the red light.'* Cyflwynais ragolygon tywydd West Virginia i filoedd y prynhawn hwnnw!

Cofiaf ddau achlysur a ddaeth â lwmp i'm gwddf yn ystod taith 1971. Yng nghapel hardd Dewi Sant, Toronto fe ganasom 'Gweddi Plentyn' yng ngwasanaeth bedydd Aled, mab Mr a Mrs Iorwerth Walters, Rhyd-ddu erbyn hyn. Bu'r cyfan yn brofiad ysgytwol dan arweiniad Y

Parchedig Elwyn Hughes. Oedd, roedd y capel yn llawn o hiraeth a gwelais ambell ddeigryn yn treiglo dros y gruddiau. Ond fe lifodd y dagrau yn ddiweddarach mewn hen gapel bach pren gwyn o'r enw Ty'n Rhos yn y Rio Grande. Esboniwyd i ni gan ein tywysydd Y Parchedig J.R. Owen mai capel wedi ei adeiladu gan y Cymry cynnar oedd hwn. Roedd y wlad hardd o amgylch mor debyg i Gymru gyda'r fynwent fechan yn llawn o gerrig beddau yn arddangos cyfenwau mor gyfarwydd – Jones, Hughes, Williams a Davies. Hafan Gymreig yng nghanol Gogledd America. Ond pan ganodd Hogia'r Wyddfa eiriau Crwys, 'Rwy'n caru pob erw o hen Gymru wen', fe chwalodd y gynulleidfa. Dyheai'r alltudion am eu gwreiddiau, a hiraethai aelodau o Barti'r Ffynnon am adref. Pan ganwyd 'Iaith carreg fy aelwyd, iaith carreg fy medd...' daeth crygni a chryndod i'n lleisiau ninnau hefyd. Sentimentaleiddiwch fyddai hyn gartref, ond hiraeth dirdynnol ydoedd mor bell i ffwrdd.

Cawsom ein cynnal fwy neu lai am wythnos gan filiwnydd o Gymro, Bob Evans. Gwnaeth hwn ei arian drwy godi tai bwyta ar hyd a lled talaith Ohio. Bwydodd ni am ddiwrnodau! Cawsom reidio ceffylau ar ei fferm anferth a daeth y cyfan i ben gyda barbeciw a Noson Lawen neu Noson Cowbois Cymraeg!

Wrth fusnesa y tu cefn i lwyfan theatr a gâi ei chydnabod yn theatr berffaith o safbwynt awcwstics yn Fenton, Michigan, daethom ar draws car newydd sbon. Sgleiniai fel sofren. Roedd wedi ei guddio y tu ôl i lenni cefn y llwyfan. Ar amrantiad ymddangosodd plisman o rywle gyda gwn yn ei law.

'Are you Buick men?' holodd yn chwyrn.

'No!' meddwn innau gan lyncu fy mhoer, *'we're Welshmen.'* Gwelodd yn syth fod fy ngwybodaeth a'm hadnabyddiaeth o geir yn brin! Erbyn gweld, model newydd oedd y car ar fin cael ei arddangos gan gwmni Ford cyn ei roi ar y farchnad. Wedi'r cyfan dyma 'Wlad y Ceir' – nid oedd Detroit ond ychydig filltiroedd i ffwrdd. Roedd cyfrinachedd yn angenrheidiol cyn lawnsio car newydd.

Cafodd Carys, Owen Huw a minnau gyfle i gael gwersi yn y grefft o sgio ar ddŵr tra'n aros yn Fenton. Siarsiwyd fi i gadw fy nghoesau a'm breichiau yn syth gan adael i rym y cwch fy nhynnu i fyny. Er trio a thrio ni lwyddais. Daeth fy ngwersi i ben pan anghofiais ollwng fy ngafael yn y rhaff! Fe'm llusgwyd o dan y dŵr! Cafodd Carys well hwyl arni. Ond fe lwyddodd Owen Huw ar y cynnig cyntaf. Llithrai'n osgeiddig dros wyneb y llyn. Roedd ei gydbwysedd yn berffaith – dyna'r fantais o fod yn ddawnsiwr mae'n debyg! O na bawn wedi bod yn ddawnsiwr clocsiau! Bu'n rhaid i mi ddisgwyl am wyth mlynedd ar hugain cyn llwyddo i goncro'r grefft, a minnau'n tynnu am fy nhrigain oed.

NIGERIA 1980

Yn 1980 cawsom ein hunain yn diddori Cymdeithas Cymrodorion Nigeria yn Lagos. Y cyswllt bryd hynny oedd Elwyn Williams, Cymro Cymraeg a aeth allan i'r wlad honno fel cynrychiolydd Banc Barclays. Ei brif ddyletswydd oedd perswadio brodorion y wlad i fancio eu heiddo. Gwnaeth hynny mewn cyfnod argyfyngus a simsan yn hanes y wlad ac oherwydd ei gyswllt agos â phenaethiaid llwythau bu ei fywyd mewn perygl ar sawl achlysur. Yn wir llwyddodd i achub bywyd mab un brenin llwyth drwy ei guddio ym mŵt ei gar a gyrru drwy ganol torf oedd am ei ladd. Cafodd ei anrhydeddu drwy gael ei ddyrchafu'n bennaeth. Adwaenid ef fel 'Chief' Elwyn Williams ac fe gronicla ei hanes rhyfeddol yn *Oyinbo Banki*, y Bancer Gwyn. Oni bai i mi fod yn llygad dyst o'i statws ni fyddwn wedi credu fod posib i Gymro ddal swydd o'r fath. Câi ei addoli gan rai o'r llwythau. Erbyn hyn adwaenir ef yma yn Arfon fel Elwyn Williams, cyn-ymgeisydd y Toriaid. Anodd credu fod Cymro mor frwd ag Elwyn yn Nigeria wedi dychwelyd i Gymru i ymuno â phlaid a geisiodd ers yr wythdegau ddinistrio gwlad ei fagwraeth.

Cychwynasom yn blygeiniol o faes awyr Manceinion yn oerni gaeaf gan lanio ym maes awyr Lagos chwe awr yn ddiweddarach, a chael ein hunain gwta ddau gan milltir i'r gogledd o'r cyhydedd. Cofiaf Elwyn ni yn eistedd yn welw a chwyslyd ar ei ges ac yn datgan, 'Dwi'n siŵr fod 'na ddau haul yn fama!' Ein cydymaith ar y daith, a'n cyd-artist oedd yr annwyl Margaret Lewis Jones, y gantores o Lanbryn-mair. Pleser oedd cael cwmni cantores mor broffesiynol a diymhongar. Cawsom ein tywys o'r maes awyr i dŷ mawr, moethus ym mae enwog Lagos a fu unwaith yn gartref Llysgennad Ffrainc. Ond Cymro o Sir y Fflint, Brian Shapcott a phennaeth 'ariandy'r wlad', a drigai yno erbyn hyn. Dyma'r tro cyntaf i mi flasu cafiîar – a'r tro olaf! Cefais ar ddeall mai hwn fyddai fy nghartref i am wythnos. Roedd y croeso'n gynnes a chyfeillgar ond yr unigrwydd yn llethol. Byddai Brian yn gweithio yn ystod y dydd a June ei wraig yn gorfod ymneilltuo i'w gwely i gysgodi rhag y gwres llethol. Cymdeithasai June yn ystod y nos a mynnai fynd â mi gyda hi i dŷ ei chyfeillion fel *'my little Welsh friend'*!

Bu'r cyngherddau yno yn rhyfeddol o lwyddiannus er bod pob un o'n caneuon yn Gymraeg. Bu raid i mi eu cyflwyno yn Saesneg wrth gwrs. Cynhaliwyd ein cyngerdd cyntaf mewn neuadd ysgol uwchradd fawr a hynny i'r Gymdeithas Albanaidd. Roedd cwmni awyrennau British Caledonian yn noddi'r cyngerdd hwn. Yn anffodus torrodd y peiriant tymheru a bu llifogydd o chwys. Bu'n rhaid i ni newid ein gwisgoedd deirgwaith ond, yn waeth, effeithiai'r gwres llethol ar donyddiaeth y gitâr. Bu'n rhaid i Vivs diwnio rhwng pob cân.

Roedd noson arall wedi ei neilltuo i Uchel Gomisiynydd Prydain. Ni chenais erioed o flaen cynulleidfa mor rhyngwladol. Ond cawsom y fraint o ganu gyda chôr a band Steve Rhodes. Daeth y côr yn enwog yn ystod y saithdegau yn Eisteddfod Llangollen ond erbyn hyn yn boblogaidd iawn yn Nigeria. Dysgasom un o ganeuon Steve Rhodes i'w chanu yn yr iaith frodorol gyda'r côr, a hwythau yn eu tro wedi dysgu 'Ar Hyd y Nos' i'w chanu gyda ni. Profiad gwefreiddiol a gafodd ei werthfawrogi gan dorf 'cosmopolitan'.

Ond canolbwynt y daith oedd y cyngerdd i ddilyn Swper Gŵyl Ddewi yn yr Ikoyi Hotel Banqueting Hall. Anodd dychmygu hogia Llanbêr ynghanol y fath foethusrwydd mewn siwtiau ffurfiol, crysau claerwyn a thei bo du! Ond cafodd ein caneuon wrandawiad perffaith. Dipyn yn wahanol i'r giwed honno yng ngerddi Glynllifon noson yr arwisgo! Cyfeiriodd sawl un at yr ias a deimlent pan ddaethom i derfyn ein cyngerdd gyda 'Safwn yn y Bwlch'.

Dim ond ambell gip gefais i ar y Nigeria go iawn. Ond bu'r cipiadau hynny yn rhai ysgytwol. Gwyddwn fod anniddigrwydd yn bodoli rhwng y brodorion a'r mewnfudwyr. Dyna pam y cariai ein tywysydd wn bychan o'r golwg dan ei gesail ar ein hymweliad â Jankara, marchnad enfawr yng nghanol slymiau Lagos. Roedd miloedd o bobl yn gweu drwy'i gilydd yno, rhai ar frys, rhai'n tin-droi yn eu hunfan, rhai yn gorweddian yn y gwres llethol, merched yn magu babanod ynghanol pryfaid a myrdd yn begera. Bu'n rhaid i mi gamu dros gorff hen ŵr. Gosodwyd y corff mewn man cyfleus i'r lori garthion ddod i'w hebrwng i'w orffwysfan olaf – ble bynnag fyddai hynny. Roedd yr arogl carthion yn annioddefol gan fod cwterydd agored yn rhedeg hyd ochrau'r strydoedd. Roedd y farchnad ei hun dan do sinc anferth. Yno y gwelais fynedfeydd y twnelau enwog gyda llygod mawr yn crogi wrth geg pob un. Arwydd oedd hyn fod y *witch doctor* yn trigo rywle yng nghanol plethwaith o dwnelau. Gwelais sawl un yn mentro ac yn diflannu i lawr y twnelau tywyll. O na bai twll yn agor i minnau gael dianc o'r uffern hon!

Cefais fy hun mewn dipyn o dwll ym mhlas un o'r brenhinoedd tylwythol hefyd. Ar ôl moesymgrymu iddo eisteddem i lawr i fwynhau gwledd wedi ei pharatoi'n benodol ar gyfer ffrindiau Chief Elwyn Williams. Eisteddai'r hen frenin ar ei orseddfainc gyda'i bedair gwraig ar hugain yn eu gwisgoedd blodeuog, fel parti cerdd dant y tu cefn iddo. Rhaid oedd disgwyl i'r brenin ddechrau bwyta cyn y câi pawb arall ddechrau.

Gosodwyd plât yr un o'n blaenau a rhywbeth yn debyg i gyw iâr bychan du, pysgodyn wedi sychu a crîm cracers arno. Cawsom lasiad o Coca-cola yr un i'w yfed tra llowciai'r brenin wydriad o Guinness! Dechreuodd Vivs gyfogi, a dyna hi'n rhemp! Ni fûm erioed mor falch o weld golau dydd. Tra'n cerdded yng ngerddi'r plas yn ceisio dadebru daeth Myrddin o hyd i gynhwysion un plât yn ei boced! Doedd neb yn fodlon cyfaddef i'r fath anfadwaith, ond Vivs oedd yr unig un a deimlai'n eithaf iach ar y ffordd adref!

Cefais un ysgytwad go egr yn ystod noson olaf fy arhosiad yn Lagos. Derbyniodd Brian, June a minnau wahoddiad i barti yn nhŷ barnwr oedd wedi treulio rhan helaeth o'i oes yn gweithio yn y brifddinas. Matheus, prif was Brian oedd wrth y llyw y noson honno. Ond Duw a'n gwaredo! Roedd yr hen was ffyddlon wedi taro'r botel yn ystod y prynhawn. Roedd siampaen am ryw reswm yn eithriadol o rad yno a byddai'r brodorion yn ei lowcio. Lled-orweddai Matheus wrth y llyw ac yn amlwg yn cael trafferth i gadw ei lygaid yn agored. Yn sydyn ymddangosodd bariau ar draws ein ffordd. Roedd yn unfed awr ar ddeg ar yr hen was yn gweld y rhwystrau, a llithrodd y Range Rover i stop o fewn llathen iddynt. Roedd y milwyr o boptu'r ffordd yn gandryll a gwthiodd un faril gwn tu ôl i'm clust tra pwyntiai un arall at dalcen Matheus.

Clywais Brian yn sibrwd o'r cefn, *'Don't move, Arwel! And don't say a word, Matheus!'*

Gwaeddai'r swyddog, *'Papers! Papers…'* drosodd a throsodd. Yna yn araf a phwyllog estynnodd Brian ei ddogfennau personol iddynt. Pan sylweddolodd y swyddog mai Pennaeth yr Ariandy oedd yn eistedd yn y cefn, rhoddodd floedd aflafar! Sut y gwyddwn i ynghanol yr holl dyndra afreal mai gorchymyn i gilio draw oedd y floedd. Gallasai'n hawdd fod wedi bod yn orchymyn i saethu! Pan fagais ddigon o blwc i edrych allan i'r nos, gwelais resiad o filwyr clên yr olwg yn fy saliwtio! Ni chafodd Myrddin, a oedd yn trafaelio y tu ôl, ac yn llygad-dyst i'r cythrwfwl rwydd hynt chwaith. Bu'n rhaid i'w dywysydd dalu'n ddrud am y fraint o barhau ar y siwrnai. Gan fy mod newydd weld fy holl fywyd yn rhuthro heibio fel ffilm ar ril, digon crynedig y cerddwn i fyny'r grisiau a arweiniai at ddrws tŷ'r barnwr. Ond i goroni'r cyfan, ac fel pe bai tunnell o halen wedi ei dywallt ar friw, clywais lais Olwen yn treiddio o grombil y plasty yn canu ei phennill yn Ynys yr Hud:

'Hen ŵr, hen ŵr o'r Sioned,
Mae'ch gwallt a'ch barf yn wyn;
Pwy ydych chwi sy'n crwydro
Ar lan y môr fel hyn?'

Ni fedrwn yngan gair nac ymateb i groeso'r hen farnwr. Euthum yn syth i'r lle chwech i gael gwared o weddillion yr hen gyw du, y pysgodyn sych a'r crîm cracers oedd erbyn hyn wedi cronni yn fy nghorn gwddw!

GOGLEDD AMERICA A CHANADA 1984

Vivian drefnodd ein taith i Ogledd America yn 1984 gyda Rosalind, Marian Roberts, Brynsiencyn, Trebor Edwards a Gweneirys yn rhannu llwyfan â ni. Daeth llond bws o gefnogwyr ffraeth a hwyliog gan gynnwys fy nheulu innau i'n cefnogi ac i fwynhau gwyliau bythgofiadwy. Cychwynnodd y daith o ddifrif yn Albuquerque, New Mexico, dinas go newydd a modern wedi ei lleoli ar gwr diffeithwch Nevada ac yng ngolwg mynyddoedd enwog y Rockies. Gŵr o dras Gymreig, Ed Lewis, oedd wedi trefnu ein cyngerdd yn y ddinas a hynny mewn capel anferth a hardd. Digwyddodd anffawd i mi ar gychwyn y daith hon eto. Yn ystod yr egwyl yn y cyngerdd cyntaf daeth Mrs Ed Lewis ataf a gofyn i mi gyhoeddi i'r cannoedd fod 'te bach' i bawb yn y *'vestry room'*. Gan fod cryn sŵn yn y stafell newid, ni ddeallais i'n iawn yn lle yn union yr oedd y 'te bach'. Ond mentrais yn fy Saesneg gorau, *'Mrs Ed Lewis wishes me to announce that there's* te bach *for you in the rest room!'* Yn gwbl annisgwyl torrodd chwerthin afreolus allan a hynny mewn cyngerdd a oedd wedi bod yn eithaf syber hyd hynny. *'Rest room'* iddyn nhw oedd y lle chwech! Dim rhyfedd fod y lle'n diasbedain. Daeth amryw ataf yn y 'te bach' i'm llongyfarch am ysgafnhau yr awyrgylch gan feddwl fod y camgymeriad yn fwriadol. Dim byd o'r fath.

Ymlaen â ni wedyn i Santa Fe – gwlad y Cowbois a'r Indians go iawn. Fan hyn welais i yn pictiwrs Llanberis ers talwm, a fan hyn hefyd yr wylodd Syr T. H. Parry-Williams dros yr enw:

> 'Rwy'n mynd yn rhywle, heb wybod ym mh'le,
> Ond mae enw'n fy nghlustiau – Santa Fe…'

Ac allan yn anialwch New Mexico y daethom wyneb yn wyneb ag Indiaid y Navajo. Roedd criw ohonynt wedi trafaelio cannoedd o filltiroedd i'r dafarn anghysbell yma yn yr anialwch i nôl eu cyflenwad o duniau cwrw. Dyma'r dafarn agosaf atynt. Drwy gyd-ddigwyddiad, yma yr arhosodd ein bws ninnau. Cadwai'r Indiaid mewn cornel o'r dafarn yn mwynhau cwmni'i gilydd. Cawsom ryw hanner rhybudd gan y tafarnwr i beidio â tharfu ar eu sgwrs a hwythau'n drymlwythog o alcohol. Ond yna heb yn wybod i'r un ohonom eisteddodd Stan, tad Tony Llywelyn y dramodydd a'r cyfarwyddwr, yn eu plith. Ysgydwodd Stan law un ohonynt gan rwbio'i ben moel ei hun â'i law arall gan eu cyfarch, *'And look what your grandfather did to me!'* Ochneidiodd Bet ei wraig gan ddisgwyl y gwaethaf. Ond torrodd yr Indiaid allan i chwerthin yn afreolus. Diolch i Dduw, roeddent wedi deall a gwerthfawrogi'r jôc! Rhoddodd pawb ochenaid o ryddhad.

Cawsom ein tywys wedyn ar y Route 66 enwog drwy anialwch y Mohawi i un o fannau mwyaf anhygoel y byd. Cefais y wefr o sefyll uwchben y Grand Canyon yn drachtio i'm henaid yr olygfa a'r awyrgylch mwyaf syfrdanol. Yn y fangre honno y safwn, ddeng mil o droedfeddi uwchlaw afon 'Colorado faw felen' a honno yn y dyfnder – fel neidr fain yn 'rhuo'n ddistaw ddi-daw'. Rhyfeddwn y gallai tri mynydd o faint Yr Wyddfa ar ben ei gilydd ffitio i mewn i'r 'hollt amliwiog, fylchog, ddi-waed'. Ia, rhyfeddod yn wir!

Roedd rhyfeddod arall yn ein disgwyl i lawr y lôn – yr Hoover Dam. Yr argae yma sy'n atal a rheoli llif Afon Colorado. Ond yr hyn a'm sodrodd oedd y gwres anhygoel wrth droed yr argae – 110 F. Bu bron i mi â llewygu. Ond roedd gwaeth yn ein disgwyl yn Las Vegas. Cyrhaeddodd y gwres yn y fan honno i 112 F! Popty o ddinas bleser gydag un peth, ac un peth yn unig ar feddwl y rhai a fynycha'r lle – gamblio. Dyma wyliau blynyddol miloedd o hap-chwaraewyr America a thramorwyr. Heidiant yma i wario, gwario a gwario eu harian cynilo yn y gobaith y cânt y jacpot. Â'r cyfoethog yno i wario arian er mwyn sioe, pleser a chysur. Fy unig gysur i oedd y ffaith mai dim ond noson oedd ein harhosiad ni yno, dim ond digon o amser i ymweld â'r enwog Caesar's Palace. Cerddais yno yr holl ffordd o'm gwesty, rhyw filltir i ffwrdd, ar hyd 'palmentydd Uffern', a chyrhaeddais a'm traed yn sgaldian!

Yn y bore roedd yr awyren i'n cludo dros fynyddoedd y Sierra Nevada i ddinas San Francisco. Trefnwyd cyngerdd i ni mewn neuadd ym Mhrifysgol San Francisco. Gŵr arall o dras Gymreig oedd y trefnydd, ac yn bennaeth Adran Gelf y Brifysgol. Ni chofiaf ei enw cyntaf, ond ei gyfenw oedd Buckan. Roedd yn gwbl argyhoeddedig mai 'bychan' neu 'bachgen' hyd yn oed oedd tarddiad ei gyfenw. Hoffai feddwl fod un o'i gyndeidiau wedi ei eni tra'n croesi Môr Iwerydd pan ymfudodd ei deulu, a'i fod wedi glanio'n ddienw. Gosododd ei rieni Bychan neu Bachgen ar y dogfennau mewnfudo a throdd hynny'n Buckan gyda threigl amser!

Tra'n aros gyda gŵr o'r enw Reece Williams yn Sosalito y dois i'n ymwybodol pa mor real oedd ofnau'r trigolion am ddaeargryn. Adeiladodd Reece ei dŷ ar 'stilts' ac o'r deunyddiau ysgafnaf posibl. 'Ni wyddys y dydd na'r awr' oedd y gred yn gyffredinol.

Roedd anferth o daith mewn bws Greyhound ar hyd arfordir y Gorllewin yn ein hwynebu. Gwyddem fod gennym daith drwy dair talaith, California, Oregon a Washington cyn cyrraedd Vancouver, Canada. Gwelsom ryfeddodau unwaith eto gan gynnwys y Fforestydd

Redwood yn Santa Cruz. Dyma goed talaf y byd, 'Yr angenfilod cochion' a 'Doethuriaid diaraith ystori'r byd', chwedl Parry-Williams.

Ond braf oedd cael cyrraedd Seattle yn gyntaf a chael ymlacio a bwrw lludded. Daeth ein cyfaill bore oes Dic East Lynne a'i briod Phyllis yno i'n cyfarch. Treuliwyd oriau yn hel atgofion a gollwng ambell ddeigryn pleserus o hiraethus. Ychydig wyddwn bryd hynny mai ymhen rhyw bedair blynedd ar ddeg y byddai Dic yn dychwelyd i'w 'Hen Bentra Bach Llanbêr' er mwyn treulio'i ddyddiau olaf cystuddiol yng nghwmni ei blant.

Roedd gennym un daith fer ar ôl – o Seattle i Vancouver – a hynny i gadw cyngerdd i Gymry'r ddinas. Roedd y neuadd yn orlawn a phawb mewn hwyliau da gan fod y cyflwyniadau swyddogol wedi eu gwneud yng Nghlwb y Cymry! Ar y llwyfan y noson honno a hynny'n syth ar ôl canu ein cân agoriadol sibrydodd Myrddin, 'Mi faswn i'n taeru fod Gwynn Davies, Waunfawr yn y gynulleidfa.' Ymlaen â ni i ganu cân arall. Syrthiodd fy llygaid innau y tro hyn ar Gwynn (sylfaenydd Antur Waunfawr) . Yn ystod y gymeradwyaeth trois at Myrddin gan ynganu dan fy ngwynt, 'Gwynn ydio – ne' ma' Mary wedi cael rhywun sy'n uffernol o debyg iddo fo!' Roedd Gwynn a Mary ar wyliau yn Vancouver ar y pryd a daethant draw. Cyfarchiad Gwynn i ni oedd, 'Dew, ma'n rhaid 'y mod i'n ffan mawr o Hogia'r Wyddfa i mi ddod yr holl ffordd i Vancouver i'w gweld!' Daeth ein taith hir ond pleserus ac addysgol i ben yn sgwrsio ym mar Clwb y Cymry ymysg ffrindiau.

MONTREAL CANADA 1985

Ymhen cwta flwyddyn roeddem yn ôl yng Nghanada. Cawsom wahoddiad gan Gymry America, trwy law Bwrdd Croeso Cymru, i ddiddori'r miloedd a ddeuai yn flynyddol at ei gilydd i gymdeithasu ac i fwynhau'r Gymanfa Ganu. Montreal oedd wedi ei phenodi fel dinas ymgynnull yn 1985.

Ar ôl cael ar ddeall fod nam bychan ar yr awyren a fyddai'n ein hedfan i Montreal, fe'n gwahoddwyd i'r cantîn ym Maes Awyr Gatwick i dderbyn lluniaeth a hynny ar gost y cwmni. Safai gŵr glandeg yr olwg wrth fy ochr yn y ciw a mentrais ofyn iddo,

'Are you going to Montreal?'

'Odw!' atebodd yntau, 'ac i'r un fan â chi, bois!'

Roy Stephens ydoedd, (y diweddar erbyn hyn) a gŵr a fu'n gymwynaswr mawr i'r iaith Gymraeg. Roedd Roy yno yn rhinwedd ei swydd fel darlithydd i geisio denu Americanwyr i gofrestru ar gyfer yr Ysgol Haf Geltaidd ym Mhrifysgol Aberystwyth yn 1986. Yno hefyd y daethom i gyfarfod ein cyd-artistiaid, Jonathan Jones o'r Bwrdd Croeso oedd i arwain y cyngherddau a'r Noson Lawen, a'r delynores ddawnus – Caryl Thomas.

Roedd y croeso a gawsom yng ngwesty enwog y Sheraton yn heintus. Cymerwyd yr ystafelloedd i gyd drosodd gan bron i dair mil o Gymry America. Yn eu plith yr oedd ein cefnogwr ffyddlon Ed Lewis a'i wraig o Albuquerque, Dic East Lynne a Phyllis o Seattle, perthnasau Elwyn o Florida, Rita Webb, cyn-dafarnwraig y Polyn Inn, Nantgaredig a hen gyfeilles i ni, ac i goroni'r cyfan ymddangosodd hen ffrindiau ysgol i ni yn ein cyngerdd olaf. Roedd Judith Williams gynt o

Beech Bank, Llanberis a'i gŵr Mark ynghyd â Ceridwen Roberts, Llanberis a'i gŵr Ron o Ddeiniolen wedi gyrru o bell i fod yno. Dyna aduniad gwerth chweil.

Yn ystod oriau mân y bore cyntaf daeth galwad ffôn i'r ystafell a rannwn gyda Myrddin. Gan fod fy nghyd-ymaith wedi prynu pâr o *ear plugs* rhag i'm chwyrnu i amharu ar ei gwsg, ni chlywodd y ffôn yn canu. Codais y ffôn. 'Arwel, ga i fenthyg dy rasal shafio di?' Adnabûm y llais o'r gorffennol pell. Llais fy hen gyfaill o ddyddiau'r coleg, Prys Edwards, Cadeirydd Bwrdd Croeso Cymru. Newydd gyrraedd y gwesty roedd Prys ac wedi anghofio ei offer eillio!

Cafwyd Noson Lawen yn ystod yr ail noson. Trodd y grŵp gwerin Mabsant i fyny a chafwyd eitemau ychwanegol ganddynt hwy. Roedd yr actor Brinley Jenkins wedi ei wahodd drosodd hefyd i roi ei bortread gwefreiddiol o'r pregethwr mawr Christmas Evans. Cafwyd sawl noson lawen answyddogol ym mhob rhan o'r gwesty wedyn.

Brynhawn Sadwrn y Cyngerdd Mawreddog aeth Myrddin, Roy Stephens a minnau i orweddian ac ymlacio ger pwll nofio'r gwesty. Yno y cyflwynodd Roy yr englyn hwn i ni:

> Duw annwyl, pe byddwn denor, – un gân
> A ganwn bob tymor;
> Pe medrwn, canwn 'encôr',
> I'r Hogia am byth rhagor.

Roedd yn werth picio i Ganada tae dim ond i gael yr englyn!

AWSTRALIA 1996

Yn 1996 daeth gwahoddiad i ni fynd am dair wythnos i Awstralia. Cymdeithas Gymraeg Sydney oedd y gwahoddwyr, a Grace Roberts (gynt o Gaernarfon) a'i gŵr Eurwyn (gynt o Lanrug) oedd y cysylltwyr a'r trefnwyr. Aed ati i drefnu taith dair wythnos a gynhwysai gyngherddau yn Sydney, Newcastle a Wolongong ar arfordir De-ddwyreiniol Awstralia, ac yna penwythnos yn Canberra, prifddinas y wlad. Roedd hon yn fenter heb ei bath gan fod yr Awstraliaid wedi arfer croesawu corau meibion mawr ac adnabyddus i'w gwlad, gan wirioni'n lân ar y math hwnnw o ganu. Sicrhaodd Grace hwy fod bywyd diwylliannol amgenach i'w gael yng Nghymru, ac aeth ati i brofi hynny. Ond crynhoai cymylau duon ar y gorwel ryw dair wythnos cyn ymadael am 'ben draw'r byd'. Collais fy llais! Er ymdrechion glew fy meddyg, Dr. Robin Parry, nid oedd modd iddo gyflawni gwyrthiau. Daeth y mymryn lleiaf o lais yn ôl, ac oni bai am hynny byddai'r holl fenter wedi mynd i'r gwellt! Ar yr unfed awr ar ddeg fe wynebwyd yr her a phenderfynu mynd. Y cam cyntaf oedd aildrefnu ein rhaglen a phenderfynu ar gyflwyno caneuon ysgafn distaw, llai egnïol a weddai'n well i lais gwantan. Roedd y straen yn affwysol gan na allwn fy nghyfleu fy hun mewn mannau swnllyd. Roedd y bronceitis oedd wedi peri'r broblem yn y lle cyntaf wedi fy ngadael yn isel ac egwan. Ni wyddwn sut i wynebu taith o ddwy awr ar hugain mewn awyren. Gan na fedrai Carys ddod gyda mi oherwydd gwaith, manteisiodd Dafydd y mab ar y cyfle i gyfuno tair wythnos o wyliau a chyflwyno rhaglen radio o'r daith yr un pryd.

Cytunodd Gwyn Parri, gŵr Annette, i gyflwyno'r artistiaid a gwnaeth ei waith yn rhwydd a chartrefol. Roedd y cyfuniad o artistiaid yn gweithio ac yn apelio. Roedd Rosalind wedi dod drosodd gyda Myrddin a chyfrannodd y ddeuawd boblogaidd yn helaeth i'r cyngherddau. Roedd datganiadau ar y piano gan Annette o'r safon uchaf. Ond sêr y cyngherddau yn ddiymwad oedd Bedwyr, Ynyr a Heledd, plant Gwyn ac Annette. Dotiai pawb at eu canu naturiol a'u doniau cerddorol. Doedd dim nerfau artistig yn perthyn i'r rhain! Rhyfeddai'r torfeydd at y ffaith mai yn Gymraeg y canent. Esboniais ar goedd, yn dilyn eu perfformiad, mai'r Gymraeg oedd eu hiaith gyntaf, eu hiaith bod dydd yn yr ysgol, y stryd, y siop a'r aelwyd. Mentrais awgrymu mai un o ryfeddodau mawr y byd oedd parhad yr iaith Gymraeg o gofio ein bod wedi byw drws nesa i un o'r pwerau ieithyddol mwyaf dylanwadol yn hanes dynoliaeth. Mentrais awgrymu hefyd fod y 'bobol drws nesaf' wedi ceisio dinistrio'r iaith dros y canrifoedd ond fod y tri bach, Bedwyr, Ynyr a Heledd yn dyst pendant o'u diffyg llwyddiant! Derbyniwyd cymeradwyaeth fyddarol a chefais yr ymdeimlad ym mêr fy esgyrn fod yr Awstraliaid yn deall y sefyllfa i'r dim.

Daeth torf i'r maes awyr i'n cyfarfod, gyda'r Ddraig Goch yn chwifio. Roedd balchder yn llygaid y Cymry alltud. Ymgartrefodd Rosalind, Deian a Myrddin ar aelwyd 'Glaslyn', Bow Bowing, cartref Merfyn a Mai Roberts (gynt o Benrhyndeudraeth a Dyffryn Ardudwy); Vivian a Gwyneth ar aelwyd 'Carwyn', cartref Harry a Liz Lewis (gynt o Ddinorwig a Deiniolen); cymerwyd teulu Cynefin dan adain Brenda a Bill Edwards a

Cynthia a Dave Minnock (Brenda a Cynthia gynt o Ceunant, Llanrug); Elwyn, Hefina, Dafydd a minnau ar aelwyd Grace ac Eurwyn. Drwyddynt hwy y daethom i adnabod rhan fechan iawn o'r wlad enfawr yma. Cofiaf ymweld â bwyty ar ben tŵr y Centerpoint, tŵr symudol ac adeilad uchaf Sydney. Treuliodd Dafydd a minnau ddyddiau yn gweu ein ffordd o amgylch rhyfeddodau porthladd Darling yn ymweld â'r Tŷ Opera a'r Bont Haearn.

Ar gyrion Sydney roedd rhai o fannau enwocaf Awstralia. Drachtiais awyrgylch heintus Botany Bay un nawnddydd braf – Dafydd yn ceisio cyfleu y naws ar y tâp, a minnau'n ceisio dychmygu'r fangre yn 1770 pan laniodd Capten James Cook yno. Oddi yno i Draeth Bondai enwog. Yma y rhuthrai tonnnau geirwon y Pasiffig i chwydu'n ewyn gwyn hyd dywod mân y bae crymanog. Ar gais Dafydd fe ganodd Myrddin eiriau Selwyn Griffith, 'Traeth Bondai' ar alaw T. Gwynn Jones, Tregarth a hynny o flaen torf fawr oedd wedi ymhel o'n hamgylch ar y traeth.Yna treulio diwrnod yng nghwmni Merfyn Roberts yn y Mynyddoedd Gleision. Mynyddoedd yw'r rhain sy'n cael eu hamgylchynu gan wawr las yn barhaus. Dywedir mai'r nwyon a gynhyrchir gan y *gum trees* sy'n gyfrifol am y rhyfeddod natur yma. Plymio wedyn i ddyfnderoedd y dyffryn ar y *mono rail* fwyaf serth yn y byd yn ôl pob sôn – ac fe goelia i!

Ar ôl cyngerdd yn Wolongong daeth Grace i mewn i'm stafell newid gyda'r genadwri fod rhywun yn sefyll y tu allan yn gofyn a oedd modd iddo gael gair hefo'r ail *full back* gora fu yn y *Caernarfon and District* erioed. 'Mae o'n deud mai fo oedd y gora,' ychwanegodd Grace.

'Jackie!' gwaeddais hefo hynny o lais oedd gennyf. 'Tyd i mewn y diawl drwg!' Ac i mewn y daeth Jackie Williams. Doeddwn i ddim wedi ei weld ers canol y chwedegau pan chwaraeai wrth ochr Dafydd John Bwtsiar yn amddiffynfa gadarn Mountain Rangers. Anodd credu gweld dau oedd wedi cicio gymaint ar ei gilydd yn y Bontnewydd neu Lanberis yn cofleidio'n ddagreuol ym mhen draw'r byd!

Pinacl y daith i mi oedd cyfarfod gweddill plant Tan Merddyn, Ceunant. Trefnodd Brenda farbeciw i bawb. Daeth Cynthia yno ynghyd â Margaret a Douglas. Dyma deulu'r diweddar Huw Alun ac Ellen Jones wedi ymgynnull hefo'i gilydd. Trueni nad oedd Ellen Jones yn ddigon da ei hiechyd i ymuno yn yr hwyl a'r miri. Treuliwyd y prynhawn a'r diwedydd yn hel atgofion pleserus. Cofiwn y teulu yn iawn pan drigent yn Nhan Merddyn, Ceunant a minnau ar fy ngwyliau yn Nhŷ Uchaf. Gwelem Tan Merddyn o'r Tŷ Uchaf, rhyw filltir a hanner i lawr y mynydd. Yn yr haf ar ôl gorffen godro byddai Anti Jini yn gosod cynfas wen fawr ar y lein fel arwydd i deulu Tan Merddyn gychwyn ar eu taith i fyny i Tŷ Uchaf i gymdeithasu. Yno y dois i adnabod Huw Alun, y tad. Dyma un o'r cymeriadau mwyaf ffraeth y dois ar ei draws erioed. Defnyddiaf rai o'i straeon ar lwyfan heddiw! Roedd yn dynnwr coes heb ei fath. Cofiaf fod yn ei gwmni pan ddaeth 'adref am y tro olaf' ac yntau wedi cyrraedd oed yr addewid ac yn dioddef o anhwylder ar y galon. Gwisgai *pace-maker*. Neidiodd i ben y bwrdd yn y Vic yn Llanberis i arwain y canu.

'Cofiwch am y *pace-maker* 'na, Huw,' meddwn wrtho gan geisio'i atgoffa o'i wendid.

'Paid â phoeni, Arwel bach,' atebodd Huw yn chwys doman, 'un rhad ydi o!'

Hiwmor cignoeth y chwarelwr ar ei finiocaf ac nid oedd Huw wedi ei anghofio.

Roedd Canberra bedair awr i ffwrdd o Sydney, ac yno y trefnwyd ein cyngerdd olaf yn Awstralia. Aeth Les Gittins, gŵr Margaret â ni o amgylch 'The Bush City'. Terfynwyd y daith gydag ymweliad i'r Senedd-dy. Dyma un o senedd-dai rhyfedda'r byd. Adeilad gwyn ydyw wedi ei adeiladu i mewn i fryncyn gwyrdd. Gall rhywun fynd i mewn drwy'r seler a dod allan drwy'r to! Ar ôl penwythnos hyfryd rhaid oedd ffarwelio. Gafaelodd Margaret yn dynn yn fy llaw wrth ddrws 'Bryn Awelon', a gyda'r deigryn lleia erioed yn cronni yn ei llygaid sibrydodd yn fy nghlust, 'Wela i di yn Llanbêr!' Roedd brwydro cancr wedi gadael ei ôl arni er mor dlws a bywiog yr edrychai, a thrwy ddycnwch a dewrder roedd gobaith ei bod wedi ei goncro. Wrth ddychwelyd i Sydney ac o fewn ychydig filltiroedd i'r ddinas canodd y ffôn symudol yn y car. 'Negas i chdi, Arwel!' meddai Cynthia. Gafaelais yn y ffôn. Margaret oedd yna.

'Lle ma' dy basport di, Arwel bach?' Yn y fan a'r lle daeth iasau drosof. Roeddwn wedi gadael fy holl ddogfennau teithio gan gynnwys fy nhocynnau ar ôl yn Canberra! Roeddwn i fod i hedfan adref yn y bore!

'Paid â phoeni dim', meddai Margaret, 'ma' Les ar ei ffordd i Sydney hefo'r cwbwl!' Byddaf ddiolchgar iddo tra byddaf byw.

Un stori i gloi cyn dychwelyd o'm teithio ffôl! Rywle ynghanol y *bush* daeth dau fachgen at Rosalind, Mai a Deian wrth eu clywed yn siarad Cymraeg.

'O lle 'da chi'n dŵad?' oedd sylw un ohonynt.

'O Ogledd Cymru – ardal Pwllheli a Llanberis,' atebodd Rosalind.

'O felly! Ydach chi'n nabod Arwel Jones? oedd y sylw nesaf gan un o'r gwŷr ifanc.

'Wel yndan yn iawn, mae o hefo ni ar y daith – ond ei fod e yn Sydney yn gwneud rhaglen radio ar hyn o bryd,' esboniodd Rosalind.

'Dew, mi faswn i wrth fy modd ei weld o i gael sgwrs dros beint!'

'Pwy ddeuda i sy'n cofio ato fo?'

'Dewi. Dewi Williams, un o'i gyn-ddisgyblion yn Ysgol Gaerwen gynt. Cofiwch fi ato fo.'

Ymhen blwyddyn derbyniais y newyddion fod Dewi annwyl a siriol wedi colli ei fywyd mewn damwain car ar gyrion Dinas Bangor. Jackie yntau a'i wraig yn lwcus i fod yn fyw ar ôl damwain car erchyll yn Awstralia, ac fe welodd Margaet ei hannwyl Lanbêr – ond dod adref i dreulio ei dyddiau olaf wnaeth hithau hefyd. Sylweddolais arwyddocâd y deigryn bach ger drws 'Bryn Awelon'. Ydi, ma'r hen fyd 'ma'n fychan – ond yn drybeilig o greulon hefyd.

Pacio

Er i mi grwydro dipyn ar yr hen fyd yma, teithiwr digon tila ac anfodlon fûm i erioed. Edrychaf ymlaen am wythnosau at yr achlysur, ond pan ddaw'r dydd, byddaf yn rhyw simsanu braidd. Y rheswm wrth gwrs yw nad wyf yn hapus yn hedfan, ac am fy mod yn ddieithriad yn mynd yn sâl mewn llong neu fws! Bûm i Sbaen ddwywaith mewn llong ar draws Bae Biscay, ond ni chofiaf eiliad o'r teithiau. Treuliais y pedair siwrnai ôl a blaen yn orweddiog yn y bync heb damaid i'w fwyta, hefo pwced dan fy nhrwyn!

Cerddais yr holl ffordd o Gaergybi i Dún Laoghaire, De Iwerddon unwaith! Cychwynnais gerdded rownd y dec ym mhorthladd Caergybi a pharhawn i wneud hynny deirawr a mwy yn ddiweddarach yr ochr draw i Fôr Iwerddon. Cawn funud egwan bob tro y pasiwn y peiriant chwythu aer o gegin y llong! Dôi arogl saim *chips* i'm cwrdd a gwelwn fy llun yn ffenestri'r cabannau yn troi fy lliw! Gan mai achlysur teuluol oedd y trip dôi ambell un allan i'm cysuro.

'Sgwn i oedd Bendigeidfran mor sâl â chdi pan gerddodd o drosodd?' holodd un aelod gwamal.

'Nag oedd,' atebais yn swta, 'ond gwestiwn gen i oedd 'na rai o'i gwmpas o'n b'yta blydi *chips*!'

Ond bu'n werth y fordaith. Roedd Ian neu Ianto, mab fy nghefnder yn priodi yn Ne Iwerddon. Roedd y bws yn llawn o deulu a ffrindiau. Ond hanner y ffordd i lawr am Wexford fe dorrodd y bws i lawr, a hynny yn y man mwyaf hwylus – union gyferbyn â thafarn! Dyna flasu'r Guinness unigryw am y tro cyntaf. Er nad yw pob aelod o'r teulu yn llymeitiwr greddfol doedd neb i'w weld yn poeni llawer pa bryd y dôi bws arall i'n tywys weddill y siwrnai! Priodas Ianto a Mary oedd y briodas fwyaf diffwdan y bûm ynddi erioed. Er mai am ddau y prynhawn, yn ôl y rhaglen yr oedd pawb i ymgynnull yn yr eglwys Gatholig hardd – am bum munud i'r awr honno roedd aelodau'r ddau deulu wedi ymgynnull yn y dafarn ac yn cymdeithasu! Safai gŵr ifanc wrth fy ochr gyda gwirod yn ei law.

'I don't think the Father will be very happy if we're late for the service?' mentrais awgrymu iddo fel aelod oes o'r Hen Gorff!

'Oh! I don't think he'll mind at all,' atebodd mewn acen Wyddelig fendigedig, *'I am the Father!'* Ymhen pum munud roedd wedi newid i'w lifrai eglwysig gan ein gwahodd ar draws y ffordd i'w eglwys i fwynhau'r achlysur hapus.

Am ryw reswm anesboniadwy y mae tueddiad ynof i gawlio pethau neu roi fy nhraed ynddi pan fyddaf ar wyliau! Cofiaf yn y chwedegau dreulio wythnos yn Yr Alban yn teithio o fan i fan gyda Kathryn a Gwilym, cyfeillion agos i Carys a minnau. Gan fod arian yn eitha' prin bryd hynny bu'n rhaid cyfyngu ein mannau aros i dai Gwely a Brecwast. Ond y noson olaf, a ninnau wedi cyrraedd tref hardd Oban ar arfordir gorllewinol y wlad, penderfynasom fynd am westy crand. A ninnau wedi gwirioni ar ein llety moethus digwyddais daro fy llygaid ar boster yn cyhoeddi: *'Dancing Tonight at The Great Western Hotel, Oban'*. Dyma benderfynu mynd.

'Reit!' meddwn, 'gan ein bod yn aros mewn steil, mi drafeiliwn mewn steil hefyd.'

Ymhen pum munud roedd tacsi yn ein disgwyl y tu allan i'r gwesty.

'Take us to the Great Western Hotel, please,' meddwn wrth y gyrrwr. Rhoddodd ei ben ar y llyw a dechrau chwerthin yn afreolus gan bwyntio at rywbeth. Yna dechreuodd pawb arall chwerthin – pawb ond y fi!

'Sbia i'r chwith!' meddai Carys.

Ac yn y fan honno, y drws nesaf i'n gwesty, y safai The Great Western Hotel! Mentrais roi tip yn llaw'r gyrrwr!

Dro arall, flynyddoedd yn ôl, mentrodd Carys a minnau fynd i gampio i'r Eidal. Yr unig broblem oedd nad oeddem yn berchen tent. Ond daeth Gwyn Jones (cyn-brifathro Ysgol Dewi Sant, Y Rhyl) ac Enid ei briod i'r adwy.

'Mi gei fenthyg ein tent ni, sut bynnag gyflwr y mae ynddo,' oedd eu cynnig caredig. Pan dynnwyd hi allan o'r pecyn gwelwyd mai un fechan, werdd, dyllog ydoedd. Am bythefnos bu Carys yn gwnïo'r tyllau. Tra'n campio yn y Swistir ar ein ffordd i'r Eidal daeth yn storm enbyd. Yn y fan a'r lle sylweddolwyd nad oedd y gwnïo i fyny â'r safon. Llifai dŵr i mewn drwy'r to. Treuliwyd gweddill y nos yn y car. Yn anffodus, dilynodd y tywydd garw ni yr holl ffordd i'r Eidal. Yn y fan honno, nid nepell o dref Venice fe agorodd llifddorau'r Nefoedd un noson. Yn sydyn llifodd afon drwy'r dent. Dilynodd fy nghloc larwm y llif ac aeth allan drwy agoriad yn y gynfas. Ni chymerodd ond eiliad o'i amser i ddiflannu! 'Mochel yn y car fu hanes y ddau ohonom wedyn hyd doriad gwawr. Fy ngorchwyl blygeiniol drannoeth y dilyw oedd mynd i chwilio am fy nghloc larwm. Chefais i fawr o drafferth i'w ddarganfod oherwydd fe'i clywn yn crefu am gael ei arbed! Safai ar lan llyn nad oedd yno cynt wedi ei amgylchynu gan lyffantod, nadroedd o bob lliw a sawl genau goeg anferth. Gan na allaf stumogi creaduriaid o'r fath, ac os yw amser yn gallu sefyll, yno y mae'r cloc hyd heddiw, a hwyrach yn dal i ganu!

Wrth sôn am ganu, fe dreuliwyd un gwyliau hynod hapus yn teithio i lawr o Santander yng Ngogledd Sbaen i El Paraiso ar y Costa Blanca yn cael ein gorfodi i wrando ar ganeuon Adam Ant a Don Williams yr holl ffordd yn y car. Roedd chwech ohonom wedi ein stwffio yn eithaf clyd i'r Renault – Carys a minnau, Ian ac Eirlys ein ffrindiau agos a chyd-deithwyr oes, a'r ddau fach, Dafydd ac Olwen. Gwirionai Dafydd yn seithmlwydd oed ar ryw ganwr pop a elwid yn Adam Ant. Tybed oedd yn y car ar y siwrnai honno egin DJ yn ein plith? Gyda dynwarediad ansoniarus Dafydd o'r Morgrugyn a 'Gypsy Woman' yn atseinio yn ein clustiau fe gyraeddasom Arganda yn boeth, blinedig a llwglyd. Nid tref dwristaidd oedd hon, a gydag anhawster mawr y darganfu Eirlys westy i ni – reit ar sgwâr y dref. Ein rhaglen am y noson oedd bwyd mewn taferna a gwely cynnar! Ond fe ddechreuodd y canu eto yn y taferna. Deuai gŵr o amgylch y byrddau yn canu i gyfeiliant gitâr Sbaenaidd. Ffarweliodd Olwen â ni am y noson yn sŵn y 'Flamenco' a hynny ym mreichiau ei mam, ond mynnai Dafydd gadw'n effro i fwynhau'r rhialtwch. Yn waeth, daeth awydd drosto i ganu, a hynny'n gyhoeddus. Safai ar ben cadair yn ceisio diddanu pawb â'i drefniant cerddorol personol o 'Hen Wlad Fy Nhadau'. Ymhen yrhawg daeth yn amlwg i ni i gyd beth oedd yn gyfrifol am ei ysfa gwbl groes i'r natur: roedd wedi bod yn helpu ei hun yn slei i'r poteli gwin rhad oedd ar y bwrdd, tra denai'r 'Flamencwr' ein sylw ni! Cofiaf ei rybuddio, 'Yli, os w't ti ishio dŵad allan hefo ni eto, yna ma'n rhaid i chdi ddysgu dal dy ddiod!' Pwy feddyliai ei bod hi'n bosib i dad a oedd yn athro ac yn ddarpar brifathro orfod cynghori ei fab seithmlwydd oed yn y fath fodd ynghylch yfed alcohol! Nid yw Carys, Eirlys nac Ian yn sicr hyd heddiw pwy oedd y gwiriona o'r ddau ohonom y noson honno!

Gan fod blinder, gwres a gwin yn gyfuniad llethol aeth y pererinion yn gynnar i'w gwlâu gan adael y ffenestri'n agored led y pen. Ond yn sydyn fe'n deffrowyd gan sŵn byddarol y tu allan i'n ffenestr. Ffrwydrai tân gwyllt ymhobman i gyfeiliant band pres ansoniarus. Ar ôl baglu fy ffordd at y feranda gwelwn fod sgwâr y pentref yn ysu â phobl yn mwynhau eu hunain, yn plethu drwy'i gilydd ac yn dawnsio. Roedd hi'n noson y *fiesta*, ac yn waeth, roedd hi'n hanner nos arno'n dechrau! Doedd ond un ateb – ymuno yn y rhialtwch! Bore drannoeth rhybuddiwyd Dafydd nad oedd nodyn i basio dros ei laryncs ef na Don Williams!

Trwy deithio mewn car roedd modd gweld y Sbaen go iawn. Bywyd hamddenol, eithaf cyntefig a thlodaidd ar y cyfan ydyw bywyd cefn gwlad Sbaen. *'Manana'* ydi'r hoff air – 'yfory'. Peidied neb â chynhyrfu, fe wnaiff yfory'r tro! Rwy'n gwirioni ar sŵn yr iaith, ac ar un adeg mentrwn ei siarad yn dameidiog ac araf drwy gymorth

Paco, perchennog taferna yn El Paraiso lle yr arhosem bob blwyddyn. Ond mae'n rhaid bod fy ynganu yn peri trafferthion. Cofiaf ofyn mewn taferna ar y ffordd i lawr rhyw dro am gyw iâr, *chips* a phys. *'El pollo, las patatas fritas y ee los guisantes, por favor?'* gofynnais mor hyderus â phetai fy hen nain yn dod o Madrid. Cefais blatiad o bys yn unig!

Yn rhyfedd iawn, ni allai merched cefn gwlad Sbaen oddef gweld merched tramor mewn siorts. Edrychent yn gas gan fytheirio'n ddirmygus dan eu gwynt. Ond roedd eu dynion yn hollol wahanol! Aeth Carys ac Eirlys i mewn i daferna bychan allan ym mherfeddion Sbaen a chael y lle yn llawn o ddynion. Ar ôl prynu gwin, dŵr a *la mantequilla* (menyn), siarsiwyd hwy gan y dynion i ddychwelyd y poteli! Tipyn o sioc a siom iddynt oedd ymddangosiad Ian a minnau yn y drws gyda'r poteli gwag. Doedd dim cymaint o dynfa tuag at goesau blewog!

Cyntefig iawn yw'r *tavernas* bychain cefn gwlad. Rhyw gymysgedd o dafarn leol a siop y pentref ydynt. Aeth y chwech ohonom i mewn i un yn rhywle yng nghanol mynydd-dir Gogledd Sbaen a chael y llawr yn bridd wedi ei sathru ers degawdau! Gofynnodd y merched am y *lavabo*. Fe'u harweiniwyd gan y perchennog i stafell fechan gyda basn dŵr oer yn unig! Os oeddynt yn dymuno cyfleusterau ychwanegol, dywedodd mewn Saesneg bratiog mai'r peth doethaf iddynt ei wneud oedd dewis y gwrych mwyaf trwchus oedd yn tyfu yn yr ardd gefn!

Am gyfnod wedyn bu Ynysoedd Groeg yn gyrchfan rheolaidd i'n gwyliau. Mae traethau'r ynysoedd ymhlith y gorau'n y byd, y môr yn lân ac yn gynnes heb na 'theid yn dod miwn na theid yn mynd mas'. Penderfynwyd ymweld ag ynysoedd Môr Ionia o flwyddyn i flwyddyn. Roedd tair o'r ynysoedd yn hyfryd iawn – Corfu yn y Gogledd, Cephalonia yn y canol a Zakynthos yn y De. Fy newis i o'r tair, ac o bosib holl Ynysoedd Groeg y buom arnynt, oedd Cephalonia. Mae gwell graen ar hon. Ond dim rhyfedd, gan iddi gael daeargryn enbyd yn 1955 gan ddymchwel adeiladau ym mhob tref a phentref namyn un, Fiscardo, ar y penrhyn mwyaf gogleddol. Gwelir yr hen Cephalonia yma, ac mae'n heintus. Er ei bod wedi ei hailadeiladu nid yw Cephalonia wedi cael ei heffeithio gan dwristiaeth i'r un graddau â'r lleill.

Erys sawl atgof am Ynysoedd Groeg. Cofiaf ni'n cael ein herlid gan wenyn ar ben mynydd Cephalonia. Parodd y panig i ni golli ein ffordd. Daethom i lawr o ben y mynydd yn y car a hynny drwy gaeau caregog! Cefais fy hun unwaith wedi fy ynysu mewn ciw yn un o eglwysi Cephalonia. Arweiniai'r ciw at feddfaen gwydr hen sant o'r oesoedd canol a adwaenid ar yr ynys fel Sant Gerissimo. Cyn ei farwolaeth fe ymdynghedodd yr hen glerigwr na fyddai ei gorff byth yn pydru. Datgladdwyd y corff ymhen canrifoedd gan ddarganfod ei fod mewn cyflwr anhygoel. Fe'i canoneiddiwyd yn y fan a'r lle a'i arddangos hyd dragwyddoldeb. Bwriad pob un yn y ciw felly oedd mynd mor agos ag oedd modd at y corff i roi cusan iddo! Pan ddaeth fy nhwrn mentrais, rhag torri traddodiad, roi cusan ysgafn iddo ar ei law. Dyna'r tro cyntaf a'r olaf o bosib y byddwn yn cusanu lledr! Ond, ar y llaw arall, roedd gwin gwyn sych San Gerissimo yn fendigedig.

Anghofia i byth mo'r siwrnai o faes awyr Creta i'n gwesty mewn tacsi a hwnnw'n cael ei yrru gan wallgofddyn tew a chwyslyd. Gyrrai ar gyflymdra o gan milltir yr awr gan lywio ag un llaw tra daliai'r ffôn yn y llall gan barablu bymtheg y dwsin! Anghofia i byth chwaith y diwrnod hwnnw ar draeth unig yn Corfu pan feddyliais yn siŵr fod ein cwch yn cael ei ddwyn gan fôr-ladron. Roeddwn wedi cael fy rhybuddio gan y perchennog fod rhai o gwmpas. Newydd ddod dros ryw bwl bach o salwch môr tu ôl i greigan oeddwn i pan welais griw o ddynion mewn cwch arall yn codi fy angor. Rhedais tuag atynt gan weiddi *'Hey! That's my boat. Leave it alone!'* Neidiais i'r dŵr gan nofio tuag atynt. Pan gefais fy nghodi o'r dŵr gan y dynion sylweddolais mai'r perchennog oedd un ohonynt a'i fod wedi dod, chwarae teg iddo, i'n rhybudddio fod storm ar godi ac y byddai'n ddoethach i ni ddod yn nes at y prif fae. Fe'm bedyddiwyd yn 'Capten Pugwash' gan fy ffrindiau y diwrnod hwnnw!

Anghofia i byth chwaith aros mewn gwesty moethus ar Ynys Skiathos ymhlith pensiynwyr oedrannus iawn o'r Swistir. Roedd yr ieuengaf ymhell yn ei wythdegau. Roeddynt allan ar y traeth ar doriad gwawr bob dydd yn ymarfer Yoga. Aeth y fenyw hynaf, a oedd tua naw deg a phedair mlwydd oed, am drip rownd y bae mewn canŵ a hithau'n rhwyfo! Sylweddolais innau yn y fan a'r lle arwyddocâd cân Trebor – 'Un dydd ar y tro, fy Iesu, gall 'fory fod yn rhy hwyr'!

Cofiaf, hefyd, gydganu gyda theulu a gadwai daferna yn Zakinthos. Ar ôl iddynt gael y neges drosodd i ni mai trigolion Zakinthos oeddynt hwy, ac nid Groegwyr, rhois innau ar ddeall iddynt hwythau mai Cymry oeddem ninnau, ac nid Saeson. O'r eiliad honno daethom i sylweddoli fod y cwmni o'r un anian. Galwyd yr holl deulu i mewn i fwynhau cymysgedd o ddiwylliant Zakinthos a Chymru!

Mae'n rhaid i mi gyfaddef mai dyn Ffrainc ydw i yn y bôn. Fedra i ddim meddwl am wlad arall yn y byd sydd cystal am wneud bara, caws a gwin. Fedra i ddim meddwl am well noson allan na phryd o fwyd mewn bwyty yn rhai o fy hoff fannau yn Ffrainc, fel mynyddoedd y Pyrenees neu ar ôl diwrnod o sgio yn yr Alpau, gwastadir Provence, y Dordogne, sgwâr Avignon, ar y cei yn St. Tropez, neu hyd yn oed Paris. Dyma fy hoff ddinas. Does gyffelyb iddi. Gallwn dreulio oes yn mwynhau awyrgylch Notre Dame, y Louvre, y Bastille, Tŵr rhyfeddol Eiffel, Place De La Concorde, glannau'r Seine, L'Arc De Triomphe a'r anhygoel Champs Elysees. Ond i gyrraedd yno mewn car rhaid gyrru ar y Peripherique enwog neu'r Pêr-uffar-ric fel y galwodd Eirug Wyn hi rywdro. Y ffordd yma, sy'n amgylchynu Paris, yw'r ffordd brysuraf i mi yrru arni erioed.

Er yr holl drafaelio does dim ffordd debyg i'r ffordd adref. Daw yr hen hiraeth yna i'm procio yn llawer rhy aml. Gŵyr Carys yn iawn y bydd y cwestiwn arferol yn cael ei ofyn fel tiwn gron ar ôl treulio ychydig ddyddiau i ffwrdd, 'Faint s'gynno ni yn fan hyn eto?'

Cawn fy nenu i gerdded llwybrau ac anialdir fy nghynefin ers yn ifanc iawn. Byddaf yn parhau i wneud hynny tra pery ynof chwyth. I mi, Eryri ydyw paradwys. Gallaf ymgolli'n llwyr yn y dyffrynnoedd geirwon, ar y llwybrau creigiog, yn y fforestydd trwchus ac ymlacio a dod i delerau â mi fy hun ger yr afonydd gwylltion a'r llynnoedd llonydd. Nid oes mannau cyffelyb i dirwedd garw y Gluder Fach a'r Gluder Fawr, Tryfan, y Carneddau a phedol Yr Wyddfa. Ond mae mannau llai adnabyddus a llai poblog i'w cael a'r rheiny'n llawn mor ysblennydd arw fel Pen Llithrig y Wrach, Moel Siabod, Moel Hebog, Y Cnicht, Y Garn, Moel Cynghorion, Moel Eilio a'r ddwy Elidir. Troediaf yn aml drwy ddyffrynnoedd a chymoedd megis Idwal, Du'r Arddu, Dwythwch, Masgwn (Maesgwyn), Gwauncwmbrwynog, Eigiau, Melynllyn, Dulyn. Geirionnydd, Crafnant, Gwynant, Edno a Chowlyd. Does dim byd mwy llesmeiriol nag eistedd ar lan llyn anghysbell yn synfyfyrio. Sawl tro y bûm ar lannau Padarn a Pheris, Ogwen a Mymbyr a rhai llai adnabyddus, ond sydd ag enwau yn fiwsig i'r glust megis Diwaunedd, Nadroedd, Teyrn, Elsi, Bochlwyd, Caseg Fraith a Bodgynydd. Yn y mannau hyn y caf y rhyddid a'r solas angenrheidiol hwnnw wrth ymdoddi i mewn i'r ddaear a garaf ac i roi trefn arnaf fi fy hun.

'Ni byddaf yn siŵr pwy ydwyf yn iawn
Mewn iseldiroedd bras a di-fawn.

Mae cochni fy ngwaed ers canrifoedd hir
Yn gwybod fod rhagor rhwng tir a thir.

Ond gwn pwy wyf, os caf innau fryn
A mawndir a phabwyr a chraig a llyn.'

Fi Fy Hun

Ar ôl dod dros brofiadau dirdynnol y 'blynyddoedd lloerig', gwyddwn na fyddai gweithgareddau Hogia'r Wyddfa byth eto yn rheoli fy mywyd. Yn ystod y seibiant roeddwn wedi ymaelodi â chwmni drama Eryri. Cynhwysai'r cwmni actorion profiadol iawn ynghyd â chynhyrchwyr uchel eu parch, gan gynnwys y diweddar John Gwilym Jones. Uchafbwynt pob blwyddyn fyddai cynhyrchiad gan y meistr ei hun. Dysgais ganddo bwysigrwydd geiriau. Âi drwy'r ddeialog gyda chrib mân. Trafodai bob cymal o'r bron, gyda'r cymeriad yn datblygu o hynny. Anghofiai'n aml gyfarwyddo'r symudiadau! Bu'n unfed awr ar ddeg arnom sawl tro yn gosod sefyllfa a hyd yn oed golygfa! Ond cryfder cynyrchiadau John Gwilym Jones fyddai'r llefaru. Cefais y fraint o gydactio â dau actor o'r radd flaenaf, dau brifathro ysgol uwchradd erbyn hyn fel mae'n digwydd, John Roberts,Ysgol Syr Hugh Owen a Dewi Jones, Ysgol Dyffryn Nantlle. Heb os, byddai'r ddau yma wedi llwyddo i gyrraedd y brig ym myd y ddrama yng Nghymru, boed hynny ar lwyfan, radio neu deledu, pe baent wedi dewis y proffesiwn hwnnw.

Cefais fy nghastio fel yr hen filwr cyflogedig gwyllt a diddorol hwnnw, Siencyn Dafydd, yn *Hanes Rhyw Gymro* a gynhyrchwyd gan yr awdur. John Roberts oedd y prif actor yn portreadu Morgan Llwyd. Clamp o ran a fynnai gof aruthrol. Siencyn Dafydd oedd ffrind agosaf Morgan, ond dau gymeriad cwbl wahanol. Morgan Llwyd y meddyliwr dwys a Siencyn y milwr tanbaid. Mewn un olygfa drist ar faes y gad ac ynghanol y drin, deuai bywyd Siencyn i derfyn a hynny ym mreichiau ei ffrind. Dymunai'r cynhyrchydd i mi farw bob nos am wythnos â'm llygaid ar agor fel y câi John gau'r amrannau. Byddai'r olygfa hon yn apelio at John Gwilym Jones a gwelid ef yn cnoi ei hances fel arwydd o fwynhad a phleser. Hoeliai ei sylw ar yr ymadawedig yn gwywo yng ngolau'r spotlamp. Yn ystod perfformiad ddiwedd yr wythnos digwyddodd anffawd. Fel yr oeddwn ar fin cymryd fy anadl olaf llifodd y chwys a oedd yn gymysg â'r colur i'm llygaid gan eu llosgi! Ni allwn dros fy nghrogi eu cadw ar agor. Gan na welai John fy wyneb aeth ati i gau'r amrannau. Roedd rheiny eisoes yn gaeëdig. Ni chynhyrfodd y prif actor. Ar derfyn yr olygfa, ac fel y cerddwn oddi ar y llwyfan, gafaelodd y cynhyrchydd yn fy mraich gan sibrwd yn fy nghlust, 'Roeddat ti'n anfarwol heno, boi bach!' Wn i ddim hyd heddiw ai canmoliaeth yntau sylw cellweirus a threiddgar oedd ei gyfarchiad!

Yn 1983 gofynnodd John Gwilym Jones i mi gymryd rhan 'Wil' yn ei ddrama *Ac Eto Nid Myfi*, yn benodol ar gyfer perfformiad yn neuadd Llangefni yn ystod wythnos yr Eisteddfod Genedlaethol ym Môn. Y tro hwn Dewi Jones gymerodd y brif ran. Unwaith eto, chwaraeewn ran y ffrind gorau. Drama hunangofiannol yw *Ac Eto Nid Myfi* a gwyddai Dewi a minnau fod hon yn golygu llawer i'r awdur. Doedd wiw methu. Derbyniodd adolygiadau clodwiw yn y wasg a'r cyfryngau yr wythnos honno. Gwyddai Dewi a minnau fod yr awdur eisoes wedi ei blesio dim ond drwy edrych ar ei wyneb yn ysbeidiol a'r cnoad mynych gâi'r hances boced rhwng ei ddannedd noson y perfformiad.

Ond y sialens fwyaf i mi wynebu ar lwyfan oedd perfformio *Cartref*, cyfieithiad John Gwilym Jones o ddrama David Storey, *Home*. Treuliai Alwyn Pleming a minnau dri chwarter awr cyfan mewn deialog ddi-dor, ddigyswllt, gymysglyd, yn sefydlu yn raddol mai mewn gwallgofdy yr oeddem yn treulio ha' bach Mihangel ein bywydau yn hapus ond mewn stad o ddryswch. Meinir Owen, Alma Jones ac Iwan Williams oedd ein cyd-actorion. Roedd angen cof aruthrol i'r rhannau, ac roedd canolbwyntio'n rheidrwydd neu oddi ar y cledrau yr âi rhywun yn hawdd. Yn Theatr Seilo, Caernarfon y perfformiwyd y ddrama. Yn un o'r perfformiadau eisteddai dwy ddynes oedrannus o Gaernarfon yn y rhes flaen er mwyn clywed pob gair. Pan ymddangosais ar y llwyfan yn canolbwyntio'n llwyr ar fy llinellau agoriadol daeth ebychiad yn null Blodyn Tatws ers talwm o'r sedd flaen, 'O, sbiwch pwy 'di o!'

'Pwy?'

'Hogyn Dic Moto o Lanberis!'

'Dio'm byd tebyg i'w dad...!' Ac ymlaen yr âi deialog y sedd flaen yn trafod fy mhedigri. Ni chefais erioed gymaint o drafferth i ddal wyneb syth a theimlais erbyn diwedd y noson fod y ddrama wedi ei lleoli mewn man addas iawn!

Ni wn hyd heddiw sut yr aeth Alwyn a minnau drwy'r olygfa gyntaf. Fel cynhyrchydd ei hun gwyddai Alwyn Pleming yn dda am fy nawn 'cofio'. Yn aml yn ei gynyrchiadau awn oddi ar y cledrau gan greu deialog fy hun. Cofiaf gydactio â Rhian Ellis o'r Waunfawr yn un o gynyrchiadau Alwyn. Doctor oeddwn i, a Rhian yn Sister ar ward ysbyty. Aeth yn nos arnaf tra oeddwn ar fy rownds! Gwyddai Rhian yn iawn fy mod wedi neidio tua phum tudalen! Ceisiodd ei gorau fy nghael yn ôl ar y cledrau, ond yn ofer. Ond cofiaf ei chyngor cynnil i mi, 'Fasa ddim gwell i chi tsiecio eich nôts, doctor!' Roedd y sgript yn gorwedd ar y bwrdd wrth wely'r claf!

Ym mis Ionawr 1982 aeth aelodau Theatr Eryri i Fanceinion i weld drama. Manteisiodd y dynion ar y cyfle i fynd i weld gêm bêl-droed. Manchester City oedd yn chwarae gartref y prynhawn Sadwrn hwnnw. Rhywle ar gyrion Maine Road aeth y criw ohonom, gan gynnwys John Gwilym Jones i dafarn i gael bwyd. Tra'n disgwyl am ein lluniaeth aeth yn ffrwgwd rhwng dau *waiter*. Cwynai'r ferch ei bod yn gweithio'n rhy galed. Anghytunai'r gŵr. Yn ei thymer gafaelodd mewn platiad o sglodion a chyw iâr gan ei daflu at ei chyd-weithiwr. Gwyrodd hwnnw ac aeth cynnwys y plât dros John Roberts, John Gwilym Jones a minnau. Clwydodd y cyw yn daclus ar lin y dramodydd! Er ei fod wedi cael cryn sioc, trodd ataf gyda gwên lydan ar ei wyneb, 'Dyna iti be dwi'n alw'n ddrama go iawn, boi bach!'

Gan fod dyddiadur Hogia'r Wyddfa erbyn hyn yn llawer mwy trefnus a syber rhoddodd gyfle i mi wneud llawer mwy o actio. Cefais rannau sylweddol mewn dwy ffilm Gymraeg. Ffilm Endaf Emlyn oedd y gyntaf, 'Y Cloc'. Lleolwyd hon mewn llecyn hyfryd ar Benrhyn Gŵyr. Buom yn ffilmio nos a dydd arni! Fe'm castiwyd fel y Ficer ecsentrig. Y prif actorion oedd Siwan Bowen

Davies a Ryland Teifi fel y plant, Geraint Griffiths, Emyr Wyn, Delyth Wyn a John Philips fel yr hen gapten. Braint fawr fy mywyd oedd cael cydactio â Rachel Thomas. Byddai'r ddau ohonom yn mwynhau sgwrs yn ystod toriadau o'r ffilmio. Fe'i cefais yn foneddiges wylaidd a diymhongar iawn gyda diddordeb a gwybodaeth eang o ddiwylliant ei chenedl. Yno hefyd y clywais y gri 'West is best!' am y tro cyntaf erioed a hynny yn nhrymder y nos. Oedd, roedd Ray Gravell yn fwy nag effro yr adeg hynny o'r nos! Bu'n gyfrwng i'n cadw'n ddiddig a hapus drwy'r oriau meithion.

Yr ail ffilm oedd 'Steddfod, Steddfod'. Fe'm castiwyd yn honno fel y beirniad balch a blin, S.O Hughes. Sialens arall, oherwydd maint a phwysigrwydd y rhan, a chyfle i gydweithio unwaith eto â pherfformwyr gwir broffesiynol a galluog. Roedd gweld a chlywed Caryl Parry Jones yn portreadu'r holl gymeriadau yn agoriad llygaid i feidrolyn fel fi. Fe'i cyhoeddaf drosodd a throsodd hyd at syrffed mai Caryl yw'r berfformwraig fwyaf eang ei thalent a welodd ein cenedl ni erioed. Nid wy'n siŵr oes gan y Saeson ei chyffelyb. Medda ei chyd-actores yn y ffilm dalent actio llawer uwch na'r cyffredin hefyd. I mi, mae Siw Hughes yn un o'n hactoresau mwyaf talentog a hynny ar gyfrif naturioldeb ei chyflwyniadau a'i phortreadu argyhoeddiadol.

Cefais un profiad pleserus iawn tra'n ffilmio 'Steddfod, Steddfod'. Glaniodd 'S.O. Hughes' yn rhwysgfawr ac urddasol mewn hofrennydd ar faes yr eisteddfod! Cefais fy nhywys i'r awyr uwchlaw Caerdydd tua hanner dwsin o weithiau cyn cwblhau'r olygfa. Taerai rhai o'm cyd-actorion a'r criw ffilmio hyd heddiw nad oeddwn yn actio ar fy ngorau wrth ddisgyn o'r hofrennydd fel y cawn fy nhywys i'r awyr dro ar ôl tro! Efallai fod rhywfaint o wir yn yr honiad!

Rhwng dramâu llwyfan a ffilmiau aeth actio i'm gwaed. Gwyddwn fod yn rhaid i mi fod yn ofalus unwaith eto rhag gorlwytho fy mywyd. Roedd gen i waith a chyfrifoldeb dyddiol yn yr ysgol. Unwaith eto cyrhaeddais groesffordd yn fy mywyd. Cefais fy nhynnu rhwng parhau fel prifathro a dilyn gyrfa fel actor. Swydd werth chweil a sicrwydd yn rhan anhepgor ohoni ar un llaw, a phroffesiwn llawn boddhad ond gydag elfen o ansicrwydd iddo ar y llaw arall. Gyda dau o blant ar fin mynd i goleg rhaid oedd ymbwyllo, a pharhau ym myd addysg wnes i – am gyfnod. Ond roedd y cymylau duon ar y gorwel a gwyddwn na fyddwn yn parhau yn hir yn y swydd.

Roedd mân rannau mewn cynyrchiadau teledu yn fy siwtio i'r dim. Roedd pwysau cynyddol fy swydd fel prifathro yn golygu na allwn ddysgu rhannau hirion mwyach.

Amrywiai'r cymeriadau a bortreadwn o'r 'cofrestydd' bondigrybwyll hwnnw yn 'Pobol y Cwm' i Bob Crown yn 'Hafod Haidd'! Mwynheais 'Hafod Haidd'. Trueni fod y gyfres wedi ei phardduo o'r cychwyn. Roedd hyn i mi yn sen ar ddawn Dyfan Roberts, Richard Elfyn, Eilir Jones a Trevor Selway fel actorion ac yn llyffethair i ysgrifenwyr ifanc ffres fel Geraint Derbyshire. Roedd yn gocyn hitio parod i'r beirniaid hunan-apwyntiedig sy'n mwynhau corddi'r dyfroedd, a'r gatrawd 'barchus' ffals sy'n llechu tu ôl i 'bensal lèd' yn ein cylchgronau wythnosol. Duw a'n helpo os mai'r rhain sy'n llywio dyfodol ein sianel deledu! Os na fyddwn ofalus mi dagwn fel cenedl ar ein cyfog ein hunain. Mae byddin dawedog, llawn mor barchus yn bodoli yn y Gymru sydd ohoni, a gwn o siarad â nifer fawr ohonynt eu bod wedi mwynhau 'Hafod Haidd'. 'Ma' nhw'n bod,' oblegid mi gefais y fraint o'u diddanu yn eu miloedd am dros ddeng mlynedd ar hugain!

Cefais fy siâr o raglenni radio hefyd a mwynheais bob munud o'r cyflwyniadau. 'Malu ar yr Awyr' oedd y gyntaf i mi gymryd rhan ynddi. Rhaglen wedi ei llunio ar gyfer darlledwyr oedd o bosib yn mwynhau malu awyr! Yn sicr roedd gofyn i rywun fod â'r gallu i drin geiriau, dweud stori, ymateb ar y pryd i dasgau a thynnu coes. Onid oeddwn wedi cael fy nhrwytho i feithrin y doniau hyn ar hyd y blynyddoedd yn y car yng nghwmni Myrddin, Vivs, Dic a'r Hen Êl? Emyr Wyn fyddai yn y gadair i gadw trefn ar Y Parchedig John Alun Roberts, Mairlyn Lewis a minnau. Cawsom oriau o hwyl yng nghwmni'n gilydd. Merch ifanc annwyl iawn o'r enw Ceri Wyn Richards oedd cynhyrchydd y rhaglen. Bu Ceri'n gymaint o gaffaeliad i'r B.B.C. yn y maes yma. Profodd ei hun ymhellach pan fu'n gyfrifol am un o raglenni ysgafn mwyaf llwyddiannus y cwmni erioed – 'Dros Ben Llestri'. Cynhyrchodd y rhaglen hynod boblogaidd yma am flynyddoedd. Cefais y fraint o gymryd rhan ym mhob un o'r cyfresi a fyddai'n cael eu llywio'n feistrolgar gan Huw Llewelyn Davies. Tueddai Ceri gadw at bartneriaid fyddai'n gallu cydweithio'n rhwydd. Fy mhartner cyntaf oedd Ruth Parry, yna Gareth Lloyd Williams, Eirug Wyn a Dyfan Roberts. Treuliasom oriau difyr yn troi a throsi ac ystumio geiriau a dywediadau, creu esboniadau i geisio twyllo'r gwrthwynebwyr, dyfalu posau geiriol a llunio cerddi anghonfensiynol a fyddai'n mynd dros ben llestri go iawn!

Cyflwynais fy rhaglen fy hun am gyfnod. Rhoddodd Daniel Jones y cynhyrchydd rwydd hynt imi i gyflwyno recordiau cerddorol o'm dewis ynghyd â sgwrsio â gwestai arbennig ym maes cerddoriaeth. Ni feddyliais bryd hynny am eiliad y byddai fy mab yn dilyn yr un trywydd ymhen blynyddoedd, a gwneud hynny'n llawer mwy proffesiynol na'i dad! Ychydig wyddwn hefyd pan gyflwynais y rhaglen boblogaidd 'Noson Lawen' y byddai fy merch ryw ddiwrnod yn ei chynhyrchu!

Gallaf werthfawrogi erbyn hyn gymaint o bleser a roddai Cymanfa Ganu i'm tad. Mae'n wefr arwain pedwar llais mewn addoldy llawn. Ychydig o genhedloedd fedr dorri allan i ganu pedwar llais mor rhwydd â ni'r Cymry. Hyd yn oed yn y Gymru 'Cŵl' sydd ohoni a hynny ym mharthau Caerdydd ar ddiwrnod gêm rygbi, clywn y pedwar llais yn diasbedain. Rhywbeth y mae gwledydd eraill yn rhyfeddu ato. Dyma ganeuon pop dwy ganrif a hanner. Dyfod ac yna ffarwelio mae'n caneuon poblogaidd modern ni, ond mae emynau a thonau wedi goroesi ac wedi eu selio ar femrwn y cof a sensitifrwydd y glust. Mae'r alawon yn llifo allan yn ddiarwybod heb yr un syniad yn aml o ble y daethant, pa enw a roddwyd iddynt a phwy ar wyneb y ddaear a'u lluniodd.

Gan fy mod erbyn hyn yn dynesu'n gyflym at fy nhrigain oed mae'n siŵr y dylswn, fel pob creadur call, ymbwyllo a rhagbaratoi fy hun ar gyfer blynyddoedd llawer mwy syber a hamddenol. I'r gwrthwyneb. Ers troi fy hanner canfed blwyddyn ar yr hen ddaear yma rwyf wedi cychwyn neu ailgychwyn yr ymarferion hamdden rhyfedda. Ailgydiais yn yr unig gêm y gallwn ei chwarae mewn tîm, y gêm fwyaf rhyfeddol a diddorol a greodd dyn – criced. Ymddiriedai Harry Jones, capten ail dîm Fron Dinas yn fy ngallu fel batiwr a rhoddai fi i mewn i 'agor' y batio. Roedd ei ymddiriedaeth yn fy ngallu fel maeswr yn llawer llai a rhoddai fi i faesu yn y 'slips'! Ond daeth llwyddiant hwyr ac annisgwyl i'm rhan a minnau ymhell yn fy mhumdegau pan gipiasom bencampwriaeth y cynghrair!

Rwy'n berffaith sicr na ddaw llwyddiant byth i fy rhan yn y gêm arall yr wyf wedi ailgydio ynddi – golff. Chwaraewn y gêm i safon eithaf derbyniol yn fy ugeiniau ond er trio a thrio ni ddaw yr hen sbarc yn ôl. Bodlonaf erbyn hyn ar 'aredig' fy ffordd yn hamddenol, er braidd yn rhwystredig, o amgylch y cyrsiau gan gadw cwmni i Vivian a Myrddin ac edrych ymlaen ambell waith i gyfarfod Elwyn yn y pedwerydd twll ar bymtheg! Hen gêm sychedig ydi golff!

A minnau yn fy mhumdegau cynnar cefais fy mherswadio gan Dafydd, Olwen a Kevin (a ddaeth yn fab yng nghyfraith i mi yn ddiweddarach) i fynd i sgio hefo nhw i Ffrainc. Cytunais ar yr amod fy mod yn cael aros yn y gwesty i ddarllen! Cychwynnais am Courchevell, Ffrainc gyda llond ces o lyfrau. Yn y gwesty fe berswadiodd y criw fi i ymuno â grŵp o 'ddechreuwyr'.

'Any beginners here?' oedd cwestiwn cyntaf y gyhoeddwraig i'r dwsinau oedd wedi ymgynnull yn lolfa'r gwesty. Aeth un llaw i fyny – fy un i!

'Please go and see Alan Hole by the desk,' oedd ei gorchymyn i mi, gan bwyntio at ŵr tal, heini yr olwg.

'Ty'd hefo mi, Ols, rhag ofn iddo fo ofyn rhyw gwestiynau technegol imi!' Gwthiodd Olwen a minnau ein ffordd at y ddesg. Roedd y gŵr tal, hirwallt a'i gefn atom erbyn hyn.

'Hwn ydio?' gofynnais i Olwen. Trodd yr hyfforddwr yn sydyn gyda gwên lydan ar ei wyneb.

'Ia, fi ydio!' atebodd. Bu bron i mi â llewygu. Cymro ydoedd – wel Sais a bod yn fanwl, ond wedi symud i Sling, Tregarth pan oedd yn ifanc iawn ac wedi dysgu'r Gymraeg yn Ysgol Gynradd Bodfeurig. Er mai hyfforddwr arall gefais i, gwnaeth Alan yn siŵr ei fod yn cael rhyw hanner awr ei hun hefo mi er mwyn iddo gael fy nysgu drwy gyfrwng y Gymraeg. Dyma'r tro cyntaf erioed iddo gael y profiad o ddysgu neb i sgio trwy gyfrwng ei iaith fabwysiedig a dyma'r tro cyntaf iddo glywed neb yn ei ddosbarth yn rhegi drwy gyfrwng yr iaith honno tra'n llithro'n afreolus i lawr y 'piste'! Rhoddodd Kevin ochenaid o ryddhad pan gymerodd Alan fi dan ei adain. Bu Kev druan yn chwys doman yn ceisio fy nysgu cynt, neu ai ceisio plesio ei ddarpar dad yng nghyfraith yr oedd?

Ymunodd Carys, ynghyd â'n ffrindiau Ian ac Eirlys Pierce yn y rhialtwch y flwyddyn ganlynol ar ôl derbyn gwersi rhagbaratoawl ym Mhlas y Brenin, Capel Curig a Llandudno. Yn ffodus cawsant Alan Hole fel hyfforddwr. Aeth y sgio i'r gwaed yn syth! Doedd dim troi'n ôl bellach.

Dywed rhai mai sgio iddynt hwy yw rhyddid, llethrau heulog ac anadlu aer pur. I mi, fel un sydd wedi dechrau yn llawer iawn rhy hwyr, golyga oresgyn poen ac ofnadwyaeth! Unwaith mae rhywun wedi croesi'r ffin gan goncro'r ofn, eilbeth yw techneg gywir. Dyna pam na chymerodd hi fawr i mi lwyddo i sgio ar ddŵr yn Corfu yn ddiweddarach!

> 'Tybed fy mod i, O Fi fy Hun,
> Yn myned yn iau wrth fyned yn hŷn,
>
> A gwanwyn a gwenau a gwibiog hynt
> Yn gwahodd fel y gwahoddent gynt.'

Ond gwn hefyd 'nad oes paradwys fel paradwys ffŵl!' Prinhau mae'r blynyddoedd pryd y caf wthio fy nghorff a'm henaid tu draw i ffiniau cymedroldeb. Pan ddaw'r dydd i gallio ac ymbwyllo a phan dderbyniaf yn derfynol 'fod ynof fis Gorffennaf ffôl yn ciprys gydag Ebrill na ddaw'n ôl,' gwn pa mor bwysig fydd cael bryd hynny ddiddordebau mwy cymedrol ac hamddenol. Dyna pam fy mod ers sawl blwyddyn bellach wedi rhagbaratoi fy hun gan ymaelodi â Chlwb Eryri, clwb llenyddol Dyffryn Peris, a'r côr meibion lleol – Côr Dyffryn Peris. Dyna'r cylch yn troi'n gyflawn. Dyma fi'n ôl eto gyda fy mhobl fy hun, yn 'sownd' yn naear fy magwraeth, yn mwynhau cydganu, cydsgwrsio a thrafod a chymysgu yn eu rhialtwch. Ar ôl blwyddyn o fod yn aelod o Gôr Dyffryn Peris cefais fy hun yn eu harwain, a hynny'n gwbl groes i'm dyhead. Parodd tyndra ac anghydfod i'n harweinydd adael. Roeddwn yn llawer rhy brysur i ysgwyddo cyfrifoldeb o'r fath ynghyd â'r ffaith nad oeddwn yn gerddorol gymwys i lenwi'r ffasiwn swydd. Ni freuddwydiais y byddwn i, Elwyn fel is-arweinydd a Hefina Jones, y gyfeilyddes, yn cael ein rhoi mewn sefyllfa i gynnal y côr. Roedd cyngherddau i'w cadw a ninnau heb arweinydd! Doedd dim amdani ond cytuno i arwain ac ymarfer gyda'r côr am gyfnod o chwe wythnos. Ar ôl chwe blynedd parhawn yn y swydd, a hynny ar ôl degau o gyngherddau a thaith i Wlad Belg, Yr Almaen, Lwcsembwrg a Ffrainc! Ond parhawn yn flynyddol i bwyso ar bwyllgor y côr i geisio denu arweinydd i gymryd yr awenau. Tua diwedd 1998 derbyniais y newyddion braf fod gan Mair Hughes, Prifathrawes Ysgol Gynradd Cwm-y-glo a cherddores, ddiddordeb yn arwain y côr. Gollyngdod a rhyddhad o'r diwedd. Golygai hyn y gallwn fynd yn ôl i ganu yn y côr a dechrau mwynhau fy hun unwaith yn rhagor! Cytunais i fod yn is-arweinydd.

Un o swyddogaethau cyntaf Mair oedd paratoi'r côr i fynd ar daith i Lydaw. Edrychai pawb ymlaen at y profiad. Ond profiad a drodd yn chwerw ydoedd. Wrth i aelodau'r côr a'r teithwyr eraill ymlwybro oddi ar y llong a chael y rhyddhad o gael y cei yn Roscoff o dan eu traed, digwyddodd yr anffawd mwyaf melltigedig: syrthiodd 'rhywun' dros yr ochr. Am resymau anochel nid oeddwn i ar y daith honno. Am saith o'r gloch y bore, a minnau newydd gwblhau sgwrs fyw dros y ffôn â Dei Tomos ar ei raglen foreol, fe ganodd y ffôn unwaith eto. Dei ei hun oedd yno.

'Glywis' di am John?'

'Pa John?' gofynnais.

'John 'Rallt Goch'.

'Gŵr Catherine?'

'Ia, mae o wedi'i ladd…'

Nid oes gennyf gof am weddill y sgwrs na pha bryd y

rhois y ffôn i lawr. Fe'm parlyswyd. John o bawb! Ei deulu a'r côr oedd ei fywyd. Nid oedd aelod ffyddlonach. Eisteddais yn fud yn fy nghadair gyda theimlad o unigrwydd yn fy meddiannu. Roedd cyfeillgarwch agos rhyngof a John gan mai ef oedd pennaf ffrind fy nghefnder, John Tŷ Uchaf. Y ddau wedi mynd mor ddisymwth! Bu'n wythnos hir, ac ni fûm mor falch o weld ffrindiau'n dychwelyd o unman. Roedd y wedd ar wynebau'r hogia yn yr ymarfer cyntaf ar ôl y drychineb yn adrodd cyfrolau. Fel un o'r ychydig rai na fu drwy'r profiad uffernol hwnnw ym mhorthladd Roscoff, gallaf ddatgan fod dewrder anghyffredin wedi dod i'r amlwg yno, gydag undyn byw yn dymuno derbyn clod. Bu aelodau'r côr ac eraill yn gefn i Catherine heb os, ond y rhyfeddod yw fod personoliaeth Catherine, a hithau ynghanol ei thrallod, wedi bod yn golofn gadarn i bawb arall, ac yn gyfrwng i gadw'r côr rhag disgyn i bydew anobaith a chwalu dan lif emosiwn. Pobl fel 'na fu, ac ydi, fy mhobl i. Mae caledi wedi bod yn rhan annatod o'u bywydau ar hyd y blynyddoedd. Allan o chwys, llafur a dycnwch y mowldiwyd hwy a braint bywyd oedd cael bod yn un ohonyn nhw.

Hogyn fy ardal fûm i erioed ac yn ddi-os hogyn fy ardal fydda i, tra bydda i. Mae newidiadau mawr wedi bod yn fy nyffryn i yn ystod fy mywyd, rhai er gwell a rhai er gwaeth. Er i mi dreulio fy mhlentyndod mewn pentref diwydiannol a thlodaidd gyda'r trigolion yn ceisio dod dros y sioc o fyw drwy ryfel byd a'i effeithiau, ac yn ceisio dod i delerau â byw bywyd normal unwaith yn rhagor, cyfrifaf hwynt fel blynyddoedd hapus iawn. Parhaodd yr hapusrwydd i flynyddoedd byrlymus y chwedegau a'r saithdegau. Fel Cymro, fe'm sigwyd hyd at fy seiliau gan un ddynes yn yr wythdegau – Margaret Hilda Thatcher. Bu ei brwydr barhaus i ddinistrio'r diwydiannau oedd yn asgwrn cefn i'm cenedl yn frawychus. Llwyddodd yn rhwydd i gladdu'r diwydiannau dur a glo gan annog y trueniaid di-waith i 'fynd ar eu beiciau'. Ysigodd y diwydiant amaeth, calon y bywyd Cymreig. Tarodd yr hoelen gyntaf i mewn i arch addysg. A phan welodd yr arwydd cyntaf fod ei phoblogrwydd yn pylu llusgodd ein pobl ifanc drwy ddŵr a thân i ymladd hyd at angau dros ryw ynysoedd dinod a gyfrifid fel rhan o'r Ymerodraeth Brydeinig. Dim rhyfedd i John Roberts Williams, y praffaf erioed o'n newyddiadurwyr, ei disgrifio fel 'y ddynes ddur sy'n ddynes ddoe.' Ond y ffaith ysgytwol yw fod ystadegau ar y pryd yn dangos fod chwarter fy nghenedl i yn ei chefnogi! Dim rhyfedd felly, ar ôl cyflwyno ei pholisïau ar 'breifateiddio' iddi adael o'i hôl gymdeithas gyfoglyd o hunanol. Ond fel y dangoswyd yn Llydaw, mae dycnwch cymeriad trigolion fy nghymdeithas i yn profi i'r gwrthwyneb a hoffwn feddwl, drwy'r un dycnwch ac er gwaethaf pawb a phopeth, y byddant yn cynnal ei Chymreictod hefyd, a hynny er mwyn ein plant a phlant ein plant. Ein dyletswydd ni ydyw gwarchod ein plant rhag unrhyw orthrwm estronol, eu meithrin i ymfalchïo yn y seiliau cadarn sy'n rhan annatod o'u gorffennol fel y gallant wynebu'r dyfodol yn hyderus. Y rhain yw dyfodol fy nghenedl i, boed honno'n draddodiadol neu'n 'cŵl', ac mae un ohonynt yn swpyn bychan diniwed a siriol yn swatio yn fy nghesail y funud hon – Tomos Meredydd Morgan – cannwyll llygad ei daid!